나의 부름에 응하라, 짐승

「나 발하노라、 빛의 칼날!」
목소리와 동시에、
순백의 섬광이 방 안에 가득 찼다!

클리오는 볼칸의 검을 빼앗아
무모하게도 암살자 블랙타이거에게 덤벼들었다!

오펜은 꼼짝도 하지 못하고
그 방에 있는 것을 바라보고 있었다……

CONTENTS

SORCEROUS STABBER

ORPHEN

나의 부름에 응하라, 짐승

마술사 오펜 뜻밖의 여행

애장판 1

나의 부름에 응하라, 짐승

秋田禎信
Yoshinobu Akita

일러스트 쿠사카 유야 **번역** 곽형준 **디자인** 백진화
편집 정성학 김일철 **마케팅** 김정훈 **책임편집** 박관형

나의 부름에 응하라, 짐승

프롤로그

"보면 안 돼!"

하지만 그는 보았다——라기보다는 몸이 마비된 것처럼 움직일 수 없었다. 방 입구에 우두커니 서서 그저 멍하니 그녀를 내려다볼 수밖에 없었다——.

실내는 적당히 깔끔하긴 했지만, 생활에 필요한 것들을 대충 방 네 귀퉁이에 놓아두었을 뿐인 인상이었다. 오래된 침대가 있고, 책상이 있고, 책장이 있고, 옷을 넣을 선반이 있고, 창문에는 두꺼운 옷감으로 만든 커튼이 달려 있을 뿐이고 바닥에는 다 닳아빠진 융단이 깔려 있다. 그녀는 그런 바닥에 꿇어앉은 채 자신의 얼굴을 두 손으로 덮으며 외쳤다.

"보지 마! 제발!"

하지만 그 절규를 듣고도 그는 표정을 잃은 것처럼 꼼짝도 하지 않았다.

15살 정도에 체구가 작은 소년이었다. 검은 머리카락에 검은 눈은 어린 분위기를 남기면서도 언젠가 찾아올 성숙한 외모의 징조를 살짝 드리우고 드리우고, 전체적으로 마른 인상이었지만 어린 시절부터 거듭해 온 전투 훈련 덕분에 결코 연약한 느낌은 없었고, 그 가느다란 신체는 예리한 칼날처럼 올곧게 뻗어 있었다.

그는 눈앞에 일어난 사태를 무엇 하나 이해하지 못하는 기색이었다. 알 수 있는 것은 그녀가 '보지 마' 하고 외치며 바닥에 주저앉아 울고 있다는 것뿐이었다.

"아자리, 우는 거야?"

소년은 너무나도 이상한 일이라는 듯이 물었다.

하지만 그녀는 대답하지 않았다. 그저 두 손으로 얼굴을 가린 채로 보지 말라며 외칠 뿐이었다.

그녀는 넉넉한 검은색 로브 같은 것을 입고 있었다. ――이 옷은 이 대륙 흑마술사의 총본산인 《송곳니 탑》의 제복 같은 옷으로, 어느 정도 이상의 지위를 가진 자만이 몸에 걸칠 것을 허락받는 복장이었다. 그녀와 같은 젊은 나이――아직 스무 살 정도의 젊은 나이로 이 로브를 입은 자는, 전무하진 않았지만 흔하지도 않았다. 웨이브가 들어간 검은 머리카락은 아마도 전투 훈련을 하기 위해서인지 상당히 짧게 친 모습. 얼굴은 계속해 가리고 있기 때문에 보이지 않았지만, 손가락 틈새에서 살짝 갈색으로 빛나는 눈동자가 엿보였다. 키는 동년배 남자와 비교해도 뒤지지 않을 정도로 컸고, 사지 역시 탄탄하였다.

"보지 마! 제발, 여기서 나가――."

그녀는 다시 외쳤다. 그리고 소년은 그 목소리가 울음소리가 아니라는 것을 깨달았다. 그녀의 목소리는 따지자면 화가 난 듯한 느낌이었다.

소년은 입구에서 한 걸음 내딛고는 불안한 듯이 물었다.

"아자리, 무슨 일이야? 잠깐만, 선생님 불러 올게――."

"안 돼! ――아니――."

그녀는 격렬히 외치고는 말을 고쳤다. 두 손으로 얼굴을 가린 채여서 목소리가 탁했기 때문에 듣기 어려웠다.

"아니――헛수고야. 차일드맨도――그 누구도 부르지 마."

"하지만——"

"됐으니까 나가! 얼른!"

그녀는 한손만을 이쪽으로 흔들며 명령했다. ——그리고 소년은 그 손을 보고 눈을 휘둥그레 떴다. 전투 훈련으로 피부가 두꺼워진 그녀의 손가락은 원래부터 지나가는 말로도 섬세하고 아름답다고는 하기 어려웠지만, 그때 소년의 눈에는 그 손에 무언가 갈고리발톱 같은 것이 돋아난 것처럼 보였다.

소년은 자신의 눈을 의심하듯이 깜빡이며 외쳤다.

"아자리? 그 손——"

"부탁이니까 빨리 나가!"

그녀가 다시 외쳤다. 그 순간, 콰악 하고——그녀의 정수리 부근에서 검은 머리카락이 부풀었다. 뒤이어 삐직삐직 혈관이 찢어지는 듯한 소리가 들리더니, 체액으로 범벅이 된 촉수 같은 것을 내뿜으며 머리카락 속에서 명백히 인간의 기관에는 속하지 않은 고깃덩어리가 튀어나왔다. 뿌직! 하는 소리와 함께 그녀의 발치에 무언가 떨어졌다. 찢어진 허리띠였다. 잘 보자 그녀의 허리는 부자연스럽게 일그러지고, 팽창하여——

소년은 비명을 질렀다.

비로소 그도 이해한 모양이었다. ——그녀가 인간 이외의 무언가로 변화했다는 것을.

그녀의 팽창한 허리가 옷 밑에서 흘러넘치더니 부드러운 옷감을 찢어발기고 그녀의 등에서 우뚝 솟아올랐다. ——거대하고, 박쥐와 같은 피막이 달린 날개가. 동시에 몸을 부르르 떨더니, 입으로 주르륵 액체와 같은 것을 토해냈다. 얼굴을 누르고 있던 손가락 틈새에서 육편이 뒤섞인 피가 바닥에 방울져 떨어졌다. 그 입도 턱이 빠질 정도로 벌어지고 붉은 도마뱀의 머리 같은 혀가 보였다.

"보지 마!"

그 외침만이 아까부터 변함없는, 그녀의 목소리였다.

"아자리——."

소년이 외쳤다. 하지만 그는 그 뒤에 꺼낼 말을 찾지 못한 듯이 입을 다물었다.

그 동안에도 그녀의 변모는 계속되었다. 로브의 옷감을 찢고 훤히 드러난 그녀의 어깨는 순식간에 비늘이 돋아난 녹색으로 변했다. ——깨닫고 보자 팔이 네 개로 늘어나고, 몸 자체도 3미터 정도로 부풀어 올라 있었다.

그녀——아니, 아까까지는 그녀였던 기이한 물체는 자신의 긴 꼬리를 뒤쫓듯이 빙그르 한 바퀴 돌고는, 다시 한 번

"보지 말아 줘……."

하고 내뱉으며 화상으로 짓무른 듯한 눈꺼풀에 숨겨진 눈동자를 불태웠고——

거구에 어울리지 않는 민첩한 동작으로 《탑》의 창문에서 몸을 내밀더니, 날개를 펼치고 굉음을 내며——바깥으로 날아갔다.

소년은 황급히 그녀가 토한 피웅덩이를 뛰어넘어 창가로 달려갔다. 하지만 그곳에서 보이는 장소 안에는 이미 그녀의 모습이 없었다.

그는 일종의 도취된 표정을 짓고, 몸을 떨며 방 안을 돌아보았다. 그녀가 남긴 피웅덩이 한가운데에 아까까지는 알아차리지도 못했던 철로 된 물체가 떨어져 있었다. 피와 녹으로 더러워져 까매진 한

자루의 고풍스러운 검.

이후 소년은 오랫동안 그녀의 모습을 볼 수 없었다. ――몇 년이나. 몇 년 동안이나.

제1장 장삿날에

몇 년이나——몇 년 동안이나——계속해 걸어——

——쾅쾅쾅!——

"야 인마, 일어나! 얼른 일어나지 않으면 막대기로 찔러 죽일 줄 알아! 야 이 자식아!"

세차게 울리는 노크 소리에 오펜은 짜증난다는 듯이 침대 위에서 몸을 뒤집었다. 싸구려 숙소의 얄팍한 침대이긴 했지만 누워 있는 당사자는 그런 것은 상관없다는 듯이 안락함을 만끽하고 있었다.

"예전부터 말했을 텐데! 오늘은 장삿날이라고! 내 계획을 전부 망가뜨릴 셈이냐?! 야! 어서 안 나오면 확 죽여 버린다!"

안개가 낀 듯이 흐리멍덩했던 오펜의 의식에 점점 그 노성이 스며들었다. 그는 퉁퉁 부은 눈꺼풀을 천천히 들어올렸다. 기름진 얼룩이 진 나무 천장을 바라보고, 불쾌하다는 듯이 창밖으로 시선을 던졌다.

창문으로 꽂히는 햇빛의 각도로 보건대 점심 전쯤 될까.

문을 두드리는 소리와 외침은 더더욱 커졌다.

"인마! 끝끝내 안 나오겠다는 거냐? 엉? 죽고 싶다는 거지? 좋았어, 일단 쳐나와! 오늘에야말로 이 볼카노 볼칸 님께서 숨통을 끊어 주마!"

'나가면…… 죽나?'

오펜은 조금 잠이 덜 깬 머리로 그렇게 생각했다.

'누구한테 죽지? 볼카노 볼칸? 그 땅딸보한테? 망할——.'

그는 몸 위에 덮은 시트를 젖히고 상반신만 몸을 일으켰다. 그리고 한 번,

"시끄러워!"

하고 문을 향해 맞고함을 치고는 알몸의 가슴을 긁적였다. 조용해진 문을 향해 침을 뱉은 그는 침대 옆 의자에 걸쳐 둔 자신의 셔츠를 난폭하게 입었다. 덤으로 똑같이 의자 등받이에 걸었던 펜던트도 집어 들었다. 가느다란 은제 사슬 끝에 마찬가지로 은으로 세공한, 검에 얽힌 외발 드래곤의 문장이 반짝 빛났다.

오펜은 그것을 한 번 손바닥에 올리고, 은제 드래곤에게 말하듯이 중얼거렸다.

"날 죽이겠다고?"

쓴웃음을 지으며 펜던트를 목에 걸쳤다.

동시에 쾅! 하고 더욱 세게 문을 두드리는 소리가 들렸다.

"시끄럽긴 얼어 죽을! 누굴 위해 이런 기름내 쩌는 곳까지 마중을 나온 줄 아는 거야?"

오펜은 그 노성을 무시하고 침대에서 내려와 방구석에 걸린 거울을 들여다보았다. 검은 머리카락을 기른, 대략 스무 살 정도의 조금 토라진 듯 보이는 외모를 한 젊은 남자의 얼굴이 비친다. 방금 일어난 탓에 눈이 게슴츠레하지만, 잘 생각해 보면 그가 거울을 들여다보았을 때 그의 검은 두 눈동자는 평소처럼 비아냥대듯이 치켜 올라가 있었던 것도 같다.

문 바깥에서 들리던 목소리는 점점 더 히스테리컬하게 높아졌다.

"이 자식, 계속 그따위로 헛소리나 지껄이고 있으면 롤러로 치어

죽일 줄 알아! 됐으니까 얼른 쳐나오기나 하——"

오펜은 시끄럽다는 듯이 문으로 고개를 향하고 오른손을 내밀며 빠른 말투로 읊조렸다.

"나 발하노라, 빛의 칼날!"

순간 번뜩! 하고 순백의 섬광이 방 안을 가득 채우더니, 오펜의 손에서 빛의 띠 같은 광열파가 발사되었다. 흰 빛의 격류는 튼튼한 목제 문에 닿더니 어마어마한 굉음을 내며 폭발했다. 문이 박살나고, 그 탓에 생겨난 분진이 모래 연기처럼 주변에 피어오른다.

그렇게 시원스레 흔적도 없이 산산조각 난 문 너머에는 모피 망토를 두른, 신장 약 130센티 정도의 소년이 아연한 표정으로 눈을 부릅뜨고 있었다. 여행 등으로 먼지를 뒤집어 쓴 차림은 꾀죄죄했고, 검은 머리카락도 며칠 동안 씻은 기색이 없어 부석부석했다. 동그랗고 갈색이라기보다는 옅은 검은색이라고 해야 할 동공이 그 눈을 대부분 점유하고 있다.

오펜은 그 소년을 향해 반으로 치켜 뜬 눈으로 되물었다.

"쳐, 나오라고?"

"……나와, 주시면——소인으로서도 매우 황송하기 그지없겠습니다요……."

분진 속에 선 소년은 조심조심 작은 목소리로 말을 고쳤다.

"좋아. 앞으로는 연장자에게 경의를 표해라. 알겠냐?"

오펜은 그렇게 말하고 만족스럽게 소년을 관찰했다. ——조금 통통한 인상을 주는 지인(地人)종 소년은 분명 나이가 열여덟 정도일 터다. 130센티라는 키는 체격이 작은 지인들 기준으로는 뭐, 평범한 크기다. 지인의 전통적인 차림새인 모피 망토로 몸을 넉넉하게 두른 밑에는 두툼한 두께의 장검이 든 칼집이 힐끗 보인다.

소년——볼칸은, 아직도 불에 그슬려 빠직빠직 소리를 내는 문의 파편을 내려다보며 천천히 오펜 쪽으로 시선을 되돌렸다.

"어, 그러니까, 거시기 뭐냐, 오펜 님. 주제넘게도 소인이 모시러 왔습니다만."

"밥 먹고 갈 거다. 바깥에서 기다려."

"예이."

볼칸은 그렇게 웅얼대고는 여전히 눈을 부릅뜬 채인 얼굴로 후다닥 복도를 달려갔다.

그가 계단에서 발이 걸려 넘어질 뻔하여 욕설을 내뱉는 것을 들으며, 오펜은 크게 기지개를 켰다.

"장삿날이라. 일단 그 전에——."

박살이 난 문을 향해 다시 오른손을 내밀고,

"나 치유하노라, 석양의 상흔."

그렇게 주문을 읊과 동시에 문의 파편이 움찔 움직이나 싶더니, 시간을 되감은 것처럼 갑자기 공중에서 조립되더니 원래의 모습으로 돌아왔다. 오펜은 어슬렁어슬렁 다가가 원래대로 돌아온 목제 문을 손가락으로 건드리며 중얼댔다.

"뭐, 이 정도면 잘 고쳐졌군."

문 한가운데에 살짝 그을린 자국이 남았지만 그는 어깨를 으쓱이는 것으로 그 흔적을 무시하고 문손잡이를 가볍게 밀었다.

오펜은 버그업스 인이라고 불리는 낡아빠진 싸구려 여관에 손님이 오는 광경을 본 적이 없었다. 그런 주제에 복잡하게 얽힌 상업도

[초판특전·비매품]

'마술사 오펜' Book Stick

아키타 요시노부 지음 • 쿠사카 유야 일러스트

시의 뒷골목에 위치한 이 여관은 항상 제대로 관리가 되고 있어 매우 낡은 건물이라는 점만 제외하면 나쁜 숙소는 아니었다.

오펜이 2층 객실에서 내려오자 주점 카운터에서 주인장인 버그업이 방긋방긋 웃으며 유리컵을 닦고, 아들인 매지크가 대걸레로 바닥을 훔치고 있었다. 부자지간일 텐데도 두 사람은 전혀 닮지 않았는데, 해변 마을이었다면 틀림없이 해적이라고 오해를 받을 버그업과는 대조적으로 매지크는 그야말로 곱상한 미소년이었다. 순수한 눈매와 금발, 깔끔한 외모를 가진 젊은이다. 그런 매지크가 고개를 들며 인사했다.

"아, 오펜 씨. 일어나셨나요?"

최근 2년 동안 이 여관에 묵으며 완전히 친숙한 사이가 된 오펜은 허물없는 태도로 손을 들며 대답했다.

"일어났다기보다는 그 바보 자식이 난리를 피워서 깼다."

"굉장히 큰 소리가 나던데요."

"문을 박살냈거든. 고쳐 뒀지만."

오펜은 그렇게 말하며 카운터석에 앉았다. 그리고 수염 안에서 방긋방긋 웃는 버그업에게 가벼운 점심식사를 주문했다.

"장사가 어쩌고 시끄럽던데?"

버그업은 오트밀이 들어간 냄비를 데우기 위해 최근 도입한, 그의 자랑인 가스 스위치를 누르며 말했다. 거친 바다와 낚싯바늘의 폭풍에라도 시달렸을 듯한 용모이면서도 굉장히 다정한 목소리는 사람 좋은 할아버지를 연상케 하였다.

오펜은 카운터에 팔꿈치를 대고 뺨을 짚으며 한숨 섞인 목소리로 대답했다.

"응. 볼칸 자식이 뭔가 돈벌이가 될 건수를 발견한 모양이야. 자세한 내용은 아직 듣지 않았지만."

버그업이 씨익 웃었다.

"그 반응을 보건대 그다지 기대는 하지 않는 모양이로군?"

"그야 그렇지. 그 자식이 가져오는 일거리가 제대로 풀린 역사가 한 번도 없다고."

"그렇다면 무시하면 되지 않나."

버그업은 재미있다는 듯이 대답했다. 오펜은 비아냥대듯 입가를 일그러뜨리며 대답했다.

"댁도 알잖아? 그 자식에게 돈을 빌려줬다는 걸. 어떻게 해서든 돈을 벌게 만들어서 이자까지 돌려받질 않으면 이쪽은 완전 파산이야."

"그러니까 무허가 사채업 따윈 하지 않는 편이 좋았잖나."

"그렇다니까……. 세상천지 어디에 빚쟁이가 돈을 벌게 하려고 힘을 빌려주는 사채업자가 있냐고."

"여기에 있네."

말꼬리를 잡은 버그업은 데워진 오트밀을 접시에 담고 카운터로 내밀었다. 오펜은 그 접시를 받으며 힐끗 매지크 쪽을 돌아보았다.

"이봐. 나중에 마술 가르쳐줄 테니까 월사금을 낼 생각은 없냐?"

"정말로요?"

매지크가 퍽, 하고 의자 다리에 대걸레를 부딪으며 얼굴을 빛냈다.

"어허. 남의 아들에게 수상한 걸 권유하지 마라."

뒤에서 들려온 버그업의 주의에 오펜은 가슴팍에 매단 펜던트를 들어올리고, 그가 가진 물건 중에서는 거의 유일하게 가치가 있다고 해도 과언이 아닌 그것을 뽐내듯이 보이며 말했다.

"엄연한 《송곳니 탑》 출신의 흑마술사 오펜이 지도한다고. 입신출세의 기회잖냐."

"매지크에게 마술의 재능이 있을 것 같진 않은데."

버그업은 자신의 수염을 당기며 덧붙였다.

"그리고 그 당사자가 파산 직전이라며 징징대고 있는데 뭐가 입신출세야?"

"이래 보여도 일단 궁정마술사가 되지 않겠느냐는 제안도 받았다고."

"그랬다가 심사회 때 커닝한 것이 들켜 실격당했다며? 귀에 못이 박히도록 들었어."

"괜찮다니까. 매지크에겐 재능이 있어. ——나 같은 천재가 아니면 모르겠지만 이렇게…… 삘이 말이지——."

"정말인가요?"

"어허. 진심으로 받아들이지 마라, 매지크."

버그업은 수염 만지작거리기를 그만두고 개수대에 놓아두었던 유리컵을 다시 닦기 시작했다.

"이 녀석이 궁정마술사——《십삼사도》의 후보가 되었을 리 없잖아. 그런 힘을 가진 마술사가 아무리 몰락하더라도 이런 비합법 사채업자 따위가 되겠느냐. 네게 재능이 있다는 말도 그냥 주워섬긴 말이야."

버그업은 그렇게 말하며 주점 구석으로 아들을 내쫓더니 오펜에게 다짐시키듯이 말했다.

"아들 녀석을 놀려먹는 것도 작작 해 줘. ——뭔가 한 번 믿으면 끝까지 순순히 믿어 버리는 녀석이라서 말이지. 네 말을 반쯤 믿기 시작하고 있다고."

"거 너무하네. 난 거짓말이라곤 아무것도 안 했는데."

오펜은 부루퉁한 목소리로 그렇게 말하고는 결벽적일 정도로까지 잘 닦인 스푼으로 오트밀을 휘저었다.

"매지크에겐 정말로 재능이 있어. 열넷이라고 했던가? 이렇게 손님도 안 오는 여관에서 걸레질이나 시키지 말고 제대로 된 학교에 보내서 말이지——."

"학교엔 보내고 있어. 읽기와 쓰기, 산수, 신학의 초보——"

"평범한 학교 말고. 어딘가 유명한 마술사 교실에 말이야."

"그리고 최종적으로는 《송곳니 탑》을 목표로 삼으라고 말하고 싶은 건가?"

"그런 말은 안 해. 그곳은…… 조금 특수한 교실이니까."

오펜은 조금 껄끄러운 듯이 몸을 빼며 웅얼거리듯이 내뱉었다. 그리고 스푼에서 손을 떼고 다시 펜던트의 문장을 만졌다. ——이 문장은 《송곳니 탑》 출신 마술사에게만 증여되는, 일종의 신분증명서였다.

하지만 버그업은 토라진 얼굴로 대걸레로 바닥을 훔치는 아들 쪽을 보고 있어 오펜의 표정 변화를 깨닫지 못한 모양이었다. 그는 아무렇지도 않은 말투로 나지막하게 물었다.

"애초에 뭣 때문에 매지크에게 마술사의 재능이 있다고 보는 거야?"

오펜도 비슷한 말투로 되물었다.

"힘을 가진 마술사의 조건이 무엇인지, 알아?"

"글쎄다. 처녀로부터 태어나기라도 해야 하나? 그렇다면 말해 두겠는데 저 녀석의 어미는……."

오펜은 그 말을 가로막고 대답했다.

"순수하고 진지한 정열. 그게 힘을 가진 마술사의 조건이다."

그 말을 듣자마자 버그업은 웃음을 터뜨렸다. 그리고 유리컵을 떨어뜨리지 않도록 개수대 위에 올리고 단언했다.

"그렇다면 네가 힘을 가진 마술사일 리 없겠군."

오펜은 마음대로 지껄이라는 듯이 흥, 하고 콧방귀를 끼고 부루퉁한 얼굴로 오트밀 정복에 착수했다.

"그 인간 자식, 까불기는!"

볼카노 볼칸은 버그업스 인 앞 골목길을 오가며, 거칠게 콧바람을 내뿜으며 투덜거렸다.

"힘을 과시하기나 하고 말이야. 정말이지 음흉한 자식 같으니!"

한편, 주점 입구 옆에 놓아둔 빈 물통에는 또 한 명, 비슷한 차림의 지인이 걸터앉아 다리를 흔들댔다. 단지 이쪽은 볼칸보다도 한층 더 체구가 작고 나이도 조금 밑인 듯했다. 도수가 센 안경을 걸치고, 통 옆에는 그의 것으로 보이는 엄청나게 큰 가죽 자루가 놓여 있었다. 볼칸처럼 검은 가지고 있지 않지만, 그 가죽자루의 크기로 보건대 도저히 가벼운 차림의 여행복이라고는 할 수 없었다. 자칫했다간 자기 자신이 안에 들어갈 만한 크기의 자루였다.

볼칸이 느닷없이 그쪽의 안경을 쓴 지인을 돌아보고는 동의를 구했다.

"그렇지 않냐, 도틴?"

"……응?"

도틴이라 불린 그 소년은 명백히 볼칸의 말을 듣고 있지 않았던 모양인지 멍한 목소리로 되물었다. 볼칸은 불쾌함으로 찌푸린 얼굴을 더욱 찌푸리며 다시 말했다.

"그 인간 흑마술사 말이다. 너무 거만하지 않아?"

도틴은 그 말을 듣고 조금 망설이듯이 허공을 올려다보았다.

"하지만 그 사람에게 돈을 빌린 건 형이잖아?"

아무래도 이 두 사람은 형제인 모양이다.

볼칸은 화르륵 불이라도 뿜듯이 입을 열었다.

"다시 말해서 난 그 자식의 손님이잖냐!"

'기한 내에 돈을 갚지 못하면 고객이라고는 할 수 없지.'

도틴은 반사적으로 그렇게 생각했지만 굳이 입 밖으로 내지는 않았다.

그것을 자신의 말에 대한 동의로 받아들였는지 볼칸은 더욱 기세 좋게 내뱉었다.

"그런데도 녀석은 자신이 주인인 것처럼 건방이나 떨면서, 뭘 하나 싶으면 내가 준비해온 장삿거리를 하나부터 열까지 전부 엉망으로 만들 뿐이야! 이거 원, 인간이라는 것들은 제대로 된 놈이 없지만 녀석은 그 중에서도 가장 지독해."

'일거리를 준비하는 건 항상 나잖아.'

이것도 입 밖으로는 꺼내지 않는 말.

그렇다고는 해도 오늘 준비해온 장삿거리에 한해서는 틀림없이 이 손위형제가 가져온 것이다. 다만 그 탓에 도틴은 아침부터 왠지 모를 불안을 느껴서——오늘도 그 돈벌이라는 것이 뭔지 볼칸에게서 몇 번이고 캐물으려 했지만, 자신의 형은 고집스레 이야기하려 하질 않았다.

도틴의 경험으로 보건대 이것은 좋은 징조가 아니다.

볼칸은 계속해서 두덜냈다.

"애초에 뭐가 연장자냐. 겨우 2, 3년 나보다 오래 살았을 뿐이잖아. 하찮기는. ——그 정도 일로 일일이 선배처럼 굴지——"

'그럼 댁이 내게 형 노릇을 하려는 건 뭔데.'

도틴은 또다시 마음속으로 투덜거리고, 골목에 부는 봄바람을 느끼며 하늘을 올려다보았다. 토토칸타 시를 내려다보는 하늘은 드문드문 구름이 흩어져 둥실둥실, 언제든지 머리 위로 떨어질 것처럼 보였다.

째깍, 째깍, 째깍, 째깍…….

분수 중심에 선 여신을 본뜬 시계가 강아지와 어미개를 본뜬 두 진자를 번갈아가며 흔들며 웃는다. 오펜은 그렇게 우아하고 화려한 조명으로 둘러싸인 실내에서 거의 절망적인 기분에 젖어 있었다.

난로에는 불이 켜져 있지 않았다. ——날씨는 이미 완전히 초여름에 가까운 기온이라 딱히 문제는 없었다. 순백의 테이블보에는 눈이 아플 정도로 섬세한 자수가 놓였고, 방구석에 은색 검을 교차

시킨 텅 빈 두 벌의 갑주는 어째서인지 이쪽을 노려보고 있는 것처럼도 보인다. 그뿐만이 아니라 발이 걸려 넘어져도 이상하지 않을 정도로 두껍고 매우 점잖은 붉은색의 카펫에, 그가 앉아 있는 것은 아마도 똑같은 크기의 물건을 보석으로 만든 것보다 더 가치가 나갈 섬세한 조각이 들어간 카우어 목제 의자. 천장의 샹들리에는 자칫하면 예전 오펜이 하숙하던 방보다 더 클지도 모른다. 그런 곳에서 오펜은 매우 혼란에 빠져 있었다. 처음에는 자신을 둘러싼 상황을 알 수 없었기 때문에 느꼈던 곤혹이었고, 지금은 이 상황에서 도망치기 위한 초조함이었다.

실제로 오펜 자신도 정장 차림이다. 답답한 턱시도를 입게 하는 바람에 그 문장은 주머니 안에 있다. 그의 옆에는 스케일 자체는 다르지만 비슷한 차림의 볼칸과 도틴이 있었고, 볼칸은 아까부터 벙글벙글 웃으며 혼자 떠들고 있다. 도틴은 굳이 나서서 표정을 살필 마음은 들지 않았지만 안색이 새파랗게 되어 떨고 있는 것을 기척으로 알 수 있었다.

"그렇게 젊은 나이인데도 실업가이시군요."

나이를 알기 어려운 작은 체구의 중년 여성——볼칸의 정면에 앉아 있다——이 입가에 살짝 손을 대며 그렇게 말했을 때, 오펜의 등골에 전율이 일었다. 어떻게 대답해야 할지 알 수 없어 말문이 막힌 오펜의 옆에서 볼칸이 끼어들었다.

"예. 저희 나라에서 부르풀워즈 주식회사의 이름을 모르는 자는 없을 정도이지요."

"주식회사? 생소한 말이로군요."

"예, 예에. 다시 말해서, 그러니까——한 마디로 설명해드리는 것은 어렵습니다만——"

볼칸은 갑자기 말을 더듬었다.

"요컨대 주식이라는 것이 있습니다. 주식이 있기에 이——회사가 있는 것이고, 요컨대 주식이 있으면 만사형통이라고 말씀을 드리면 될까요."

더듬더듬 이어지는 설명. 오펜은 살짝 머리를 부둥켜안으며 현기증을 참았다.

"그런데 부르플워즈 씨——."

오펜은 그게 자신의 이름이라는 것을 깨닫는 데 잠시 시간이 필요했다.

"무, 무슨 일이십니까, 마담?"

퍼뜩 고개를 들며 대충 상류층에 어울릴 듯한 단어를 입 밖으로 꺼냈다.

부인은 생긋 웃으며 말을 이었다.

"그다지 말수가 많지 않으시군요. 뭐, 맞선을 보는 남녀라면 대개 이러하지만요. 우리 딸아이도 평소는 이렇게 조용한 편은 아니랍니다——."

그녀는 그렇게 말하며 자신 옆에 오도카니 앉아 입을 다문 젊은 여성을 살짝 가리켰다. 소개받은 이름은 분명 마리아벨이었을 터. 마리아벨 에버래스틴. 그리고 옆에 있는 모친이 티시티니 에버래스틴.

오펜이 다시금 마리아벨 쪽으로 시선을 되돌리자 그녀는 방긋 미소로 화답했다. 아까부터 한 마디도 목소리를 듣지 못했지만 겉보기로는 금발이 아름다운 청초한 인상의 양갓집 아가씨 같은 분위기

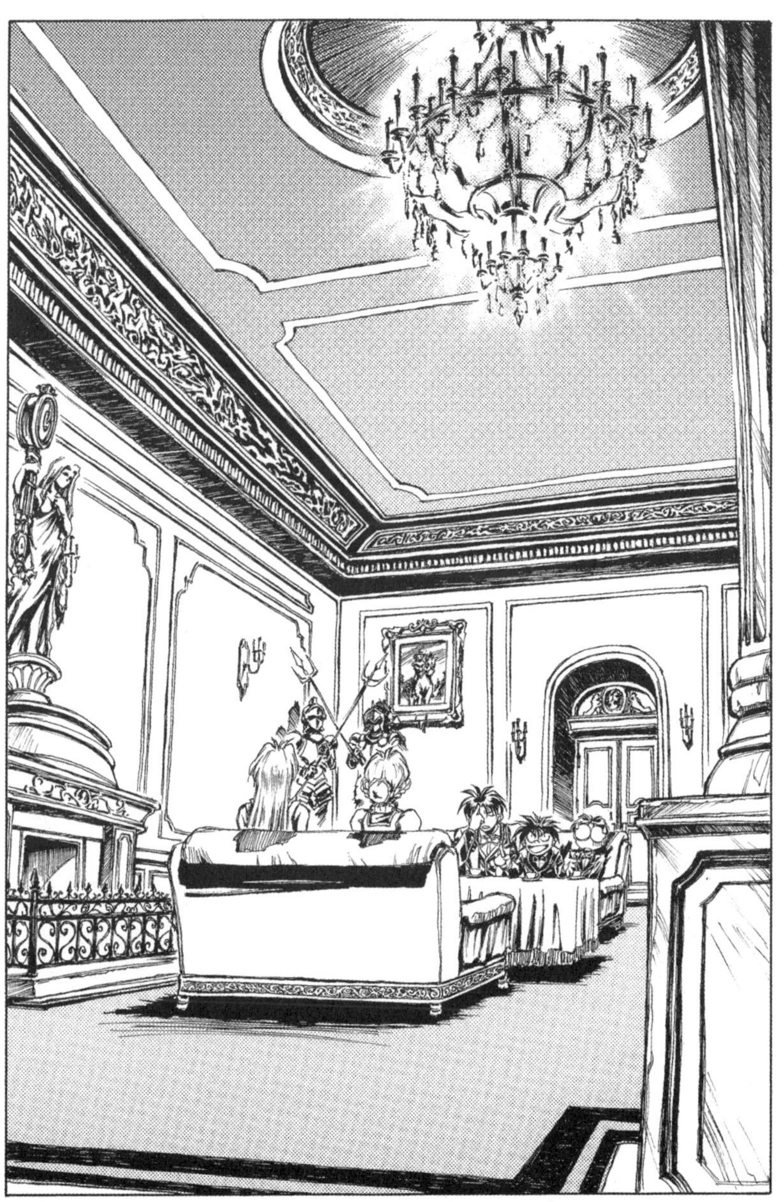

다. 아니, 분위기가 아니라 실제로 양갓집 아가씨겠지만…….

나이는 오펜보다는 연상이리라. 스물둘, 셋 정도일까. 상당한 미인이지만, 저런 나이로 낯을 가리는 게 조금 한심하게 느껴졌다.

'그래도 정말로 한심한 녀석은 나겠지.'

그는 마음속으로 단정했다.

'이 바보가 돈벌이라고 들고 온 일 따위 진심으로 받아들이지 말고 순순히 매지크의 가정교사라도 했으면 좋았을 것을. 이 바보가, 이 바보가, 이 바보가——.'

옆에 앉아 태평하게 차를 홀짝이는 볼칸을 표정으로는 내보이지 않고 증오로 가득 찬 눈빛으로 노려보았다.

'요컨대 이 자식, 결혼 사기를 계획했다는 거잖아!'

그렇게 하여 이 토토칸타 시에서도 유수의, 라고까지는 할 수 없어도 상당한 명가인 에버래스틴 가에 맞선을 보러 온 것이다. 볼칸이 어떻게 해서 이런 정신 나간 혼담을 날조했는지는 알 길이 없지만, 어쨌든 오펜은 절망으로 눈앞이 새카매지는 것을 느꼈다.

"그런데 부르풀워즈 씨는 어떠한 분야의 일을 하고 계시는지요?"

"예?"

궁지에 몰린 어린아이 같은 목소리를 내뱉은 오펜의 옆을 가로지르는 듯한 기세로, 또다시 볼칸이 말에 끼어들었다.

"수, 수면약의 배양입니다!"

'이 바보 자식——.'

오펜이 무어라 수습할 틈도 없이 티시티니는 그저 화제를 이어가겠다는 의무감 때문에 다음 질문을 던졌다.

"어머나. 수면약이라고 하면 어떠한 것들이 있는지요?"

"예? 아니, 그건 전문가가 아니면——."

그렇게 말하려던 볼칸을 가로막으며 오펜이 자연스럽게 대답했다.

"시판되는 수면약의 대다수는 특히 고원지 등에서 재배되는 것을 분말로 만들어 먹기 쉽게 만든 것입니다만, 사실 따지자면 수면약은 영면(永眠)약이라고 해야 할 것이 많습니다."

"영면약?"

"간단히 말해 독약이지요."

"어머나."

티시티니는 벌린 입을 손으로 가리며 경악했다. 볼칸이 황급히 목청을 높였다.

"물론 저희 회사가 취급하는 것 중에 그러한 것은 없습니다만."

이 정장 차림의 지인은 그렇게 말하며 테이블 밑에서 오펜의 허벅지를 꼬집었다. 오펜도 눈썹 하나 까딱 않고 그 손을 꼬집었다.

'왜 하필 수면약이야!'

작은 목소리로 묻자 볼칸도 궁색한 목소리로 대답했다.

'상류계급의 귀부인에겐 수면약이 필수품이잖냐!'

오펜은 굳이 더 이상은 추궁하지 않고 일단 부르풀워즈의 얼굴을 만들고는, 옅게 미소를 띠고 말없이 마리아벨을 관찰했다.

여자의 웃음만큼 믿을 수 없는 것도 없다는 것을 잘 알면서도, 오펜에게는 그녀가 이쪽에 다소나마 호의를 가져 준 것처럼 보였다. ——다만 흑마술사의 지위에서 추락하여 사채업을 벌이는 평민 오펜에게가 아니라, 이 마을에서 멀리 떨어진 아반라마의 실업가 부르풀워즈에 대한 호의이지만. 아반라마는 지독히 먼 데 더해 이 대륙에 남아 있는 몇 안 되는 자치도시이기 때문에 티시티니가 아무리 이 혼담에 관해 회의적이더라도 아직 오펜의 정체를 캐내지는 못했을 것이다. 그런 의미에서는 볼칸의 계획도 그다지 황당무계한 것은 아니라고 할 수 있지만――그렇다고는 해도――

'보통 결혼 사기라는 건 세상물정도 모르면서 혼자 사는 아가씨를 상대로 하기 마련 아니야?'

에버래스틴 가는 귀족은 아니지만 평민인 오펜에게는 귀족이라고 해도 별 다를 바 없는 상가(商家)의 후예다. ――선대 당주를 먼저 떠나보낸 티시티니가 가문을 이끌고 있는 현재에는 상업 거래에서는 손을 떼고 과거의 재산을 팔며 생계를 이어오고 있는데, 혹시 그렇지 않았더라면 볼칸의 거짓말 따위 곧바로 들키고 말았으리라. 어쩌면 그편이 훨씬 더 성가시지 않았을지도 모르지만.

오펜은 그렇게 고민하면서 멍하니 마리아벨의 얼굴을 바라보았다. 그녀는 다시 방긋 웃으며 그런 오펜의 시선에 대답했다.

오펜도 그 미소에 미소를 되돌리며 생각했다. 혹시 괜찮다면 댁이 볼칸과 결혼해 녀석의 빚을 돌려주지 않겠수?

"이 무능한 마술사 같으니. 애드립 하나 제대로 못하는 거냐!"

티시티니와 마리아벨이 저택 어딘가로 잠시 자리를 비우고 객실에 세 사람만이 남자, 볼칸이 느닷없이 소리를 질렀다. 도틴은 긴장 탓에 의자 등받이에 몸을 기대로 참수형을 기다리는 죄수처럼 축 늘어져 있었다.

"애드립이라고?"

오펜이 분노에 찬 목소리로 되물었다.

"갑자기 어디서 빌려온 이런 답답한 옷을 입게 해 놓고 아무런 설명도 없이 이렇게 어처구니없이 큰 저택에 끌고 와서, 심지어 이름은 부르풀워즈다? 수면약을 배양하는 주식회사라고? 대체 내게 뭘 기대하는 건데?"

"음."

볼칸이 진지한 얼굴로 고개를 끄덕였다.

"그 회사의 사장을 연기해서 상대에게 털끝 하나 의심도 품게 하지 않고 이야기를 결혼까지 끌고 가는 거다."

"오호라, 아주 잘 알았다……일 리가 있겠어? 뭘 그렇게 단호하게 지껄이는 거냐."

오펜은 빌린 옷에 주름이지지 않는 범위에서 볼칸의 멱살을 잡아 들고는 도틴을 찌릿 노려보았다. 지인의 남동생은 마치 돌팔매라도 맞은 듯이 펄쩍 뛰어올랐다.

"아, 아니야. 나——나는, 이번 이야기는 이런 걸 줄 몰랐어. 전부 형이 계획한 거야……."

"정말이겠지?"

오펜이 거듭 확인하자 대신 볼칸이 대답했다.

"그럼! 이런 대담한 계획을 도틴이 세울 수 있을 리가 없잖아?"

"지나치게 대담하다고!"

오펜은 볼칸을——문자 그대로——내던지고는 화려한 의자에서 일어나 이 세상의 종말이 찾아오기라도 한 듯이 두 팔을 허둥거리며 말을 이었다.

"나 원 참. 사람을 억지로 깨워서 생난리를 부리며 무슨 짓을 하려나 싶었더니 결혼 사기라니! 기가 막혀서 말도 안 나오는군 그래."

그 말을 듣고 볼칸은 놀란 듯이 고개를 들었다.

"결혼 사기? 무서운 소릴 하는 녀석이네."

오펜은 흉악한 모습을 한 채 돌아보았다.

"누가 이걸 계획하셨더라?"

"말도 안 되는 소리 마."

볼칸은 태연하게 대답했다.

"사기라는 건 남의 순수한 마음을 이용하는 추악한 범죄잖냐."

오펜은 영문을 알 수 없어 무심코 묻고 말았다.

"그럼 이건 어째서 장사냐? 내게 빚을 갚기 위한 장사잖아?"

도틴도 의문스러운 얼굴로 형 쪽으로 몸을 내밀었다. 볼칸은 자신의 가슴을 퍽 소리가 나도록 두드리며 말했다.

"그게 나의 재치지. 다시 말해서 내 알선으로 널 거부의 데릴사위로 만들어주겠다는 거야. 이만한 재산이 네 것이 되는 셈이니 이제 그런 시시껄렁한 빚 따위 사라지는 거나――우와악!"

볼칸의 말이 채 끝나기도 전에 오펜은 그 지인을 의자채로 발로 차 쓰러뜨렸다.

"너 인마!"

팔을 걷어 올리려던 순간, 문이 열렸다.

오펜은 순간적으로 긴장으로 몸을 굳히며 뒤를 돌아보았다. 볼칸도 황급히 몸을 일으키려 했고, 도틴도 의미도 없이 비명을 지르기 직전이었다. 세 명의 시선이 집중된 문에는 대략 열일곱, 열여덟 정도 되는 소녀가 우두커니 서 있었다.

"넌——"

어떻게든 상황을 수습하려고 오펜이 말을 하려던 것을 기다리지도 않고 소녀가 먼저 나섰다.

"아, 미안."

문이 콰당, 하고 닫혔다.

1초 후, 문을 두드리는 소리가 들렸다.

"드, 들어오시죠——아니, 잠깐만."

오펜은 황급히 얼버무리며 의자와 함께 쓰러진 채인 볼칸을 부축해 일으켜 세웠다. 그리고 형제와 함께 테이블 앞에 겉치레나마 예의 바르게 앉은 다음 문을 향해 말했다.

"들어오시죠."

문이 열리고 아까 전의 소녀가 얼굴을 내밀었다. 그녀는 킥킥 웃고 허리를 숙여 인사했다.

"노크하는 걸 깜빡 했어. 하지만 내가 예의도 모르는 애라고 여기지 말아 줘."

마리아벨과 매우 닮은, 하지만 조금 더 활발해 보이는 소녀였다. 오펜은 직감으로 이 소녀가 마리아벨의 동생이라는 사실을 알아차렸다. 하얀 색의, 드레스보다 생활하기 더 편해 보이는 하늘하늘한 원피스가 매우 어울리는 소녀였다. 마리아벨보다는 머리카락이 짧고, 마리아벨보다 더욱 체구가 작으며, 하지만 마리아벨보다는 목소리가 더 클 것 같은 인상.

어쨌든 방금까지 자신들이 나눈 대화는 듣지 못한 모양이다——라고 분석한 오펜도 인사에 답했다.

"예의를 모르는 게 아니라면, 손님에게 자기소개를 해주실 수 없을는지?"

"아, 미안. 난 클리오야."

그녀는 그렇게 이름을 대고 연하의 어린아이라도 상대하듯이 쏙 작은 손을 내밀었다. 오펜이 악수를 받자 그녀는 살짝 얼굴을 찌푸렸다.

"손이 꽤 단단하네."

"아——그게, 사장님도 손수 밭일을 도맡아 하시기 때문에——"

갑자기 오펜과 클리오 사이에 끼어들 듯이 튀어나온 볼칸을 흑마술사는 소녀에게서 사각이 되도록 뒤로 발을 뻗어 차 버렸다.

그리고 말했다.

"아반라마에서는 남녀 모두 시민 모두에게 일정한 기간 동안 병역이 부과되지요. 겨우 2년이라도 군사 기초훈련을 받는다면 손바닥 피부도 두꺼워지지 않겠습니까."

"헤에——그러고 보니 그런 말은 들은 적이 있었었어."

클리오는 명백히 잘못된 문법으로 그렇게 말하며 자신의 손을 거두었다.

'좋아. 아까의 대화는 듣지 않은 모양이로군.'

하지만 오펜이 확신한 순간, 클리오는 방긋 웃으며 말했다.

"그건 그렇고 너희들, 결혼 사기꾼이지?"

푸웁——. 오펜은 숨을 뿜어내며 잘못 들었는지 확인하려는 듯이 얼굴을 찌푸렸다. 하지만 클리오는 그저 방긋방긋 웃을 뿐이었다.

"얘, 언니를 속일 거야? 어느 정도나 속일 거야? 응?"

"저, 저기…… 대체 어떻게……."

오펜은 씰룩거리는 얼굴로 물었다. 힐끗 옆을 보자 볼칸과 도틴은 서로 부둥켜안고 덜덜 떨고 있었다. 부자를 속이려 한 뒤에 행복한 일생을 보낸 인간의 이야기는 그다지 존재하지 않는 법이다.

클리오는 일순간 오펜의 질문에 담긴 의도를 파악하지 못한 표정을 지었지만, 이윽고 아아, 하고 손을 마주치며 말했다.

"그게 말이지. 계속 귀 기울여 듣고 있었어. 문 바깥에서."

"어, 언제부터?"

"음~…… 뭐, 거의 처음부터려나."

'아이고.'

오펜은 마음속으로 신――인지 뭔지는 모르지만――에게 기도하며 이 소녀를 인질로 잡아 마을 바깥까지 도망칠 계획을 검토했다. 물론 깊이 생각할 것까지도 없이 기각. 명확한 근거는 없지만 이 소녀는 왠지 모르게 목덜미에 칼날을 들이밀어도 "아, 나, 찔려도 괜찮아?"하고 되물을 것 같다.

오펜이 신음하고 있자 클리오는 마치 속을 떠보듯이 손을 잡고는 아까의 질문을 되풀이했다.

"얘. 언니를 속여서 심한 꼴을 당하게 할 거지?"

"아니, 그게――"

오펜은 어떻게든 이 궁지를 벗어날 수 있을 획기적인 변명을 모색하면서,

"이건 말이지. 저기, 그런 게 아니라――"

하지만 그 순간, 뒤에서 볼칸이 끼어들었다.

"내가 아냐! 내가 계획한 게 아니야!"

오펜은 무시했다.

"그러니까, 나――아니, 우리 마술사 동맹 스태프는 민간 사기에

대한 경계도를 점검하기 위해서——"

"내가 계획한 게 아니야! 이 녀석이 날 억지로——마차로 치어 죽이겠다고 날 협박해서——"

"너무해, 형! 내가 언제 그런 소릴——"

"이 사기와 사칭이 만연하는 세상에서 우리는 혁신적인 시스템을 이용해 대응을——그것을 위해서는 꼼꼼한 정보수집이——"

"난 아무것도 잘못하지 않았어! 처음부터 반대했다고!"

"거짓말 하지 마! 형이 전부 계획하고 우리를 끌고 온 거잖아!"

"저희는 매일 범죄와 싸우고 있습니다! 그러니 여러분께서도 부디 저희에게 협력을——"

"그래! 이 사악한 흑마술사가 날 세뇌한 거야! 매일 밤 매일 밤 새의 깃털로 간질여 죽이는 악몽으로 날 협박해서——"

"난 아무것도 몰랐다고——"

"시끄러워어어어어어!"

오펜은 있는 힘껏 소리를 지르고 광열파를 지인 형제의 발밑에 때려 박았다. 폭음이 울리고 커다란 저택이 진동했다. 비싼 융단에 뚫린 커다란 구멍이 부슬부슬 소리를 내고 모락모락 일어난 먼지가 공기에 뒤섞여 사라지자, 볼칸과 도틴은 폭발의 여파로 날아가 방 구석에 굴러다니고 있었다. 뭐, 지인은 몸이 튼튼하니 이 정도로는 생채기 하나 나지 않을 것이다.

"너희 인마, 남이 모처럼 멋진 변명을 필사적으로 열연하고 있을 때 그걸 일일이 전부 망치지 말란 말이다!"

그렇게 훌륭한 변명이었던가? 라는 표정을 지으면서도 도틴은 아무 말도 하지 않고 벌떡 일어났다. 형 쪽은 완전히 기절한 모양이었다.

오펜은 더욱 흉포한 얼굴로 형제 쪽으로 발을 내딛으려 했지만, 갑작스레 터져 나온 기묘한 소리를 듣고 멈춰 섰다. 소리가 들린 쪽을 돌아보자――

클리오가 웃고 있었다.

그녀는 티시티니와는 달리 도시 번화가의 소녀와 같은 분위기로 깔깔 웃으며 말했다.

"알았어. 당신들, 연예인이지? 나 들은 적 있어. ――느닷없이 남을 속여 놓고, 나중에 '깜짝 행사였습니다!'라고 쓰인 표지를 들고 나오는 그거."

그런 마음 편한 돈벌이가 있다면 부디 소개해 줬으면 좋겠다, 라고 생각하며 오펜이 대답할 말을 찾고 있자, 어느 새인지 몸을 일으킨 볼칸이 클리오의 손을 잡으며 말했다.

"바로 그렇습니다, 아가씨."

"참고로 사기죄는 구금 15년이야."

방긋 웃으며 대답하는 클리오 앞에서 볼칸은 아까와는 다른 사람처럼 머리를 부둥켜안고 울부짖었다.

"난 속았을 뿐이야아아아!"

"……뭔가 이상하군, 아가씨."

오펜은 천천히 앞으로 나와 쓰레기라도 다루듯이 볼칸을 발로 차 옆으로 굴렸다.

"클리오라고 불러."

"그럼 클리오. 왠진 모르겠는데 넌 우리를 책망하는 게 아닌 것 같아."

"응."

소녀는 주저하지 않고 금발의 머리를 아래위로 끄덕였다.

"그렇다면 우릴 어떻게 할 셈이지?"

"난 별로 아무것도 안 해. 경찰에 신고하는 거라면 어머님이나 언니가 할 테고."

"……우리…… 주범은 이 녀석인데——너희 가족을 속이려고 했다고." "

"하지만 아까의 이야기를 들으니까 그렇게 나쁜 짓을 하려고 한 건 아닌 것 같았어. 네가 언니랑 결혼할 뿐이잖아."

"그야 그렇지만——"

오펜은 떫은 표정으로 왜 이런 것을 설명해야만 하는지 마음속으로 자문했다.

"잘 생각해 봐라, 클리오. 너희 언니는 날 돈 많은 실업가라고 생각하고 있어. 하지만 실제로는 아니거든. 언젠가는 밝혀질 사실이지——."

"결혼을 하면 서로의 결점이 보이게 되는 건 피할 수 없다고들 하잖아."

"오호라."

"잠깐요. 뭘 수긍하는 건가요, 오펜 씨."

오펜은 뒤에서 따지고 드는 도틴을 내려다보며, 그 소년의 뒷덜미를 잡고 같은 눈높이로 웅크려 앉았다. 그리고 작은 목소리로 속삭였다.

'시끄럽고. 마음이 변했어. 이 애를 우리 편으로 만들면 무사히 도망칠 수 있을지도 모르잖냐.'

'그, 그럴까요?'

도틴의 목소리는 불안에 차 있었다. 오펜도 동감이었다.

하지만 그는 소녀 쪽을 다시 돌아보며 말을 이었다.

"저기 말이지——."

그 순간, 선명한 폭음이 저택을 뒤흔들었다.

콰쾅!

동시에 유리창이 깨지는 소리. 벽이 우직우직 떠밀리고 쓰러져 찢어지는 소리. 그리고 뭔지 알 수 없는 자잘한 것들이 부서지는 소리——.

폭발이 저택 전체를 뒤흔들어 진동에 다리가 풀려 넘어질 뻔한 오펜이 생각한 것은 우선 가장 먼저 몸의 안전——이것은 괜찮았다. 폭발은 저택 어딘가에서 일어난 것이 틀림없지만 그들이 있는 방에서는 멀었다. 그리고 다음으로 폭발의 원인——이것은 전혀 짐작이 가지 않는다. 굳이 추측하자면 어떠한 마술의 폭발이라기보다는 하늘에서 거대한 바위라도 떨어져 부딪힌 충격음이었지만. 마지막으로 이 기회를 틈타 곧바로 이곳에서 탈출하자는 것이었다.

"도망치자!"

오펜은 볼칸과 도틴을 향해 예리하게 외쳤다. 하지만 돌아온 것은 말귀 좋게 "그래!"라고 대답하는 소리가 아니라 공황상태에 빠져 의미도 없이 비명을 지르는 도틴과, 또한 의미도 없이 동생을 쫓아다니며 퍽퍽 때리고 있는 볼칸의 모습이었다.

"너희 인마!!"

이번에야말로 너무나 기가 막혀 이 두 사람을 두고 자신만 도망칠까 하는 생각이 뇌리에 떠올랐지만, 곧바로 기각할 수밖에 없었다. ──이 두 사람이 붙잡히면 자신의 신원도 곧바로 판명될 테니 말이다. 그렇지 않더라도 이 지인 형제가 경찰의 심문에 견디면서까지 오펜을 감싸주리라고는 도저히 생각할 수 없었다.

“아, 잠깐만! 부르풀워즈 씨!”

그 상황에서 그렇게 외치며 그의 팔을 붙잡은 것은 클리오였다. 갑작스러운 사태에 당연히게도 이끼까지 보이던 태평한 표징도 굳어져 있었다.

“난 부르풀워즈가 아냐! 오펜이다!”

“고아(오펜)?”

“그래.”

오펜은 그렇게 대답하면서도 무심결에 본명을 꺼내고 만 어리석음을 자책했다. 하지만 이제 후회해도 늦었다. 그는 볼칸과 도틴을 각각 한손으로 잡아들고는 마치 붉은 초원처럼 진한 융단을 박차고 근처의 창문을 통해 뛰쳐나가려고──

하려던 순간, 발목을 붙잡혀 넘어졌다. 안면부터 그대로 낙하한 오펜은 코를 누르며 뒤를 돌아보았다. 그러자 떨어지는 꽃병이라도 받아내기 위해 몸을 내던진 듯한 자세로 클리오가 그의 발을 붙잡고 있었다.

“아, 뭔데!”

오펜이 외치자 클리오는 어린아이를 혼내는 어머니 같은 말투로 말했다.

“가명을 썼잖아! 이름을 속이는 건 모두 나쁜 사람이라고 선생님도 말했다고──.”

"알게 뭐야!"

오펜은 반쯤 울먹이는 목소리로 외치고 발목을 붙잡은 클리오의 가느다란 손가락을 떨쳐내려 하였다. 하지만 그 순간, 클리오가 갑자기 애원하는 듯한 말투로 말했다.

"얘. 이대로 나가려는 건 아니지? 우리 집엔 남자가 없어서—— 분명 지금 소리도 창고가 무너진 게 틀림없을 거야! 어제부터 바람이 셌으니까——."

'그럴 리 없지. 방금 그 소리는 틀림없이 저택 안 어딘가에서 폭발이 일어난 거야.'

오펜은 마음속으로 대답하며 지금은 일단 도망쳐야만 한다고 자신을 타일렀다. 사기죄는 구금 15년이라고? 나는 지금까지 20년밖에 살지 않았다. 15년 전의——5살 때의 기억 따위는 없다. 그렇다면 그 죄를 저질렀을 때의 기억도 없어질 나이까지 감옥에 들어가 있어야만 한다는 건가.

"얘, 부탁이야. 어머님은 항상 내게 힘든 일을 시키려고 한단 말이야! 언니한테는 절대로 시키지 않으면서. 응? 제발——."

"농담을 할 시간은——"

발끈하며 그가 손을 쳐내려 했을 때——

비명이 울려 퍼졌다. 여자의 비명이다.

"언니의 목소리야."

클리오가 벌떡 일어나며 중얼댔다.

'빌어먹을——.'

난 도망쳐야만 한다고, 하고 오펜은 자신을 타일렀다. 이런 곳에서 15년이나 구금형을 받을 상황이 아니다. 하지만 지금의 비명을 듣건대 마리아벨이 건물 더미 밑에 깔린 것일지도 모른다. 마을 안이니 구조가 늦어 파편 밑에서 질식사할 일은 없겠지만, 그래도 다쳤을 가능성은 틀림없이 존재하고, 중상이 아니라는 보장 또한 어디에도 없다. 자칫하면 이미 압사했을지도 모른다.

"그 여자의 방은 어디야?!"

오펜은 볼칸과 도틴을 내던지고 클리오에게 물었다. 소녀는,

"따라 와!"

하고 외치자마자 기민한 동작으로 달리기 시작했다. 오펜도 그런 소녀를 따라 복도로 뛰쳐나왔다.

저택 안은 기묘할 정도로까지 한산했다. 화려한 조명은 여기저기에 보이지만 아까 폭발이 일어났음에도 부산을 떠는 고용인의 모습도 보이지 않는다. 폭발은 저택의 다른 건물에서 일어난 모양인지 응접실 바로 앞 복도에는 바닥 위에 꽃병이 떨어져 깨진 정도의 흔적밖에 남아 있지 않았다.

"이봐, 도망치는 거 아니었냐, 흑마술사!"

아무래도 제정신으로 돌아와 뒤를 쫓아왔는지, 볼칸이 뒤에서 소리를 지르는 것이 들렸다. 볼칸이 있다면 도틴도 함께이리라.

오펜은 돌아보지 않고 자포자기한 듯이 대답했다.

"난 또 인생을 내팽개쳤어!"

그 말의 의미를 이해할 수 있었던 사람은 오펜뿐이었지만, 이 자리에서는 아무도 캐묻지 않았다. 오펜은 클리오의 뒤를 쫓으며 그저 열심히, 움직이기 어려운 정장도 신경 쓰지 않고 긴 복도를 달렸다.

"여기야."

클리오는 뜻밖에도 긴장한 얼굴로——라기보다는 무언가 어마어마한 것을 기대하느라 두근거리는 표정으로 한 문을 가리켰다. 주변의 흰 벽과 잘 어울리는 참나무제의 고풍스러운 문으로, 여기저기 섬세하고 치밀한 조각이 되어 있다. 숲을 본뜬 문장인 듯하군, 하고 오펜은 생각했다.

'숲속의 잠자는 미녀라는 건가. 건물더미 아래서는 별 볼 일 없겠지만.'

클리오는 문을 열기 위해 손잡이를 붙잡았다. ——하지만 무언가에 걸린 듯이 손잡이는 돌아가지 않았고 찰칵찰칵 소리만 낼 뿐이었다. 잠겨 있는 듯했다.

"어떡하지?"

클리오는 매달리듯이 이쪽을 올려다보았다.

오펜은 자신에게 맡기라고 말하듯이 고개를 끄덕이고 조용히 눈을 감았다. 그대로 의식을 집중하고 크게 호흡했다.

흑마술사만이 아니라 이 키에살히마 대륙의 마술사는 예외 없이 주문으로 마술을 발동한다. ——즉 목소리를 매체로 삼아 마력을 날리는 것이다. 그래서 주문의 목소리가 닿지 않는 곳까지는 마술의 효과도 미치지 않고, 그 효과도 영원히는 지속하지 않는다. 목소리는 언젠가 바람에 뒤섞여 사라지는 것이기 때문이다.

인간 마술사 중에는 두 부류가 있다고 여겨진다. 오펜과 같은 흑마술사는 열이나 빛과 같은 에너지, 육체 자체를 다루는 마술에 능하다. 다른 한 쪽은 백마술사라고 불리며, 이쪽은 시간과 정신을 다룬다. 후자 쪽이 난도가 높은데다 백마술의 자질을 가진 인간도 매우 드물게만 태어난다.

오펜은 이미지가 떠오른 순간 눈을 뜨고 손으로 문손잡이를 건드리며 내뱉었다.

"나 초대받노라, 들이지 않는 문."

이 주문 내용에는 사실 의미가 없다. 그저 목소리를 발하기만 하면 될 뿐이며, 아무런 의미도 없는 외침이어도 마법은 발동한다. 하지만 겉치레의 문제도 있고, 또한 헛소리를 내뱉다가 자기 자신의 집중을 잃는 것도 바보 같은 일이라 오펜은 마술의 효과를 짧게 외치는 편을 좋아했다.

어쨌든 마법은 효과를 발휘했다. 손 안의 문손잡이에서 찰칵 작은 소리가 나며 잠금장치가 풀렸다. 오펜은 천천히 문을 밀어 열었다.

뒤에서 클리오가 그걸로 끝이야? 하고 아쉬운 듯이 중얼대는 소리가 들렸다. 아마도 그가 아까 보인 광열파로 문을 부술 것이라고 생각했으리라.

오펜은 그런 기대를 무시하고 방 안으로 들어가서는――

실내의 참상에 아연한 표정을 지었다.

그의 뒤에서 살금살금 다가온 볼칸이 중얼댔다.

"……뭐야, 저게?"

도틴이 그 말을 받았다.

"괴――괴물이라는 게 아닐까?"

"……닥쳐."

오펜은 떨리는 목소리로 말했다. 그는 꼼짝도 하지 못하고 그 방에 있는 것을 바라보고 있었다. 마비된 듯이 몸이 움직이지 않는다…….

방은 반쯤 무너져 있었다. 바깥에서 거대한 운석이라도 떨어진 듯이 벽에는 커다란 구멍이 뚫려 토토칸타의 질서정연한 건물들이 훤히 보였다. 벽의 구멍과 창문이 하나가 되는 바람에 창문이었던 부분에 아직 붙어 있던 창틀이 흔들흔들 바람에 흔들리고 있었다. 클리오가 말한 대로 오늘은 바람이 강했다. 가구는 대부분 망가지고 가장 가까이에 있던 작은 의자도 거꾸로 뒤집힌 채 쓰러져 박살이 나 있다. 창가에 놓았던 침대는 두 동강이 나, 그 위에 자리 잡은 미지의 주인에게 부들부들 떠는 것처럼 보인다.

마리아벨은 이쪽에서 가장 가까운 곳에 있었다. 너무나 갑작스러운 사태에 아연실색한 듯이 우두커니 서 있다. 건물 파편 밑에서는 별 볼 일 없을 것이라고 생각한 것은 속단이었군, 하고 오펜은 깨달았다. 아직 한 마디도 목소리를 듣지 못한 미녀는 거의 반라 상태로 커튼처럼 보이는 드레스로 앞섶을 가린 채 가늘게 떨고 있었다. 아무래도 갑자기 자리를 뜬 것은 맞선 중에 새로 옷을 갈아입을 셈이었던 것이리라. 그렇다면 그의 인상은 그다지 나쁘지 않았던 것일지도 모른다.

티시티니는 딸의 바로 옆에 있었다. 여차하면 딸의 방패라도 될 셈인지 자신의 몸으로 뒤덮듯이 자신보다 키가 큰 딸을 껴안고 있다. 하지만 그런 그녀도 역시 멍하니 서 있을 뿐이었다.

티시티니가 비명을 질렀다. ――보건대 아무래도 아까의 비명도 마리아벨이 아니라 모친의 것이었던 모양이다. 목소리를 들은 적 없는 미녀는 여전히 목소리를 들려 주지 않았다.

오펜이 그런 방 안의 풍경을 전부 둘러보았을 때, 클리오가 휙 방 안으로 고개를 들이밀었다. 소녀는 아무런 사양도 없는 큰 목소리로 말했다.

"우와~. 엄청난 괴물이다."

움찔, 하고 오펜이 몸을 움직였다.

두 동강이 난 마리아벨의 침대 위에는 바로 그 말대로의 존재가 자리 잡고 앉아 있었다.

"추측, 첫 번째."

도틴이 꿀꺽 침을 삼키며 가설을 늘어놓는 것이 들렸다.

"다 썩어빠진 드래곤과 회색 곰을 이종교배하여 단애절벽에서 떨어뜨린 참에 거대한 가재가 몰려오고 16색 정도의 물감을 뒤섞은 오수를 뒤집어씌우면 저렇게 될지도 몰라."

"닥치라고 했다!"

오펜은 여전히 시선을 그 괴물에게 향한 채 말이 뒷발을 차듯이 도틴의 안면을 발로 차 날렸다. 아니, 실제로 발에 맞아 날아간 건 볼칸이었지만 원래는 도틴을 날려 버릴 셈이었다.

"뭔 짓거리야!"

볼칸의 노성을 흘려 넘긴 오펜은 괴물을 응시했다. 비슷해…….

사실 도틴의 묘사는 그다지 엉뚱하지만은 않았다. 질척질척한 점액으로 범벅이 된 표피는 비늘 위에 강모와 같은 무언가로 뒤덮여 있고, 신장은 약 3미터 정도는 될 것이다. 무게는 아마도 1톤 가까이 될지도 모른다. 목과 몸통의 구별이 어렵고, 타원형의 물체에 대충 머리와 무수한 팔다리를 붙여 놓은 듯한 인상이다. 아니, 다리는 6개로군, 하고 오펜은 수를 세었다. ——단지 몸 여기저기에서 엉망진창으로 돋아난 촉수에 가느다란 것과 굵은 것이 있어 그것이

다리로 보일 수도 있다, 정도였다. 팔다리 끝에는 예리해 보이는 갈고리가 달렸다. 촉수에는 발톱이 달려 있지 않았다. 등 뒤에 거대한 날개가 있어 괴물의 모습을 더더욱 크게 보이게 만들었다.

분명히 드래곤을 닮았다. ——마을 바깥에서는 노상강도 다음으로 위험한 짐승인 드래곤과. 하지만 그것은 오히려 인간이 상상하는 '드래곤'이라는 짐승의 평균상과 비슷할 뿐이며 실제로 드래곤을 본 적이 있는 오펜은 차이점을 몇 가지 짚어낼 수도 있었다. 예를 들어 드래곤의 눈은 녹색이다. 저 괴물의 눈꺼풀은 불에 데어 문드러진 것처럼 눈을 뒤덮고 있어 앞이 전혀 보이지 않는 것은 아닐까, 하고 오펜은 의심했다. 문드러진 눈꺼풀은 눈만이 아니라 턱까지 흘러내려 피와 같은 무언가를 뚝뚝 흘리고 있었다.

또 하나 차이점을 들자면 드래곤에게는 지혜가 있다. ——결코 인간이 다수 모인 마을에 다가오려고는 하지 않는다. 이 괴물에 뭔가 이성이 있기는 한 것일까——아니, 남아 있을까, 하고 오펜은 의심했다. 만약 그렇다면 부름에 응할 터다——.

"아자리!"

오펜이 외쳤다.

괴물은 꿈쩍도 하지 않았다. 그저 천천히——사막에 사는 도마뱀처럼 느긋한 동작으로 고개를 움직이고 있다. 무언가를 찾듯이. 역시 이 괴물은 눈이 보이지 않음을 알아차렸다. 오펜은 다시 한 번 외쳤다.

"아자리! 나——아니, 오펜이야! 계속 널 찾고 있었어——."

오펜은 두 팔을 펼치고 발을 내딛었다. 뒤에서 황급히 볼칸이 그런 오펜을 붙잡으려 했다.

"어, 야, 미쳤냐, 흑마술사!"

"시끄러워!"

오펜은 신경질적으로 볼칸을 떨쳐내고는, 다시 한 걸음 괴물 쪽으로 다가갔다. 볼칸의 고함이 들린다.

"이봐! 뭘 어떻게 할 셈인지는 모르지만 지금 여기서 저 괴물을 해치울 수 있는 건 네 자식의 그 빌어먹을 마법뿐이라고! 알곤 있는 거냐?"

"저건 괴물이 아니야!"

"그럼 뭔데? 아무 말이나 지껄였다간 귀이개로 파 죽일 줄 알아!"

"저건——"

오펜이 무언가를 말하려던 순간, 괴물이 고개를 들어 천장을 보더니——짖었다.

개가 멀리서 짖는 듯한, 별 것 아닌, 그저 짐승이 짖는 소리로 들렸다. 하지만 그 소리가 울려 퍼지며 주변을 적시듯이 가득 찬 순간——방은 순식간에 불길로 뒤덮였다.

"우와아아아아?"

오펜은 비명을 지르면서도 생각하는 것보다 먼저 그 비명으로 자신의 마술을 발동시켰다. 불꽃의 혀가 그곳에 있는 전원을 감싸는 것보다 빠르게, 일행과 괴물 중간 지점에 무수한 빛의 고리가 나타나더니 사슬로 엮은 갑옷처럼 불꽃을 가로막았다——불꽃과 빛의 고리에 가려 괴물의 모습은 보이지 않게 되었지만 오펜은 계속해 외쳤다.

"아자리!"

"저 괴물, 마법까지 쓰고 앉았어!"

볼칸이 놀라 신음했다. 불길이 벽을 태우는 냄새가 일어나기 시작했다.

"아자리! 도망치지 마! 나야!"

오펜은 괴물을 향해 외치며 두 손을 들어 주문을 영창했다.

"나 물리치노라, 난폭한 말의 춤!"

파식! 하고 공기 자체를 막대기로 때린 듯한 소리가 들리나 싶더니, 다음 순간에는 이미 빛의 고리도, 불꽃도 사라진 뒤였다. ——그리고 괴물도. 반쯤 무너지고 불에 그슬린 방에는 무참한 잔해만이 굴러다니며 이쪽을 바보 취급하듯이 결단코 입을 열지 않았다.

오펜은 예전에 자신이 그러했듯이 창문——이라기보다 벽에 난 구멍을 향해 달렸다. 그리고 허공을 올려다보며 거대한 괴물의 모습을 찾았다. 하지만 화창하게 갠 마을 하늘 어디에도 괴물의 모습은 이미 찾아볼 수 없었다.

제2장 추억의 부름

…….

그녀는 그 《송곳니 탑》에서 흑마술을 배우는 젊은이들 사이에서 일종의 아이돌 같은 존재였다. 그리고 문자 그대로 우상처럼 숭배하는 남자도 있었다. 사실 그도 숭배자 중 한 명이었다고 해도 다르지 않다.

그녀는 천마(天魔)의 마녀라고 불렸다.

아마 자신의 콩깍지를 떼고 보아도 그녀는 미인이었을 것이다. 그의 자랑 중 하나는 그녀였다. 그는 5살 연상의 그녀와는 같은 교실의 학생이라는 것만이 아니라 옛날부터 남매처럼 자란 사이이기도 하였다.

그녀는 항상 머리카락을 짧게 치는 데 대해 불평을 내뱉었지만——그는 오히려 그녀에게는 쇼트커트 쪽이 더 어울린다고 생각했다. 다만 그녀가 두발에 관한 《탑》의 규정에 대해 투덜거릴 때는 대개 입을 다물고 맞장구를 칠 뿐이었다. 혹은 그런 것은 아무래도 좋다고 여기고 있었을지도 모른다.

실제로 아무래도 좋았다. 그녀의 가치는 머리 모양 따위로 정해지지 않았으니까.

그녀의 얼굴에는 살짝 소녀다운 느낌이 남아 있었지만, 그녀 정도의 나이라면 아직 동안이라 할 정도는 아니었다. 그는 쾌활하고 눈치 빠르게 빛나는 그녀의 두 눈동자에 자신의 모습이 비치는 모습을 보는 일을 좋아했다. 그렇게 하면 자신도 그녀처럼 강력한 마술사의 일원이 된 기분이 들었기 때문이다.

현실에서는 그녀와 가만히 마주볼 기회가 그리 많지는 않지만——전투 훈련을 받으며 대치할 때가 거의 유일한 기회였지만, 그 다음 순간에는 어려움 없이 접근한 그녀에게 팔을 붙잡혀 숨을 쉴 수도 없을 정도로 강렬하게 바닥에 내동댕이쳐지기 일쑤였다.

"넌 항상 던져지길 기다리는 것 같아."

그녀는 자주 그렇게 말했다. 물론 실제로 그랬다는 점은 굳이 말하지 않았다.

그것들은 모두 아득한 기억처럼 느껴졌지만, 냉정하게 돌이켜 보면 그렇게 시간이 흐른 것은 아니다. ——하지만 그에게는 분명 지독하게 긴 시간이었다. 조심스럽게 추측해보아도 그는 초조해 했음이 틀림없으리라.

그는 꿈속에서조차 초초해하고 있었다…….

천마의 마녀 아자리의 장례식은 생전의 업적이나 인기를 생각하면 뜻밖일 정도로 싸늘했다. 적어도 소년은 그렇게 느꼈다. 하지만 주변에 있는 그 누구도 그렇게 생각하지 않는 모양이었다. ——개중에는 명백히 혐오의 표정을 띠는 자도 있었다. 그런 자들——주로 노인들——이 투덜거리듯이 내뱉는 중얼거림은, 소년의 귀에는 극히 단편적으로밖에 들어오지 않았으면서도 아무리 시간이 지나도 사라지지 않았다.

"……설마 그 애가——"

"하지만 목격자가 다수——"

"큰일이 벌어졌어. 혹시——"

"왕궁 쪽은 담당자가 진정을——"

"하지만 그건 긴급 시——"

"치명적인 오점——"

"오점——"

오점.

소년은 파문처럼 되풀이 되는 그 단어를, 마치 자신의 몸에 찍히는 낙인처럼 몸을 떨며 들었다. ——하지만 설령 그것이 실제의 낙인이라 하여도 아픔은 느끼지 않았을지 모른다. 소년은 힐끗 《송곳니 탑》 뒤뜰 쪽을 보았다. 그가 지금 참가하고 있는 이 장례는 탑의 뒷문에서 출발한 것이다. 조용하게.

뒤뜰에는 띄엄띄엄 배웅하는 사람들이 몇몇 서 있었다. 그 안에는 확실히 아자리와 친구였던 자도 있다. 하지만 그 자들의 표정은 어째서인지 장례식에서 투덜대는 노인들이 띠는 표정과 매우 비슷했다. 적어도 소년은 그렇게 느꼈다.

장례 행렬은 천천히 공동묘지로 이어지는 언덕을 올랐다. 소년도 도살장에 끌려가는 가축처럼 고개를 숙이고 마녀의 관 바로 뒤를 걸었다. 그 이외의 누구도 그 위치에서 걷고 싶어 하지 않았기 때문이다.

"키리란셀로."

이름을 불린 그는 깜짝 놀라며 고개를 들었다. 목소리가 들려온 곳, 즉 그의 옆에는 그와 비슷한 나이의 붉은 머리 소년이 나란히 걷고 있었다.

"하티아냐."

키리란셀로라고 불린 소년은 붉은 머리 소년에게 공허한 눈빛을 향하며 말했다.

“너도 장례식에 참가했다니 몰랐다.”

“차일드맨 교실의 인간 중에선 우리뿐이야.”

하티아는 햇빛만 받아도 밝게 빛나는 붉은 머리를 쓸어 올리며 쓸쓸하게 내뱉었다. 오늘은 햇빛이 없다. 징그러울 정도로 절묘하게 분위기에 어울리는, 대리석 모양의 검은 구름이 소용돌이치는 하늘이었다.

“선생님은?”

키리란셀로가 묻자 하티아가 기막힌 표정으로,

“정말로 정신이 없는 모양이네. 선생님이라면 바로 저기에 계시잖아.”

하고 행렬 선두를 가리켰다.

키리란셀로는 아아 그렇구나, 하고 중얼거리면서도 내심으로는 아무래도 좋았다. 정말로 아무래도 좋을 일이었다. ——세상 모든 것이 그렇게 느껴졌다. 사는 것도, 죽는 것도 아무래도 좋았다.

“이봐, 정신 똑바로 차려. 그야 넌 특히 아자리——아니, 그러니까——그녀와 사이가 좋았으니 이해하지 못할 바는 아니지만, 마치 자기 장례식에 참가하는 것처럼 보인다고.”

“실제로 그럴지도 모르겠군.”

“허, 참.”

하티아는 기막힌 듯이 말하고는, 친구의 곁을 떠나 행렬 앞의 교사를 향해 빠른 발걸음으로 이동했다. 키리란셀로는 그 뒷모습을 바라보다 시선을 하티아에게서 키가 큰 흑마술사——그들의 교사인 차일드맨에게 옮겼다.

차일드맨은 이 대륙에서도 최고로 일컬어지는 흑마술사 중 하나이다. 실제 그 평가에 반신반의했던 자도 그의 모습을 10미터 너머에서 본다면 스스로 의견을 바꾸리라. 나이는 20대 중반 정도로 젊고, 우람한 몸에 강렬한 의지를 띤 눈동자는 그야말로 그를 빈틈없는 전사로 보이게 하였다. 흑발을 등까지 기르고 뒷덜미 부근에서 끈으로 묶고 있는데, 단시 자르지 않았으니 자랐을 뿐이라는 느낌이었다.

행렬은 한없이 계속될 것처럼 느껴졌다. 그리고 '오점'이라는 중얼거림도.

언덕 위 공동묘지는 좁은데도 어째서인지 항상 빈 터가 있었다. 장례관이 행렬을 그 묘로 선도하고, 관을 짊어진 사람들은 묘하게 가벼운 관을 맨 채 가벼운 발걸음으로 이동했다. 젊은 여자의 시체라서 가벼우니 좋군, 하고 그들이 대기실에서 잡담을 나누던 것을 장례식에 출석할 마음이 들지 않았던 키리란셀로는 몰래 훔쳐들었다.

'그게 아니야. ――그게 아니라고. 그 관에 들어 있는 건 여자의 시체가 아니야.'

이름 없는 묘비 밑에 미리 파 놓은 묫자리에 관이 옮겨진다. 참가한 사람들의 손에서 삽이 차례차례 흙을 퍼 관 위에 덮는다. 키리란셀로는 멍하니 그 광경을 바라보았다. ――차일드맨이 강인한 팔로 흙을 푸고, 하티아가 가볍게 삽을 움직이는 것을. 아까까지는 계속해 투덜거리던 노인들도 지금만큼은 입을 다물고 있다.

키리란셀로는 음울한 기분에 잠겼다. 그걸로 됐잖아. 댁들이 무엇을 묻든 댁들은 그걸로 만족할 거니까.

이윽고 그의 차례가 되었다.

키리란셀로는 눈앞에 내밀어진 삽자루를 무언가 이상한 물건이라도 보듯이 바라보았다. 누군가가 헛기침을 하고 상당히 긴 시간이 지난 뒤에서야 그는 삽을 받아들었다.

그리고 묏자리에 뛰어들어 나무로 만든 관을 삽 끝으로 꿰뚫었다. 삽은 지면에 꽂은 쐐기처럼 푹, 하고 관에 찍혔다.

잘 알아들을 수 없는 웅성거림이 일었지만 훈련된 흑마술사들은 그다지 놀라움을 얼굴에 드러나지 않았다. 장례관도, 노인들도, 차일드맨도, 하티아도. 관을 옮기는 사람들은 이미 볼일이 끝나 곧바로 자리를 뜬 상태다.

키리란셀로는 그다지 깊지 않은 묏자리 바닥에서 위를 올려다보며 소리를 질렀다.

"이건 누구의 장례식입니까?"

"……차일드맨 교실 소속 아자리의 장례다, 키리란셀로."

대답한 사람이 차일드맨 한 명뿐이었기 때문에 키리란셀로는 자신의 교사를 향해 서서 물었다.

"그럼 그녀의 시체가 이 관에 들어 있다는 겁니까?"

"아니. ——너도 알다시피, 그 관은 텅 비어 있다."

차일드맨의 목소리는 평소와 다름없이 엄격하고 빈틈이 없었다. 바위와 이야기를 하는 것이나 마찬가지다. ——길을 가로막은 바위를 향해, 거치적거리니 비키라고.

하지만 키리란셀로는 굴하지 않고 말했다.

"그렇다면 이건 그녀의 장례가 아니야."

"궤변을 늘어놓지 마라."

"어디가 궤변인데요! 그녀는 살아 있단 말입니다!"

"사람에 따라서는 살아 있다고 하는 자도 있을 수 있겠지."

차일드맨은 구멍 안에 있는 키리란셀로를 향해 손을 뻗으며 말했다.

"하지만 넌 그녀가 죽었다고 여긴다. 그리고 대부분의 다른 이들도."

키리란셀로는 그 손을 쳐냈다.

"대부분의 다른 이들은 무슨. 대부분의 지위를 가진 자들이겠지. 당신들은 이 《송곳니 탑》의 명성에 해가 될 것을 두려워해 그녀를 묵살할 셈이야!"

"실제로 그녀의 실패는 이 마술의 최고봉인 《송곳니 탑》의 평가에 치명적인 오점이 될 수도 있었지."

치명적인 오점——다시 나온 그 말에 키리란셀로가 이를 악물었다.

"그녀는 오점 따위가 아니야. 이 《탑》이 시작된 이래 최고로 우수한 마술사야. 흑마술만이 아니라 백마술까지 정통하고——"

"그래. 우수한 마술사였다."

"였다, 가 아냐! 아직 살아 있어!"

키리란셀로는 냉철한 교사를 노려보면서 이야기가 평행선을 달리고 있음을 느꼈다. 자신의 힘이 고작 이 정도라는 것도. 더 이상 이곳에 있는 인간을 설득할 수는 없으리라.

차일드맨의 옆에 하티아가 걱정스러운 얼굴로 나타났다.

"야, 키리란셀로. 그만 해——"

"뭘 그만하라는 거야! 그녀가 살아 있다고 생각하는 걸 그만 두라는 거냐?"

"넌 엘리트야. 얼마 전에도 수석을 땄잖아. 이대로 가면 언젠가는 왕궁에도 올라갈 수——"

"닥쳐, 하티아. 그딴 건 너한테 주겠어. 차석인 너한테 말이다."

키리란셀로는 험악한 얼굴로 그렇게 말하고는 다시 차일드맨을 돌아보았다.

"당신들은 텅 빈 관을 매장하려 하고 있어. 그렇다면 난 이 관에 필요한 내용물을 제공해 주지."

"내 목을 말이냐?"

차일드맨은 딱히 바보 취급하는 기색도 없이 진지한 얼굴로 물었다. 키리란셀로는 일순 허를 찔린 듯이 입을 다물었지만, 곧바로 마음을 다잡고 말을 이었다.

"아니. 바로 나야."

"제정신이야?"

그렇게 내뱉은 사람은 하티아였다. 키리란셀로는 그 말을 무시하고 다시 되풀이했다.

"바로 나야! 내 이름을 매장해! 아자리의 기록과 함께 말이다! 난 그녀를 찾아낼 거야. 몇 년이 걸리더라도. 그때까지 난——오펜(고아)이다. 그녀 외엔 아무도 없는 고아야."

키리란셀로——아니, 오펜은 관에서 삽을 빼 하늘을 향해 들어올렸다. 주변에 있던 몇 명이 엉덩이를 뒤로 빼며 뒤로 물러났지만 차일드맨은 눈썹 하나 까딱하지 않았다. 대륙 최강의 흑마술사는 온

화한 어조로 중얼거리듯이 이렇게 말했다.

"그녀를——아니, 그녀가 변모한 그 괴물을 찾아내 어떻게 할 건가? 네 키스 하나로 원래의 모습으로 되돌릴 셈인가?"

"헛소리 마, 차일드맨. 댁이 어딘가에 봉인한 그 천벌 받을《검》이라는 놈도 찾아 주겠어. 그《검》의 마력으로 그녀가 변신했다면 다시 한 번——"

"네게는 불가능하다."

차일드맨은 나지막하게 내뱉었다. 오펜은 반발하듯이 소리쳤다.

"그럼 댁이라면 할 수 있다는 거야!?"

"내가? 나라면——"

그는 고요한 표정을 띤 채 거기서 입을 다물고, 힐끗 좌우의 노인들에게 시선을 던지고는——탄식했다. 그리고 자조하듯이 말했다.

"얼토당토않은 소리 하지 마라."

"얼토당토않긴 뭐가."

"얼른 일어나라고, 이 바보야."

"난 제정신이야."

"얼른 일어나란 말이야, 마술사! 그러지 않으면 가죽 장갑으로 패 죽인다!"

패 죽인다——패 죽인다고……?

꿈에서 깨어나자 그곳은 뭣자리가 아니라 감옥 안이었다. 좀 더 자세히 설명하자면 토토칸타 시가 자랑하는 우수한 경찰의 구치소였다. 살풍경하고 푸른 기운이 감도는 벽에 둘러싸이고 철창과 작은 창문이 달린 지하실. 감옥 구석에는 물그릇과 컵이 놓여 있지만 도저히 그 물을 마실 마음은 들지 않았다. 그래서 어제부터 계속 목이 마른 상태다.

두통이 느껴졌다. 잠든 사이에 얻어맞았는지도 모른다. 어렴풋하게 흐려진 시야에는 부루퉁한 표정으로 팔짱을 낀 볼칸과 그 뒤에서 불안한 듯이 이쪽을 보는 도틴이 서 있었다. 오펜은 천천히 몸을 일으키고 자기 자신에게는 신음으로밖에 들리지 않을 쉰 목소리로 말했다.

"왜 깨운 거냐?"

뒤에 있는 도틴의 겁을 먹은 표정을 보면 자신이 지금 어떤 얼굴을 하고 말했는지 알고 싶지도 않았지만 알 수 있었다. 실제로 오펜은 초조해하고 있었다. 하지만 볼칸은 그런 그의 안색 따위 신경도 쓰지 않고 대답했다.

"사정을 들으려고."

"밝힐 사정 따윈 없――"

"웃기지 마라!"

볼칸은 격앙하며 오펜의 멱살을 잡고 노려보았다. 그건 이쪽이 앉아 있기 때문에 가능했던 짓이고, 오펜이 몸을 일으킨다면 까치발이라도 들지 않으면 닿지 않았으리라. 어찌되었든 볼칸이 말을 이었다.

"능구렁이처럼 슬슬 말을 돌리는 것도 작작 좀 해! 이런 곳에 갇혀서 벌써 사흘이나 지났다고! 우리가 사기죄에 난동죄, 치안방해에 기물파손 혐의를 받고 있는 걸 알고는 있냐!"

사실 혐의고 나발이고 아무리 생각해도 유죄 그 자체였지만.

공무원들은 에버래스틴 가의 소동 바로 뒤에 들이닥쳤다. 근처에 사는 누군가가 통보했던 모양이다. ――뭐, 옆집에 정체 모를 물체가 뛰어드는 모습을 본다면 누구든 군대 하나나 둘쯤은 부르고 싶어지리라. 토토칸타의 치안경찰관만큼 우수한 공무원은 없지만, 그때만큼은 그들도 사태의 수습에 곤혹스러웠는지——일단 근처에 있던 결혼 사기단 놈들을 붙잡았다. 순식간에 벌어진 체포였기에 오펜 일행은 도망치지도 못하고 빌린 옷을 입은 채로 감옥에 처박히게 되었다.

오펜은 비아냥대듯이 웃으며 말했다.

"그 중 사기죄는 네 담당이다만."

"너 말이다! 문제가 된 건 그런 것보다 괴물 쪽이라고! 그곳에 있던 모두가 네놈이 괴물에게 말을 거는 걸 봤단 말이——"

오펜은 곧바로 멱살을 잡고 있던 볼칸의 손을 떼어내고 반대로 비틀어 당겼다. 그리고 그대로 내던지듯이 손을 놓고는 낮은 목소리로 말했다.

"잘 들어. 난 같은 말을 몇 번이고 되풀이하는 게 싫으니까——이게 마지막이야. 그녀를 괴물이라고 부르지 마라. 알았냐?"

"그, 그럼, 대체 그게 뭔데."

볼칸은 지끈거리는 팔을 쓰다듬으며 물었다.

오펜은 몸을 일으켜 등 뒤의 벽에 몸을 기대고 아득한 곳으로 시선을 던지며 한숨을 쉬었다. 그는 그렇게 잠시 어떻게 이야기의 끈을 끌어야 할지 고민하고는 나지막하게 내뱉었다.

"어린애라는 놈은 대개 자신을 귀여워해 주는 연상의 여자에게——동경하는 마음을 품기 마련이지."

"……안 그래도 뭔가 인간 같지 않다 싶었는데, 너 그런 괴수한테 길러진 거냐?"

오펜이 팍 인상을 찡그리며 노려보자 볼칸은 아까 비틀린 팔을 잽싸게 등 뒤로 감추고 입을 다물었다. 오펜은 다시 천천히 이야기를 이었다.

"난 《송곳니 탑》에서 자랐어."

그 이름을 듣고 볼칸과 도틴도 얌전히 귀를 기울이며 침을 삼킬 수밖에 없었다. ――이 대륙에서 이름을 모르는 자가 없는, 마술의 최고봉. 강력한 마술사를 배출하고 때로는 전란의 대국을 좌우할 거대한 마술을 행사하기도 한다. 긴장을 견디지 못했는지, 볼칸은 한숨을 내뱉으며 입을 열었다.

"오호라――그곳이라면 그런 괴수를 양산해도 이상하지 않지."

"아니라고 했잖아!"

오펜이 소리치며 있는 힘껏 볼칸을 발로 차 날리자, 계속 복도 너머에 있던 간수가 예리한 시선을 이쪽으로 향했다.

"이봐, 뭘 하는 거냐!"

오펜은 당황하며 애교를 떨 듯이 웃고 손을 흔들었다.

"아, 아뇨, 아무것도 아닙니다."

"……뭐가 아무것도 아니야, 이 자식."

오펜의 딱딱한 구두바닥에 받침대처럼 밟힌 볼칸이 투덜거리는 소리가 들렸지만 무시했다. 오펜은 이번엔 작은 목소리로 빠르게 말을 이었다.

"난 《송곳니 탑》에서 자랐어. 철이 들 무렵부터 말이다. 난 고아였지――아니, 그곳에 있는 마술사들은 모두 그래. 제대로 된 부모가 있다면 그런 곳에 입문하게 두지 않을 테지. 그곳에 입문한 어린애 중에 살아서 졸업할 수 있는 아이는 1할도 채 되지 않으니까. 여기까진 이해하겠지?"

"예."

도틴의 대답.

"아직도 밟힌 채라는 걸 제외하면."

이것은 볼칸의 대답. 오펜은 그 말도 무시하고 말을 계속했다.

"그래서 그곳에 있는 녀석들은 각자 고독하고 불안해. 경쟁이 격렬하니까 마음을 터놓을 친구 따위도 쉽사리 만들 수 없지. 기껏해야 하나나 둘이 한계야. 내게는 아자리가 바로 그런 상대였어. 《송곳니 탑》이 만들어진 이래의 인재라고 불리던 최우수 마녀이자, 나보다 5살 연상인 여성이었지."

"저런 몰골론 나이 같은 걸 어떻게 알아보겠냐——아얏!"

오펜은 발꿈치로 볼칸을 잘근잘근 밟으며 다시 이야기를 시작했다.

"아름다운 사람이었어. 애인도 몇 명 있었을 거야. 어찌되었든 뭘 하든 화려한 사람이었지. 하지만 그녀는 어떤 마술에 실패해——"

목소리의 톤이 자연스럽게 낮아졌다.

"저렇게 되었어."

"……어떻게 됐다고?"

볼칸이 짓궂은 목소리로 물었다. 오펜은 지인의 꿍꿍이를 알아차리고, 절대로 '괴물'이라는 단어를 쓰지 않도록 조심하며 대답했다.

"실패의 영향을 뒤집어쓴 거야. 마술의 실패 탓에 말이지. 난 《탑》을 나와 그녀의 행방을 찾았다. 줄곧 말이다. ——너희가 빌린 돈을 제때 갚기라도 했으면 더 적극적으로 찾았겠지."

"하지만 그 덕분에 그 여자랑 재회할 수 있었잖냐."

볼칸이 발밑에서 투덜거렸다. 오펜은 콧방귀를 뀌었다.

"감사할 마음은 없어. 그러니까 얼른 빌린 돈이나 갚아."

"돈의 망자 같으니."

"그런 대사는 실제로 내 발밑에 돈을 내동댕이치며 해 줬으면 좋겠군. 무료로 들어 줄 의리는 없어."

그렇게 말하며 오펜이 볼칸의 등에서 발을 치우자, 도틴이 조심조심 물었다.

"그럼 그 괴——아니, 그녀는, 원래는 인간이었던 건가요?"

"그래."

오펜이 고개를 끄덕였다.

"난 실제로 그녀가 변신하는 광경을 봤어……."

"그, 그건, 어떤 마법이었나요?"

"몰라."

오펜은 주저하지 않고 말했다.

"모른다고요?"

"그래. 변신했을 때 그녀는 정규 마술을 행사했던 게 아니거든. 자기 방에서 무단으로 마술을 실행했어. 그 이유는 본인에게라도 묻지 않으면 알 수 없겠지."

"……."

도틴은 잠시 생각에 잠긴 뒤에 물었다.

"그럼 당신은 그——그녀를 원래의 모습으로 되돌려주기 위해 여행을 떠난 건가요?"

오펜은 탄식하며 거의 절망적인 음성으로 대답했다.

"……할 수 있으면 그렇게 하고 싶은 심정인데 말이지. 그녀가 사용한 마술의 정체를 알지 못하는 한 내가 어떻게 해 볼 방도가 없어."

"그렇겠지."

거기서 볼칸이 입을 열었다. 그는 오펜의 발자국이 또렷하게 남은 빌린 옷의 상의를 털며 말했다.

"다시 말해 적어도 저 괴물을 자신의 손으로 끝장내주고 싶다는 말이잖아?"

"헛소리 마라, 멍청아."

오펜은 눈길도 주지 않고 욕했다.

"그럼 대체 뭘 어떻게 하고 싶은 건데?"

볼칸이 불만스러운 얼굴로 물었지만 오펜은 무시하며 다시 바닥에 앉았다. 그리고 우득우득 팔의 관절을 소리 내며 풀었다. 그것을 위협이라고 여기고 방어 자세를 갖추는 볼칸의 행동은 깨닫지도 못한 채 오펜은 홀로 사색에 잠겼다.

'그녀의 실패는 마술의 최고봉 《송곳니 탑》에게는 치명적인 오점이 되었어. 그녀의 장례를 보면 명백한 일이지. 그날 그녀의 편은 한 명도 남지 않게 됐어.'

그는 다시 눈을 감았다. 어찌되었든 지금은 잠을 자 힘을 비축해 두고 싶었다.

'즉 나 이외엔 전부 없어졌다는 거야. 그러니까 적어도 나만이라도 그녀의 곁에 있어 주고 싶어…….'

이번에는 꿈을 꾸지 않았다.

몸을 흔드는 기척에 잠에서 깨자 아무래도 감옥 안의 분위기가 바뀐 듯했다. 볼칸조차 소란을 피우지 않고 얌전히 있었고 오펜을 흔들어 깨운 사람은 도틴이었다. 감옥 앞에는 간수와 몇 명의 위병이 있었는데, 힐끗 주변을 둘러보자 그들은 마치 방풍림처럼 반원형으로 서 있었다. 그 원형의 중심에는 주변의 훈련된 병사들과는 근본적으로 다른, 가녀리고 왜소한 체격의 인물이 두 손을 뒤에서 깍지 끼고 즐거운 표정으로 서 있었다.

"클리오?"

오펜이 의아한 듯이 그 이름을 입에 담았다. 금발의 소녀는 기적적으로 숙제를 해 온 학생과 같은 표정으로 방긋 웃으며 고개를 끄덕였다.

"왜 여기에?"

사태에 대응하지 못하고 입을 다문 지인들을 대신해 오펜이 물었다. 소녀가 이런 곳에 얼굴을 내밀 이유는 본래 존재하지 않을 터다.

하지만 클리오는 대답은 하지 않고 우선 주변의 위병들을 내보냈다. 간수는 그럼 용무가 끝나면 말씀해 주십시오, 하고 정중한 말투로 말하고는 감옥 앞에서 재빨리 자리를 떴다.

"클리오. 왜 이런 곳에 있는 거냐?"

오펜은 소녀가 입을 열기도 전에 먼저 그렇게 물었다. 일단 처지로 따지면 이 소녀와 그는 대립관계일 터이지만, 오펜에게는 무슨 생각을 하는지 알기 어려운 소녀를 상대하기 어려웠다.

클리오는 철창 너머로 갑자기 이런 말을 꺼냈다.

"당신들을 여기서 꺼내 줄게."

"이봐."

오펜은 기막히다는 듯이 대답했다.

"탈옥을 하고 싶었다면 진즉에 했을 거다. 이런 자물쇠 따위는 2초면 열 수 있어. 하지만 아직 지명수배까지는 받고 싶지 않아서 얌전히 있을 뿐이야."

"내 말은 그게 아니야. 어머님이 그러셨는걸. 우리한테 고소할 의지가 없다면 당신들에게 죄를 묻지 않는다고."

"사기죄랑 기물파손에 관해서는 그렇지. 하지만 다른 죄상에 관해선 벌금을 낼 필요가 있다."

"어머님도 그렇게 말씀하셨어. 하지만 그것도 이쪽에서 치러 줄게."

"저, 정말로?"

거기서 볼칸이 끼어들었다. 이 지인 소년은 궁지에서 광명을 찾은 표정을 숨기지도 않고 드러내며 숭배자가 여신에게 매달리듯이 철창에 매달렸다.

그런 볼칸을 곁눈으로 흘겨보며 오펜이 물었다.

"어째서지? 너희에게 그럴 의리는 없잖아. 설마 너희 어머니께선 아직 날 부르풀워즈라고 생각하는 건 아니겠지?"

오펜은 농담으로 내뱉은 말이었지만 클리오는 매우 진지하게 고개를 저었다.

"아니야. 실은 부탁이 있어서 그래."

"거래를 하고 싶다는 말이냐?"

오펜은 그렇게 물으며 몸을 일으켜 팔짱을 꼈다.

클리오는 숨기지 않고 긍정했다.

"맞아. 넌 마법사지?"
"그래, 맞다. 하지만——"
오펜은 거기서 씨익 미소를 띠었다.
"흑마술사 하나를 고용하기 위한 대가로 벌금 대납 정도는 너무 싼걸."
"야 인마, 마술사!"
볼칸이 당황하며 소리쳤지만 오펜은 그 항의를 무시하고 클리오를 바라보았다. 소녀는 어깨를 으쓱였다.
"시세가 어떻게 돼?"
"용건에 따라서 다르지. 뭐, 딱히 바가지를 씌우려는 건 아니야. 실은 내가 입고 있는 건 빌린 옷이다만, 연체료를 내야 하거든. 그런데 공교롭게도 지금 가진 돈이 없어."
"좋아, 그 정도라면. 이걸로 충분하지?"
하고 말하며 클리오는 자신의 오른손에서 살며시 작은 반지를 뺐다. 그 모습을 본 오펜은 자신도 모르게 얼빠진 표정을 지었다.
"너 말이다……."
"왜?"
소녀는 아무것도 모르는 얼굴로 눈을 휘둥그레 떴다. 오펜은 클리오의 손에서 반지를 빼앗아 꼼꼼히 살펴보았다.
"넌 이게 어느 정도의 가치가 있는지 알곤 있는 거냐?"
"그, 글쎄? 하지만 디자인도 오래된 거고……."
클리오는 오펜이 무슨 말을 하려는지 이해하지 못한 듯 이상하다는 표정으로 그를 보았다. 반지는 매우 단순한 디자인의 은제로, 소녀의 취향으로 보이는 작은 돌처럼 투명한 보석 하나만이 박혀 있었다. 하지만 자세히 보자 문자와 같은 섬세한 세공이 되어 있는 것이 보였다.

오펜은 탄식하며 말했다.

"그야 오래될 만도 하지. 천 년은 더 옛날 것일 테니까. 도틴, 여기에 새겨진 문자를 읽을 수 있냐?"

흥미 깊은 듯이 다가온 도틴에게 반지를 건넸다. 도틴은 안경 위치를 조정하며 가늘게 새겨진 문자를 잠시 바라보았지만, 이윽고 포기한 듯이 반지를 내밀며 말했다.

"모르겠어요. 하지만 말할 수 있는 건 지금 현재 이 문자를 사용하는 종족은 이 대륙엔 존재하지 않는다는 거예요."

"거기까지 알아낼 수 있다면 대견한 거다. 나도 이 문자는 읽을 수 없지만 옛날 이 반지와 똑같은 것을 본 적이 있──"

거기까지 말한 오펜은 퍼뜩 무언가를 깨달았다. 너무 뜻밖이어서 깨닫지 못했던 것이다.

"아니, 잠깐만. 클리오, 난 이 반지를 《송곳니 탑》에서 봤다. 그런데 왜 네가 가지고 있는 거지?"

갑작스럽게 쏟아지는 질문에 클리오 자신도 깜짝 놀란 모양이었다. 소녀는 곤혹스러운 듯이 입을 모으고는 웅얼거리며 대답했다.

"잘 기억이 안 나. 하지만 어린 시절부터 내 보석함에 들어 있었어. 어릴 때 어딘가에서 찾아서 보관해 뒀던 모양인데……."

"《송곳니 탑》에서 가지고 나왔다는 거냐? 말도 안 돼. 그곳에서 머리핀 하나라도 훔쳐올 수 있는 인간은 있을 리 없다고."

"난 훔치지 않았어."

"그건 알아. 하지만 이 반지가 이 세상에 두 개나 있을 리 없어.

이 녀석은 강한 마력을 가지고 있으니까. ——우리의 마술과는 완벽하게 다른 고대의 마법이."

"그 문자, 뭐라고 쓰여 있는데?"

클리오의 물음에 오펜이 부루퉁한 표정으로 대답했다.

"글쎄다. 이 문자의 해독은 아직 부분적으로밖에 이루어지지 않았거든. 이런 부류의 물건을 발동시키기 위해선 이 글자를 읽어야만 한다는 모양이지만 말이지."

"기분 나빠——아, 마법이 기분 나쁘다는 말이 아니라."

클리오는 오펜을 배려하듯이 그렇게 말하고는 말을 이었다.

"이 반지, 강한 힘을 가지고 있는데 아무도 지배할 수 없는 거잖아?"

"뭐, 그렇게 되겠지."

오펜은 가만히 반지를 뜯어보며 그렇게 말했다. 클리오가 작게 몸을 떨었다.

"그거 줄게. 대금도 그걸로 충분하지?"

"그래. 하지만 이런 걸론 의상대여점의 대금은 갚을 수 없겠는걸. 거스름돈이 나오는 걸 넘어서 그 거스름돈을 마련하려다 대여점 일가가 동반 자살할 정도니까."

"응. 그럼 내가 대신 내 줄게."

클리오가 아직도 소름 돋는다는 듯이 살짝 뒤로 물러난 자세로 그렇게 말했다. 오펜은 자신의 손가락에 반지를 끼우려 했지만 새끼손가락에조차 들어갈 것 같지 않아 포기하고 주머니에 넣었다.

"그럼 거래 성립이다."

"다행이다. 실은 어머님이, 지금 굉장히 곤란한 상황이셔."

"무슨 고민인데?"

오펜의 물음에 클리오의 대답은 매우 짧고 한없이 가벼웠다.

"듣기로는 누군가가 우리를 전부 죽이려고 하는 모양이야."

귀가가 소유한 발트안델스의 검을 우리에게 넘겨라. 우리는 귀가의 의향을 묻지 않고 요구를 수행할 수단을 가지고 있다. 혹시 이 검이 조속히 이쪽으로 인도되지 않을 경우 귀가에게 중대한 위협이 예측된다. 시일은—

그 시일은 바로 오늘이었다. 오늘 언제, 라고는 적혀 있지 않다. 다시 말해 상대방이 이 저택으로 물건을 가지러 온다는 뜻이리라.

"발트안델스의 검?"

질 좋은 종이로 만든 편지지를 들어 올리며 오펜이 물었다. 주변에는 볼칸과 도틴, 그리고 클리오와 티시티니가 있었다. 마리아벨은 자기 방에 있는 모양이다. 오펜과 볼칸, 도틴은 이미 대여 의상을 반납하고 각자 원래의 차림으로 돌아온 상태다. 흑마술사 식으로 검은 색을 바탕으로 한 복장을 입은 오펜이나 너덜너덜한 모피 망토에 검을 찬 볼칸, 그리고 토관처럼 보이는 커다란 짐을 짊어진 도틴. 각자 수상한 곳 투성이었다. 오펜은 볼칸에게 그 검을 치우지 않으면 저런 아름다운 저택에는 들여보내주지 않을 것이라고 말했지만, 티시티니는 아무런 신경도 쓰지 않고 모두를 저택 안의 가장 훌륭한 응접실로 들여보내 주었다.

그것만이 아니라 티시티니가 결혼 사기를 어느 정도의 죄라고 여기는지는 알 수 없지만, 그렇게 오펜 일행이 저택으로 돌아왔을 때에도 이 부인은 전혀 기분이 상한 것처럼 보이지 않았다. 오펜의 경우에는 자신의 지위가 부르풀워즈라고 이름을 댔을 때에 비해 전혀 실추되지 않은 것은 아닐까 느낄 정도였다. 실제 피해가 없었으니 딱히 상관없다고 여기는 것인지, 아니면 갑자기 자기 딸의 방 벽을 박살낸 정체 모를 괴물이 날아오는 시대이니 악마와도 손을 잡겠다고 각오한 것일지.

어찌되었든 티시디니는 침착한 목소리로 오펜에게 대답했다.

"그 편지가 도착한 건 이틀 전의 일입니다."

'우리가 아자리를 만났던 다음 날인가.'

그렇게 생각하며 오펜은 계속해 물었다.

"이 일은 경찰에게는?"

"아니오. 무엇을 말하는 것인지 전혀 짐작도 되지 않는 일인지라……."

"짐작도 되지 않는다고요?"

협박장이라는 것이 어떤 것인지 모른다는 말이라면 결혼 사기도 똑같이 여기고 있을지 모른다. 하지만 티시티니의 말은 그런 의미가 아닌 듯했다.

"예. 그러니까 그――바틀안데스의 검, 인가요?"

"발트안델스의 검, 입니다."

"아, 그런가요. 처음 듣는 이름이다보니――어찌되었든, 그런 이름의 검이 어떠한 것인지, 이 저택 어디에 있는지 저희는 아무것도 모르는 상태입니다."

"즉 그 말인즉슨……."

"저희 바깥양반은 도락으로 골동품이나 희귀한 물건을 수집했던

지라, 그 중에 그 발트안델스의 검이라는 것이 있어도 이상하지 않습니다만…… 그것이, 저는 무엇이 그 물건인지…….”

“남편분의 수집품은 지금은 어디에 두셨는지?”

“지하 창고예요. 나중에 안내하겠습니다.”

살짝 창백해진 티시티니의 얼굴과 손에 든 협박장을 번갈아가며 보며 오펜은 크게 한숨을 내뱉었다. 실은 클리오가 이야기를 꺼냈을 때, 그는 처음에는 물론 아자리에 대하여 무언가 있지 않을까 여겼다. 하지만 저택에 도착해 보니 한 통의 협박장을 건네받았다. 설마 이 협박장을 아자리가 썼으리라고는 생각할 수 없다.

오펜이 그렇게 생각에 잠겨 있는 동안 볼칸이 전문가를 흉내 낸 말투로 티시티니에게 물었다.

“그 후로 그 괴물은 보신 적이 있으신지?”

오펜이 날카롭게 노려보았지만 볼칸은 오펜에게 등을 향하고 있었기에 깨닫지 못했다. 볼칸과 마주보는 티시티니만이 오펜의 시선을 깨달았고, 또 그때 오펜이 괴물을 향해 절실하게 말을 걸던 것을 기억하고 있기 때문인지, 조금 어색한 표정으로 대답했다.

“그——그것이라면, 다시 모습을 나타내지 않았습니다. 무언가 관계가 있다고 보시는지요?”

“물론, 어떠한 인과관계가 있다고 보는 것이 자연스럽겠지요.”

볼칸은 자신만만한 얼굴로 말했다.

“이 협박장은 어떻게 이 저택에 도착하였습니까?”

물은 사람은 볼칸이었지만 티시티니는 오펜을 향해 대답했다.

“아침에 눈을 뜨니, 화장대에 붙어 있었답니다.”

“마술이로군요.”

오펜이 말하자 티시티니가 아마도요, 하고 고개를 끄덕였다.

"어째서인가요?"

도틴이 궁금한 듯이 물었고 오펜은 어깨를 움츠렸다.

"편지로 보내면 될 걸 일부러 그런 폼을 재는 짓을 하는 건 마술사 정도거든."

"……화려한 걸 좋아한다는 말이군요."

"그렇지."

그렇게 대답하며 오펜은 거기서 문득 분명 아자리라면 그런 방법도 떠올릴 것 같다고 생각했다.

"그럼 그 창고라는 곳에 안내해 주시겠습니까?"

오펜이 말하자 티시티니는 예, 하고 대답했다.

"클리오에게 안내하도록 하겠습니다. 저는 마리아벨을 보고 올게요. 그 아이도 참, 이번 일로 완전히 혼란에 빠지는 바람에……."

"그야 그렇겠지요."

오펜이 동의하자 뒤에서 클리오가 킥킥 웃는 소리가 들렸다. 그 웃음소리의 의미는 알 수 없었지만 티시티니는 알고 있는 모양이었다. 그녀도 똑같이 손가락으로 입가를 누르며 살짝 웃음을 띠었다.

'어떻게 이런 상황에서 웃을 수 있지?'

오펜은 의아해했지만 의문을 입에 올리기 전에 먼저 클리오가 그의 손을 붙잡았다.

"이쪽이야."

굉장히 편한 말투였다. 오펜은 깨닫고 보니 자신이 이 소녀의 오빠라도 된 기묘한 감각을 느끼며, 소녀의 작은 손에 이끌린 채 저택 응접실을 뒤로했다.

오펜은 재빨리 저택의 전개도를 머릿속으로 그려 보며 이 지하실로 이어진 계단이 저택 거의 중앙에 있는 것이 아닐까 예상했다. 그리고 클리오에게 묻자 맞아, 하고 간단하게 대답이 돌아왔다.

계단을 내려가자 싸늘한 공기가 뺨에 닿았다. 물론 채광용 창문 따위가 있을 리 없었고 덕분에 실내는 어두웠지만, 클리오가 입구 근처에서 벽에 달린 스위치를 더듬자 어둑어둑한 가스등이 통로를 밝혔다.

"이런 장치까지 설치해 놓은 거냐?"

오펜이 묻자 클리오가 득의양양하게 작은 가슴을 내밀었다.

"아버님은 새로운 물건을 좋아하셨거든. 부엌에는 수도관도 달려 있어."

"항복이다."

오펜이 두 손을 들자 클리오가 기쁜 듯이 웃었다.

계단은 문 하나가 나오자 끝났다. 튼튼해 보이는 철문으로 밑은 살짝 녹이 슬어 있다. 오래 되어 보이는 문이었지만 표면에 붙은 몇 센티 정도의 문자판은 그다지 낡아 보이지 않았다.

"'이 문을 지나는 자여, 모든 희망을 버릴지어다.'"

오펜은 기막히다는 얼굴로 그 판의 내용을 읽었다. 옆에서 클리오가 역시 가슴을 내밀며 말했다.

"아버님은 취향이 별나셨거든."

부엌에 수도관도 있고 말이지, 하고 마음속으로 중얼거리며 오펜은 문손잡이에 손을 댔다. 잠기지는 않은 모양인지 철문은 삐걱대면서도 천천히 외부를 향해 입구를 열었다.

창고 안은 잡다하게 물건이 쌓여 있었다. 가장 가까이에는 책이나 그림 등이 놓인 책장이 있었기 때문에 오펜은 한순간 문을 열자마자 갑자기 벽에 부딪치는 듯한 착각을 느꼈다. 바닥에는 먼지가 쌓여 있었는데, 그 두께는 응접실의 카펫과 비슷한 수준이었다. 지나가는 말로도 보관상태가 양호하다고는 할 수 없었지만, 그래도 공기 조절은 제대로 되고 있는지 창고 안에서 풍기는 냄새는 바깥과 다를 바 없었다.

"실은 말이지."

클리오는 자신의 장난을 고백하는 목소리로 말했다.

"그 반지, 내가 여기서 꺼낸 물건이야. 언니는 반지 많이 가지고 있는데 난 언니보다 3개나 적었는걸."

"여기에서……."

오펜은 나지막하게 내뱉으며 창고 안으로 발을 들였다.

창고 안에는 가스등이 없었지만 통로 쪽에서 빛이 들어와 입구 근처는 다소 밝았다.

주변을 둘러보자 바로 앞 벽에 걸려 있는 길이 2미터 정도의 보병창이 눈에 들어왔다. 살짝 더러웠고, 또 어둠 속이라 잘 보이진 않았지만 훌륭한 세공과 표면에 빼곡하게 세밀한 문양이 새겨져 있는 것을 알 수 있었다. 전투용이 아니라 예식용이다. 그것도 상당히 오래된.

'이 창 한 자루로도 한 재산 되겠군.'

오펜은 감탄의 한숨을 내뱉으며 그렇게 생각했다. 계속 주변을 살펴보자 그것에 필적할 만한 미술품이라면 마구 굴러다닐 정도까지는 아니지만 듬성듬성 놓여 있음을 알 수 있었다. 벽 한 면에 걸린 태피스트리 한 장은 귀퉁이 쪽이 닳아 상해 있었지만 그 부분만 고치면 큰손 장물아비에게도 멋지게 내놓을 수 있으리라. 그러한 물건들이 복작복작하게 놓여 있는 광경은 일종의 박력까지 느껴졌다.

"……검은?"

오펜이 묻자 클리오는 대수롭지 않게 손을 휘둘렀다.

"그 근처."

클리오가 가리킨 방향을 보자 분명히 창고 한 구역에 외양간의 여물처럼 아무렇게나 크고 작은 갖가지 검이 겹쳐 쌓여 있었다. 슬쩍 세어 봐도 수백 자루는 될 양이다. 상당히 넓을 터인 창고의 대부분은 그 검들로 채워져 있었다.

"이걸로 순순히 그 발트안델스의 검인지 뭔지를 건네는 안은 기각이로군. 이 안에서 단 한 자루의 검을 정확하게 찾아내는 건 불가능해."

"그 사람들이 오면 이 창고에 안내해서 직접 찾게 하는 건 어떨까?"

오펜은 가까이 다가온 클리오의 머리를 통통 두드렸다.

"너희가 그걸로 괜찮다면 상관은 없는데. 날 고용한 건 도적을 안내하기 위해서가 아니라 붙잡기 위해서잖냐?"

"응……."

클리오는 머리 위에 있는 오펜의 손을 신경 쓰듯이 위를 올려다보며 동의했다.

'그리고――'

오펜 자신은 개인적인 타산도 품고 있었다.

'혹시 그 협박장을 보낸 녀석들이 아자리와 관계가 있다면, 여기서 녀석들을 놓쳤다간 아자리에 대한 실마리가 사라지고 말 거야.'

클리오가 그의 손을 떼어내려고 머리를 움직이는 것도 깨닫지 못한 채 오펜은 재빠르게 자신의 계획을 세웠다.

'왜 내가 이런 일을 해야 하는 거지?'

도틴은 한밤중의 정원 안에서 형의 뒤를 따라 걸으며 마음속으로 불평했다.

'빚을 진 사람은 형이고, 그 빚을 갚길 바라는 사람은 인간 마술사고, 그 괴물을 붙잡고 싶은 사람도 마술사고, 강도를 잡고 싶은 사람은 이 집안사람들. 난 대체 뭔데?'

그는 여전히 거대한 배낭을 질질 끌고 있었다. 사실 이 배낭의 내용물은 모두 책이었다. 대부분이 지인어(地人語)로 쓰여 있지만 고어나 인간어 책도 섞여 있다. 평민이 가지고 있기에는 방대한 양이었지만, 본가에 두고 온 그의 장서와 비교하면 이것도 극히 일부에 지나지 않았다.

'본가──.'

도틴은 한숨과 함께 떠올렸다. 이미 몇 년이나 돌아가지 않았다. 돌아가고 싶은 심정은 굴뚝같지만 그럴 수 있으면 이렇게 고생하지 않으리라. ──부모에게 의절당해 집을 뛰쳐나온 형에게 유괴당하고, 그 이후 이 형의 손에서 도망칠 수 있었던 적은 한 번도 없다. 어쩌면 자신은 이 세상에서 가장 불행한 지인이 아닐까. ──강변이나 마을 구석에서 노숙하는 일에는 이미 익숙해졌지만 어린아이를 협박해 가게에서 빵을 훔치게 하는 짓은 아직도 저항감이 있었다.

또다시 한숨. 일단 순찰이라는 명목으로 달빛을 받는 정원을 둘러보았다. ——정원사가 정비한 정원은 무척 넓어서 언뜻 보기에는 떡갈나무 가로수길을 그대로 정원 안에 옮겨놓은 것 같은 느낌도 든다. 연못은 없다. ——만성적인 물 부족으로 고민하는 토토칸타 마을에서 연못이나 수영장을 가지고 있는 자들은 귀족뿐이다.

근처를 보고 있자 갑자기 볼칸이 돌아보았다.

"야, 도틴. 제대로 경계하고 있냐?"

'보면 알잖아.'

하고 생각하면서도 순순히 대답했다.

"응."

하지만 볼칸은 수긍이 가지 않는 모양이었다.

"제대로 하지 않으면 삼끈으로 졸라 죽일 거다."

"응."

도틴은 그렇게 대답하면서 마음속으로 혀를 내밀었다.

바람이 부는——기분 좋은 밤이었다. 사아아아, 하고 바람이 나무의 가지와 잎을 쓰다듬는 소리에 도틴은 귀를 기울였다. 그러자——

우와~하하하하하하하하하하하하……….

그리고 땅울림 같은, 질주하는 짐승의 발굽 소리. 상당히 멀리서 들린다. 하지만——점점 이쪽으로 다가오는 것은 명백했다.

"뭐, 뭐야?"

볼칸에게도 들린 모양인지 당황하며 등 뒤의 검을 빼려 했다.

"경보~!"

도틴은 일단 이것은 이상사태임이 틀림없다고 저택을 향해 가능한 한 커다란 목소리로 소리쳤다. 어쨌든 형의 검에 의지하는 것보다는 아무리 얄미워도 인간 흑마술사 쪽이 훨씬 나을 터다.

"경——"

다시 경고를 외치려고 하자 뒤에서 볼칸이 검으로 후려쳤다.

"무슨 짓이야!"

몸을 일으키며 도틴이 항의하자, 검을 두 손에 들고 선 볼칸이 후후 웃었다.

"잘 들어라, 도틴. 좋은 계략을 떠올렸다."

듣지 않는 편이 좋아, 하고 도틴은 지극히 이성적으로 생각했지만, 볼칸은 얻어맞아 쓰러진 도틴에게 얼굴을 가져가며 밀담이라도 나누는 듯한 말투로 말을 이었다.

"여기서 흑마술사를 부르면 어떻게 되겠냐? 그 자식, 수상한 술법으로 강도를 붙잡아 공적을 전부 독점할 게 틀림없어. 하지만 우리들끼리만 붙잡는다면, 어때? 보상은 내 거가 된다고."

'우리 것, 이 아닌 거냐.'

하지만 볼칸은 깨닫지 못한 모양이다.

"보상이 얼마나 될지 생각해 본 적은 있냐, 도틴? 그 보상으로 암살자를 고용해서 저 흑마술사를 처치할 수 있게 된다."

"……돈이 들어오면 순순히 빚을 갚으면 되잖아."

"멍청한 소리 마라! 우리가 받은 수많은 학대를 떠올리라고! 여기서 녀석에게 돈을 지불한다는 건 우리의 패배를 의미한단 말이다!"

"그, 그런가?"

"바로 그렇다니까! 우리는 질 수 없어! 전사 볼카노 볼칸의 경력에는 상처 하나 내선 안 되는 것이다! 우선은 첫 단계로 그 흑마술사를 지옥에 떨어뜨려——"

하고 말하던 순간, 볼칸은 발에 채여 넘어졌다.

"무슨 짓거리야!"

볼칸은 몸을 일으키자마자 도틴에게 따졌다.

"내가 한 거 아냐!"

도틴이 소리치자 볼칸은 더욱 큰 소리로 법석을 피웠다.

"그딴 건 나도 알아! 난 그냥 너한테 화를 내고 싶다고!"

"대체 무슨 논린데!"

도틴이 위를 올려다보자 생각했던 대로 근처에 오펜이 서 있었다. 이 흑마술사는 언제나 발소리도 없이 나타난다. 소름이 돋을 정도로 기분이 나빴지만, 사실 따지고 보면 애초에 이 남자는 마술사이다. 도틴의 입장에선 며칠 전에 나타났던 괴수와 비슷한 존재다.

오펜은 볼칸의 뒷덜미를 붙잡아 가볍게 들어올렸다. 표정을 보건대, 한 마디로 표현하자면——격노하고 있는 모양이었다.

"너 이 자식, 뭔 이야기를 하고 앉았던 거냐."

"아, 아뇨, 재빨리 빚을 갚을 방법을 모색하던 중이었습니다만."

"전부 다 들었거든?"

"아아! 내 계략이! 도틴, 네 탓이야!"

"형 진짜……."

오펜이 볼칸을 붙잡고 있는 상황이라 도틴이 다소 강하게 항의하자, 갑자기 정원에 큰 웃음소리가 울려 퍼졌다.

"우와~앗핫핫핫핫하!"

"뭐, 뭐지?"

오펜이 의아한 목소리를 내며 주변을 둘러보았다. 도틴도 그를 따라 정원의 어둠을 보았다. 하지만 원래부터 밤눈이 밝지 않은 지인의 시력으로는 그럴 듯한 침입자의 모습을 찾을 수 없었다.

"어딜 보는 기냐! 나는 여기다!"

"뭣이?"

그 목소리는 분명 저택 지붕 위에서 들렸다.

그곳을 보자 달을 등에 지고 거대한 인물이 우뚝 서 있었다. 3미터 이상은 되어 보였지만 명백히 요전번에 나타났던 괴물과는 다른 존재였다.

"누구냐!"

볼칸이 조금이라도 자신의 우위를 확립시키고 싶었는지 그렇게 외쳤다.

지붕 위의 인물은 또다시 크게 웃고는 이름을 댔다.

"나는 어둠 속을 살아가는 암살자! 밤과 계약하여 낮에는 얼굴을 가리고 살아가는, 공포와 악몽의 화신! 나이트메어 블러드(악몽의 귀족), 블랙타이거!"

"뭐, 뭐라고?"

도틴이 신음하며 뒤로 물러났다.

"아는 놈이냐?"

오펜이 작은 목소리로 물었다. 도틴은 고개를 끄덕이며 빠른 말투로 말했다.

"응. 아마도—— 블랙타이거는——"

하지만 그가 그 뒤의 말을 입에 담기도 전에 옥상 위의 암살자가 하늘을 날았다.

"토옷!"

쿠궁! 하는 무서운 소리와 함께 땅에 내려선 그 인물은 괴물이 아니라 인간이었다. ——검은 색 의복에 얼굴을 완전히 가리는 검은 복면. 복면에는 눈이 있을 자리에만 구멍이 뚫려 있어 그곳에서 형형하게 불타는 정열적인 눈동자가 보였다. 두 손에는 그림책에 나오는 사신이 들 법한 어마어마하게 커다란 낫을 든 채 새카만 수소에 올라타고 있다. 그 탓에 신장이 3미터 이상이나 되는 듯 보인 것이다. 암살자는 소가 없었더라면 그저 평범한 수준에 지나지 않는다. 수소는 푸시식 불꽃이 섞인 숨을 토하며 이쪽을 바라보고 있었다. 암살자가 두른 심홍색의 망토가 밤바람에 나부끼며 불사조의 날갯짓처럼 펄럭인다.

'변태다.'

도틴은 주먹을 틀어쥐며 마음속으로 단언했다.

'틀림없이 변태야.'

동료들의 얼굴을 둘러보자 볼칸조차도 같은 의견인지 아연한 표정으로 얼이 나가 있었다.

블랙타이거인지 뭔지 하는 자는 큰 소리로 말을 이었다.

"하아~핫핫하! 내 이름을 아는 자가 있을 줄이야!"

"도틴, 저 자식은 대체 누구야?!"

오펜이 추궁했다. 도틴은 나지막하게 내뱉었다.

"아마…… 블랙타이거는, 새우의 이름이었을걸?"

그 즉시 말소리가 끊어졌다.

블랙타이거 본인조차도 이 대답은 예상하지 못했던 모양인지, 지면에 뛰어 내린 자세 그대로 얼어붙은 듯이 굳어 버렸다. 오펜도 어떻게 해야 할지 고민하는 기색이었고, 볼칸은 한숨을 쉬며 일찌감치 검을 칼집에 집어넣었다.

상쾌한 바람이 불었다. 그 바람을 받으며 암살자와 도틴 일행은 언제까지고 우두커니 서 있었다.

오펜에게는 몇몇 환상이 있었다.

예를 들어 관료는 부패하여 폭력으로 용의자를 학대하고 구치소에서 뇌물을 요구할 것이 틀림없다든가, 암살자는 냉철한 가면을 쓰고 뜨겁게 타오르는 늑대의 심장을 품은 고고한 전사에 무시무시할 정도의 강적일 것이 틀림없다든가. 그 두 환상이 같은 날 단숨에 무너졌다.

경찰은 뇌물을 바라는 기색을 추호도 비치지 않았고, 눈앞의 자칭 암살자인지 뭔지는 그럴 필요도 없는데도 굳이 스스로 이름을 밝히더니 지금은 얼이 빠져 있다. 이대로 가다간 남은 환상들도 무너질 날도 머지않을 것 같군, 하고 거의 절망적인 기분으로 오펜은 생각했다. 마리아벨이 임질을 앓고 있다고 하더라도 이제 놀라지 않기로 하자.

"거 뭣이냐……."

볼칸이 웅얼웅얼 중얼거리듯이 말하는 소리가 들렸다.

"야 인마, 새우남."

"누가 새우남이냐!"

블랙타이거가 고함을 쳤다. 그런 암살자를 삿대질하며 볼칸이 계속해 말했다.

"그야 당연히 너지! 네가 경천동지할 수준의 악취미를 갖고 있든 끝이 없을 정도로 얼빠진 녀석이든 이제 아무래도 좋아! 사악한 암살자 따위 살려둘 수 없지! 커다란 냄비로 삶아 죽여 주마!"

"호오? 기껏해야 지인인 주제에 이 무적의 암살자 블랙타이거 님에게 대항하겠다는 거냐?"

"시끄럽다, 새우남!"

"그러니까 누가 새우남이냐!"

말이 끝나기가 무섭게 암살자를 태운 수소가 포효하며 달리기 시작했다. 쿠쿵! 하고 뛰어내릴 때와 똑같은 굉음을 내며 포탄처럼 날아오는 수소. 블랙타이거의 큰 낫이 번뜩이며 스쳐지나가는 순간 볼칸의 목을 후려쳤다.

볼칸은 단말마를 내뱉을 틈도 없이 어딘가에 걸려 딸려나가는 것처럼 하늘을 날아 정원 구석까지 튕겨나갔다.

"형!"

도틴이 비명을 질렀다. 오펜도 볼칸 쪽으로 한 걸음 내딛기는 했지만 그가 가까이 다가가기도 전에 볼칸이 벌떡 일어났다. 그리고 아무 일도 없었다는 듯이 목을 쓰다듬고는 순식간에 정원의 다른 구석까지 달려간 암살자를 향해 고함을 질렀다.

"이 자식, 아프잖냐!"

블랙타이거도 수소의 방향을 바꾸며 비명 섞인 소리를 질렀다.

"아프고 나발이고 보통은 죽었어야 한다고! 네놈의 두개골은 뭐로 되어 있는 거냐!"

"당연히 뼈로 되어 있지! 이번엔 내 차례——"

하지만 볼칸이 검을 뽑는 것보다 먼저 블랙타이거의 늠름한 목소리가 밤하늘을 갈랐다.

"벼락이여!"

순간 빠직! 하고 나무판에 돌이 부딪치는 듯한 경쾌한 소리와 함께 볼칸의 발밑에 전광이 작렬했다. 폭발이 일어나고 지인은 이번에는 오펜 바로 근처까지 날아갔다. 볼칸이 경악하며 땅바닥에 주저앉자, 동생이 달려가 몸을 일으켜 세웠다.

"마, 마법이다."

볼칸이 떨리는 목소리로 중얼거렸다.

"상당한 실력자야."

오펜은 그렇게 말하며 무너지려던 환상이 일부분이나마 부활한 것을 느꼈다. 그리고 소매를 걷고 언제든 마술을 집중할 수 있도록 의식을 가다듬었다. 할 수만 있다면 상대가 자신이 흑마술사임을 깨닫기 전에 정리하고 싶었지만 죽일 수는 없는 노릇이다. 아자리에 대한 정보를 확인하기 위해서 상처 하나 입히지 않고 사로잡고 싶었다.

"하앗~핫핫핫! 이 나이트메어 블러드 블랙타이거에게 적수는 없도다! 죽고 싶지 않다면 곧바로 이 자리에서 사라지도록 해라, 멍청한 놈들!"

"뭐, 뭐라고, 이——"

펄쩍 뛰며 무언가를 항의하려던 볼칸이 입을 다물었다. ——블랙타이거의 시선이 날카롭게 자신에게 향했기 때문이다.

하지만 공포보다도 체면 쪽이 더 앞섰는지, 볼칸은 반쯤 엉덩이를 빼면서도 이렇게 외쳤다.

"거 뭣이냐――너, 너무 까불다간, 멀리서 째려봐서 죽일 거다."

"형은 기가 죽었네."

도틴이 나지막하게 내뱉었다.

하지만 이세 이 시인들은 명백히 석수가 아님을 깨달았는지, 블랙타이거는 복면으로 감싸인 얼굴을 휙 돌려 오펜 쪽으로 향했다.

"꼼짝 마라, 흑마술사."

'알아차렸어?'

오펜은 경악했다. 아직 마술은 쓰지 않았고 그러는 시늉도 보이지 않았을 터였는데.

"그렇다. 난 네가 마술을 쓰는 것을 알고 있다. 이 블랙타이거에게 모르는 것은 없지!"

"거 대단하군. 전부 조사 완료라는 건가. 다시 말해――"

오펜은 씨익 웃고는, 암살자를 향해 오른손을 내밀었다.

"다시 말해?"

블랙타이거는 오펜이 뜸을 들이는 이유를 알 수 없다는 듯이 되물었다. 오펜이 말을 이었다.

"이미 알려졌다면 사양 따위 할 필요 없다는 거지."

"뭐?"

"나 발하노라, 빛의 칼날!"

"자, 잠깐!"

블랙타이거는 비명을 지르면서도 오펜이 발한 섬광을 들고 있던 큰 낫으로 쳐냈다. 혹시나 싶었지만 역시 평범한 무기는 아닌 모양이다.

"계속해 받아라!"

오펜은 연속해서 강렬한 광열파를 발했다. 그 힘은 이 부근의 대기마저 진동시키며 스파크를 만들어냈다. 하지만 그 정도 위력의 마술인데도 블랙타이거는 이번에는 어떠한 주문을 외어 몸 근처에 친 빛의 장벽으로 막아냈다.

볼칸과 도틴은 그 응수를 보고 매우 놀란 모양이었다. ──대륙이 넓다고는 하여도 이 정도의 위력이 담긴 술법을 연속해서 행사할 수 있는 인간은 그리 많지 않다. 오펜은 더욱 힘을 담아 마력을 발했다.

"나 발하노라, 빛의 칼날!"

광대한 정원 그 자체를 훤히 밝힐 정도의 섬광이 블랙타이거와 그 근처의 나무를 휩쓸었다. 불에 휩싸인 것은 떡갈나무뿐, 블랙타이거는 간신히 마술로 방어한 모양이었다. 마술로 일어난 불꽃 속에서 암살자가 외쳤다.

"불꽃이여!"

"나 발하노라, 빛의 칼날!"

두 사람의 마술이 중앙에서 격돌하자, 굉음을 내며 폭발했다. 달구어진 공기가 정원 안을 앙망진창으로 휘저으며 분진을 사방에 흩날렸다.

'묘하군.'

오펜은 생각했다.

'녀석은 왜 도망치지 않는 거지? ──일을 처리하기 전에 경비를 처치해 두고 싶다는 이유라면 이해하지 못할 건 없어. 하지만 그 적 안에 자신과 호각으로 싸울 수 있는 실력자가 있다는 것을 알았다면 이렇게 힘겨루기에 집착하지 않고 곧바로 도망치면 돼. 이래서는 마치——'

오펜은 퍼뜩 깨달았다. 그는 저택 쪽으로 몸을 돌리고, 발밑에 있는 도틴에게,

"뒤는 맡겼다!"

"어? 마, 맡기다니——"

대답은 듣지 않고 달렸다. 뒤에서 도틴이 지르는 비명이 들렸다.

"잠깐만! 저런 녀석을 내가 어떻게 하라는 거야!"

오펜은 그 항의도 무시하고 저택으로 뛰어들었다. 깨달았어야 했다. ——블랙타이거는 단순한 변태가 아니라 미끼였음을.

우선은 그 세 사람의 무사를 확인해야 하리라. ——오펜은 가장 먼저 현관홀에서 가장 가까운 클리오의 방을 들여다보았지만, 소녀는 정원이 저렇게나 소란스러웠음에도 침대 시트를 둘둘 감고 강아지처럼 푹 잠들어 있었다. 다음으로 가까운 방은 티시티니의 방이었는데 이쪽은 깨어 있었다. 네글리제 위에 얇은 망토 같은 것을 걸치고 누군가가 살펴보러 와 주길 기다리고 있었던 모양이었다.

이 저택의 구조에는 밝지 않았기에 티시티니를 데리고 계단을 올랐다. ——마리아벨의 침실은 이상하게도 멀찍이 있었다. 요전번 아자리에게 벽이 부서졌기 때문에 방을 옮긴 것이다. 그녀의 방은 3층 안쪽이었다. 오펜은 티시티니의 제지를 무시하고 문을 발로 차 부수었다.

방 안은 어슴푸레한 어둠에 감싸여 있었다. ——활짝 열린 창문으로 들어오는 달빛만이 어렴풋한 검푸른 빛으로 방 안을 비추었다. 매우 평균적인 가구가 평범하게 놓여 있었지만 방이 넓은 탓에 매우 한산하게 느껴졌다.

이 방 한가운데에 두 인영이 있었다. 하나는 마리아벨, 또 하나는 바깥에서 아직 날뛰는 모양인 블랙타이거와 똑같은 차림을 한 장신의 남자였다.

복면 아래에서 들리는 탁하고 차가운 목소리는 남자가 손에 들고 마리아벨의 목덜미에 들이밀고 있는 대형 나이프와 마찬가지로 예리하게 빛나고 있었다. 남자는 문을 부순 오펜을 무시하듯이 마리아벨에게 물었다. 진절머리가 난다는 듯한 음색에서 이미 몇 번이고 같은 질문을 반복하고 있음은 명백했다.

"발트안델스의 검은 어디에 있나?"

마리아벨은 대답하지 않았다. 그저 얼어붙은 듯이 새파랗게 질린 얼굴로 소리도 없이 우두커니 서 있을 뿐이다.

오펜은 남자를 향해 외쳤다.

"거기까지다!"

남자는 기계적인 움직임으로 오펜을 보았다. 하지만 칼날은 그대로 마리아벨의 가느다란 목에서 떼지 않았다.

'인질을 잡히고 말았군. 젠장——.'

오펜은 속으로 투덜대며 언제든 마술을 발동할 수 있는 태세를 취했다.

하지만——남자는 떠밀 듯이 마리아벨을 내던지고는 오펜을 향해 나이프를 겨누었다.

'굳이 인질을 해방한 건가?'

하지만 의아해하고 있을 틈은 없었다. 남자는 슥——하고 살짝 움직이나 싶더니, 다음 순간에는 이미 오펜의 눈앞까지 파고들고 있었다. 너무나도 쉽사리 접근을 허용한 오펜은 전율했다. 강철 같은 감촉을 가진 남자의 손바닥이 오펜의 가슴팍을 찔렀다. 칼날로 찔리는 것보다 더욱 오싹한 감각이 온몸을 꿰뚫었다.

남자는 나지막하게 내뱉었다.

"날아라."

쿵! 하고 어마어마한 충격이 오펜의 몸을 날렸고, 그는 훤히 열린 입구를 통해 복도까지 나뒹굴었다.

'마술이다.'

복도에 쓰러진 채로 움직이지 못한 오펜은 방 안에서 이쪽을 바라보는 남자의 복면을 보며 기침을 토했다.

'이 정도의 마술을 사용할 수 있는 인간을 하룻밤에 두 명이나 만날 줄이야.'

"괘, 괜찮으신가요?"

거기서 줄곧 복도에 있던 티시티니가 달려왔다. 오펜은 안아 일으켜 세우려는 손을 부드럽게 치우고 자력으로 일어섰다.

"따님과 함께 있어 주세요."

오펜이 그렇게 말하자 티시티니는 용감하게 고개를 끄덕였다. 하지만 입구에 서 있는 무서운 남자의 모습을 보자 움직일 수 없는 듯 그 자리에 못박혔다.

하지만 오펜 역시 마찬가지였다.

'이 남자…… 강하다. 나보다도, 확실히…….'

오펜은 스읍 숨을 들이쉬고 외쳤다.

"나 치켜드노라, 강마(降魔)의 검!"

후읍…… 하고 자신의 오른손에 무언가를 쥐고 있는 듯한 무게가 실렸다. 그는 보이지 않는 칼날을 들고 남자를 향해 돌진했다. 오펜이 '검'을 휘두름과 동시에 남자는 재빨리 뒤로 뛰며 그 참격을 피했다.

그 뒤를 쫓아 오펜도 방으로 뛰어들었다. 이미 '검'의 효과는 사라진 상태다. 그는 오른손 검지를 남자에게 향하며 외쳤다.

"나 이끄노라, 죽음을 부르는 찌르레기!"

순간 그가 가리킨 방향을 향해 주변의 공기가 소란스럽게 진동하며 밀려들었다. 이 마법은 일종의 초음파 공격으로 표적이 된 남자의 등에 있는 커튼이 푸확, 하고 재가 되어 허물어졌다. 하지만 남자는 아무렇지도 않았다. 순간적으로 마술로 방어한 모양이다.

오펜에게는 남자가 복면 아래에서 웃는 것처럼 보였다. 남자는 나이프를 재빨리 들고 이쪽을 향해 움직였다——.

"나의 손 끝에 호박(琥珀)의 방패!"

오펜이 주문을 외자 그의 눈앞에 존재하던 공기가 압축되어 단단해졌다. 남자의 스피드는 다소 느려졌지만 그래도 돌진을 멈추려 하지 않았다. 또 순식간에 거리를 좁히더니, 이번에는 손이 아니라 나이프가 가슴팍으로 날아들었다.

하지만 오펜은 미소를 띠었다.

'걸렸다!'

"나 잣노라, 광륜(光輪)의 갑옷!"

그 찰나, 품에 뛰어든 남자를 감싸듯이 며칠 전 아자리의 불꽃을 막아낸 불꽃의 그물이 펴졌다. 촤아악, 하고 고기를 굽는 듯한 소리와 함께 펼쳐진 빛의 그물이 남자의 몸을 방 너머까지 튕겨냈다. 남자는 벽에 등을 부딪히며 나이프를 떨어뜨렸다. 그리고 그물이 사라졌다.

"자아, 여기까지다."

오펜은 천천히 남자를 향해 다가갔다. 남자는 신음을 내뱉으며 몸을 일으키려 하였다. 오펜은 신중하게 남자가 떨어뜨린 나이프를 줍고 상대를 향해 내밀고는――

경악하며 나이프를 떨어뜨릴 뻔했다.

"다, 당신은――"

바닥에서 일어난 남자의 복면은 빛의 그물에 타 거의 제 역할을 하지 못하게 되었다. 30세 정도에 감정이 실리지 않은, 완강하고도 냉철한 남자의 얼굴이 이쪽을 향하고 있었다.

"강해졌군, 키리란셀로."

"차일드맨!"

오펜이 그의 이름을 외친 순간, 차일드맨은 이미 오펜의 몸을 떠민 상태였다. 까강, 하고 나이프가 바닥을 굴렀다. 오펜이 몸을 일으켰을 때에는 이미 방 안에 차일드맨의 모습은 없었다. 창밖으로 뛰어내리는 뒷모습만이 힐끗 잔상으로 남았을 뿐이다.

"뭘 하러 온 거냐, 차일드맨!"

오펜은 그렇게 외치며 자신도 뒤를 쫓으려 했다. 하지만 갑자기 뒤에서 팔을 붙잡혔다.

'아직도 같은 패거리가 있는 건가?'

오펜이 황급히 뒤를 돌아보자, 그의 팔에 매달려 있는 사람은 잠옷 차림의 마리아벨이었다. 그녀는 비명도 지르지 못한 채 눈을 굳게 감고 공포에 질려 떨리는 팔로 안겨 있었다. 떨쳐내려고 해도 거칠게 대할 수는 없어 망설이는 사이에 차일드맨은 정원에 있던 블랙타이거와 합류해 도주하고 말았다.

'어떻게 이런 일이…….'

정원 한가운데에서 거의 새카맣게 탄 모습으로 서로에게 책임전가를 하는 형제 지인을 내려다보며 오펜은 탄식했다.

방 안에 티시티니가 들어오자 마리아벨은 곧바로 그쪽으로 달려들었지만, 그런 것은 이제 아무래도 좋았다.

"차일드맨이라고? 키에살히마에서도 최강의 흑마술사잖아. 《송곳니 탑》에 있어야 하는데 어째서 이런 곳에 있는 거지?"

오펜의 중얼거림에 대답하는 자는 없었다. 그저 딸을 달래는 티시티니의 조용하고 침착한 목소리와 중정에서 동생을 쫓는 볼칸의 욕설, 그리고 상쾌한 바람소리만이 각자의 페이스로 움직였다.

――『네게는 불가능하다. 하지만 나는――』――

과거의 기억 속에서 들었던, 조용하지만 귀에 거슬리는 차일드맨의 목소리가 귓가에 되살아났다. 추억을 부르는 그 목소리는 언제까지고 머릿속에서 빙글빙글 맴돌았다.

제3장 새우남의 역습

"애, 애. 정말 들어가도 안 혼나?"

시끄럽게 굴며 팔을 잡아당기는 클리오에게 오펜은 인내심을 가지고 반복해 말했다.

"그러니까 몇 번이고 말했듯이 아는 사람이 있다고."

"말도 안 돼. 여긴 마을의 높으신 분들도 마음대로 입장할 수 없는 곳인데?"

"그야 그렇겠지."

"그럼 오펜 넌 왜 들어갈 수 있는데?"

"그러니까 아는 사람이 있다니까."

저택이 습격을 받은 다음 날 오전——오펜은 티시티니와 상담하여 마을을 나가기로 하였다. 저택에 틀어박혀 있어도 다시 그 패거리——특히 차일드맨이 습격해 온다면 오펜에게는 그 습격을 막아낼 자신이 없었다. 그렇다면 실마리를 찾은 뒤 이쪽에서 쳐들어가는 편이 났다.

그런 이유로 오펜은 볼칸, 도틴, 그리고 어째서인지 따라온 클리오와 함께 대륙마술사동맹, 덤즐즈 어리전즈 토토칸타 지부를 방문했다.

"아는 사이라면, 마술사인가요?"

도틴이 언제나 짊어지고 다니는 가죽주머니를 땅바닥에 끌며 그렇게 물었다. 자루 위에 볼칸이 걸터앉아 있는 것은 깨닫지 못한 모양이다.

오펜은 고개를 끄덕여 긍정했다.

"여긴 마술사밖에 들어가지 못해."

그가 턱을 들어 가리킨 곳은 광장을 접하며 우뚝 솟은 훌륭한 대문이었다. 미려한 격자문 위에는 뎀즐즈 어리전즈(Damsels' Orisons)라는 이름의 유래가 된, 기도를 올리는 처녀의 옆얼굴이 강철판 위에 부조되어 있고, 그 밑에는 '대륙마술사동맹 토토칸타 지부'라고 쓰여 있었다. 그 안쪽에 있는 건물도 이런 마을 안이 아니라면 요새라고 착각할 정도로 중후한 모습으로 회색의 벽을 하늘을 찌를 듯이 우뚝 세워져 있었다.

오펜이 그 광경을 올려다보고 있자 클리오가 갑자기 무언가를 떠올린 듯이 입을 열었다.

"저기 근데 말이야, 마술사밖에 들어갈 수 없다면 우린 어떡해?"

"넌 마술사냐?"

"아니."

"그럼 못 들어가지. 대답은 간단해."

"뭐~?"

클리오가 명백히 불만스럽다는 듯이 항의의 목소리를 내뱉었다.

"그럼 우린 뭣 때문에 여기까지 온 건데?"

"난 딱히 따라와 달라고 부탁한 적 없다. 애초에 저택을 나서기 전에 말했잖냐. 마술사동맹에는 일반인이 출입할 여지는 없다고."

"그랬나?"

클리오는 투덜거리며 오펜의 팔을 놓았다.

오펜은 자유롭게 된 팔을 반대로 굽히고 펴며 도틴과 볼칸을 돌아보았다. 지인들은 원래부터 이런 미지의 요새에 발을 들일 마음은 없었던 모양인지 신경도 쓰지 않는 모양이었다. 오펜은 그런 두 사람에게 클리오를 맡기겠다고 말하고는 말을 이었다.

"금방 돌아올 거야. ——가능하면."

그리고 낮 동안에는 살짝 열어두는 격자문을 지나 정문을 향해 걸었다. 오펜은 넓은 돌계단을 오르며 각오를 다지듯이 심호흡했다.

마술사동맹에는 일반인이 출입할 여지가 없다. ——하지만 그렇다고 해서 이 조직이 반드시 모든 마술사에게 우호적이라는 근거는 되지 않는다.

대합실에서 기다리기를 한 시간, 슬슬 배가 고파 오기 시작할 즈음, 좁고 답답한데다 아무런 오락거리도 없는 이 작은 방에서 나와 창문이 없어 어둡고 긴 복도를 한참을 지난 끝에 목적한 방에 도착하자 안내역을 맡은 청년이 말했다.

"이곳에서 잠시 기다려 주십시오."

오펜은 불평 하나 내뱉지 않고 알았다, 하고 대답했다.

안내받은 방은 아무래도 손님용 대기실인 모양이었다. 그리고 아마도는 이런 종류의 방 중에서 최하급인 곳으로 안내된 모양이다. 그야 그렇겠지. ——오펜은 한탄하며 생각했다. 갑자기 나타난, 소개도 약속도 없는 (자칭)마술사. 그 자리에서 취조실로 연행당하지 않은 것만으로도 그나마 낫다고 해야 할까.

그는 가슴 안쪽에서 은제 펜던트를 꺼냈다. 이 문장이 어느 정도 도움이 된 것이다.

오펜은 후우, 하고 탄식한 뒤 방구석에 있는 딱딱한 긴 의자에 앉았다. 천장에 달린 가스등이 치릭치릭 불안해 보이는 불빛을 뿌리고 있었다. 건물 안쪽에 있는 방인 모양인지 창문이 없어 전체적으로 어두웠다. 바닥에는 먼지가 쌓여 그가 걸은 흔적이 또렷하게 남아 있다. 발자국은 한 종류, 그의 것뿐. 즉 이 방은 요 며칠 동안 출입한 자가 그 혼자뿐인 모양이다.

문은 두 개. 들어온 문과 그 반대쪽에 달린 문. 둘 다 똑같은 문이라 다른쪽 문이 열리고 방금 지나왔던 것과 똑같은 복도가 보이더라도 아무런 의문은 느끼지 않을 것이다.

30분 정도 기다리자 문이 열렸다. 오펜이 들어온 쪽의 문이다.

"키리란셀로!"

놀라움으로 가득 찬 목소리가 방 안에 울려 퍼졌다. 오펜이 고개를 들자 입구에 붉은 머리카락을 기르고 명랑해 보이는 이목구비를 가진 남자가 서 있었다.

"하티아."

오펜은 반대로 조금 감정 없는 목소리로 상대의 이름을 불렀다.

적발의 남자는 그런 그의 태도에는 전혀 아랑곳하지 않고 거침없이 방 안으로 들어왔다.

"손님 명부에 오펜이라는 이름이 있어서 혹시나 싶었어. 바보 같긴. 키리란셀로라고 이름을 대면 됐잖아. 여기 녀석들 널 화나게 만들어서 쫓아내려 했다고."

"알아차리고 있었어."

오펜은 긴 의자에서 일어나 자신에게 내민 하티아의 오른손을 가볍게 잡았다. 그리고 하티아가 자신보다 더 강하게 맞쥐는 것을 느끼며 천천히 상대의 얼굴을 관찰했다.

"그다지 변함이 없군. ――옛날과."

오펜은 상대의 매력적인 눈썹과 도통 수염은 날 것 같지 않은 미끈하고 가녀린 턱을 보며 그렇게 말했다. 하티아는 그 말에 웃고는 ――그리고――그 웃음을 순식간에 지우더니,

"넌 많이 변했네."

하고 혼잣말을 하듯이 말했다.

하지만 하티아는 원래 옛날부터 심각한 표정이 몇 초도 가지 않는 성격이었다. 그는 악수를 거두고 어깨를 으쓱이고는 가벼운 말투로 물었다.

"그래서, 요즘은 어떻게 하고 지내?"

"궁상맞게 산다. 그 말을 듣고 싶었다면 말이지."

오펜이 비아냥대듯이 대답했다. 하티아가 곤혹스러운 듯이 얼굴을 찌푸렸다.

"만약 네가 원한다면 관직에 앉을 방법은 얼마든지 있잖아? ――너처럼 힘을 가진 마술사는 매년 극단적으로 수가 줄어들고 있는걸."

"하지만 그것도 네가 행하는 복지제도의 산물이잖냐. 생사를 걸면서까지 《송곳니 탑》 같은 기관에 몸을 내던지지 않아도 그럭저럭 유복하게 살 수 있게 된 결과니까 말이다."

"내가 행하고 있는 건 아니야. ――다시 말해서 내가 주도적인 자리에 있는 게 아니라는 말이야. 솔직히 자백하자면, 사실 난 단순한 심부름꾼 같은 거야."

하티아가 자조적인 웃음을 지으며 주근깨 흔적이 어렴풋이 남은

뺨을 긁적였다.

"네가 《탑》을 뛰쳐나간 뒤에 왠지 나도 의욕이 사라져서 말이지. ――우리는, 거 있잖아, 라이벌 같은 관계였잖아? 난 나대로 눈앞에 네 등이 보이지 않으니 영 제 컨디션이 나오질 않더라고. 성적은 계속 뚝뚝 떨어져서 궁전에 올라가기는커녕 이 마을 지부에 근무하는 것조차 상당히 아슬아슬했어."

"그래도 나쁘지 않은 자리잖냐."

"맞아. 정시엔 퇴근할 수 있고. 실은 《탑》보다 훨씬 편하게 지내."

"거 잘됐군. 뭐, 잘 지내는 것 같아 다행이다. ――하지만 오늘은 이렇게 인사를 하러 얼굴을 내민 게 아니다, 하티아."

"……헤에?"

오펜은 이상하다는 듯이 바라보는 하티아의 투명한 눈을 보며 말을 이었다.

"실은 지금 사람을 찾고 있거든."

"찾아? 누굴?"

"위대한 차일드맨 교사를 말이다."

"선생님을?"

아닌 밤에 홍두깨라는 표정으로 되묻는 하티아. 오펜은 자신이 지금 에버래스틴 가의 호위꾼 같은 일을 하고 있음을 설명하고, 어젯밤 그 저택에 차일드맨이 습격했다는 사실을 알렸다.

"선생님이? 뭔가 잘못 본 거겠지. 그런 강도 같은 짓을――"

"그래. 보통이라면 그런 짓을 할 리 없지. 하지만 마술사 동맹의 일로 저지른 일이라면 이야기는 달라. 난 이 지부 어딘가에 차일드맨이 있다고 본다."

"혹시 그렇다면 내가 깨닫지 못할 리가 없잖아. 아무리 커다란 건물이라고 해도 매일 오는 곳인걸."

"만약 네가 같은 패가 아니라면 말이지."

"야, 키리란셀로!"

하티아는 화가 난 듯이 눈빛을 불태우며 말했다.

"작작 좀 해. 아자리에 대해선 나도 마음 아프게 생각하고, 그 일로 네가 발끈해도 어느 정도는 참을 수 있어. 하지만——"

"하티아——."

오펜은 조용히 내뱉었다. ——스스로도 스승인 차일드맨과 비슷하다고 여길 만큼 차가운 목소리로.

"하티아. 난 아직 아자리에 대해선 한 마디도 하지 않았다."

"……날 유도심문한 거야? 난 널 친구라고 생각했는데."

"나도 그렇게 생각해."

오펜이 말하자 하티아는 콧방귀를 뀌었다.

"내가 하는 말은 신용하지도 않는 주제에?"

"기본적으로는 신용해. 나 이외의 모두가 네 말을 믿지 않을 때에도 말이지. 하지만 명백히 거짓말을 하고 있는 걸 알고 있는데도 신용하는 건 맹신이라고 하는 거야."

"미안하지만 돌아가 주지 않겠어, 키리란셀로? 나도 할 일이 있거든."

하티아는 그렇게 말하며 몸을 돌려 방을 나가려 했다. 하지만 그것보다 먼저 오펜이 그의 어깨를 뒤에서 붙잡았다.

"……무슨 짓이지, 키리란셀로?"

하티아가 돌아보지도 않은 채로 물었다.

오펜은 조용히 고했다.

“내 이름은 오펜이다. 키리란셀로였던 난 이미 죽었어.”

“그렇게 혼자서 제멋대로 구니까 친구를 잃는 거야, 키리란셀로.”

하티아는 그렇게 말하며 오펜의 손을 쳐내고는 방을 나갔다.

오펜은 잠시 방 한가운데서 말없이 서 있었다. 문득 시간의 흐름을 느끼고 위를 올려다보자, 그때까지 깨닫지 못한 곳에 벽시계가 걸려 있었다. 시간과 같은 속도로 움직이는 바늘은 마침 1시를 가리키고 있었다.

“애, 벌써 2시 다 됐거든~.”

클리오는 유리잔 안에 조금 남아 있던 오렌지색 과즙을 빨대로 쿡쿡 찌르며 중얼거렸다. 실제로는 아직 2시가 되기까지 15분 정도 남은 시간이었지만, 도틴은 굳이 정정하지 않았다.

마술사동맹 지부 앞에서 헤어진 뒤 근처에서 클리오가 청과점 겸 카페를 발견하여 그곳에 틀어박히길 2시간, 도틴은 딱히 할 일도 없어 (클리오의 돈으로 주문한) 과즙 주스를 앞에 두고 낡은 책을 펼쳤다. 볼칸은 아까부터 물만 계속 주문하여 점원이 인상을 찡그리고 있었지만, 평소와 마찬가지로 자신은 그 사실을 깨닫지 못했다.

클리오는 가게 창문에서 대각선으로 보이는 마술사 동맹 건물을 바라보며 다시 중얼거렸다.

"오펜, 뭘 하고 있을까?"

"그 마술사는 시간을 안 지키기 일쑤야."

볼칸이 단단한 이빨로 얼음을 씹어 먹으며 대답했다.

'딱히 만날 시간을 정한 건 아니지만 말이지.'

도틴은 속으로 생각하며 페이지를 넘겼다.

클리오는 진심으로 그 흑마술사를 걱정하는 모양이었다.

"오펜, 어쩌면 마술사에게 붙잡히기라도 한 거 아닐까?"

응응, 하고 볼칸이 연신 고개를 끄덕였다.

"있을 수 없는 일은 아니야. 그 남자는 대륙 전체 마술사의 품위를 떨어뜨리고 있으니까."

"그래?"

클리오가 묻자, 볼칸은 매우 수선스러운 말투로 이었다.

"음. 요전번에도 좀도둑질을 저지른 죄로 야채가게 사장에게 실컷 혼쭐이 난 지 얼마 되지 않았지."

'그건 형이 훔친 무를 몰래 되돌려주러 간 거잖아.'

하지만 도틴은 볼칸이 무슨 생각을 하는지 알고 있었기에 참견하지 않았다. 볼칸은 그가 생각했던 그대로의 말을 입에 담았다.

"게다가 밤중에 추악한 이매망량의 이름을 외며 닭의 목을 베는 장면도 본 적이 있다."

"정말로?"

그 말을 들은 클리오는 어째서인지 눈을 빛냈지만, 볼칸은 깨닫지 못한 모양이었다.

"요컨대 말이올씨다, 아가씨. 나, 마스마튜리아의 광견이라고 불리던 자유전사 볼카노 볼칸이 충고하건대, 그 남자는 사납고 포악한 마술사이외다."

오랜만에 고향의 이름을 들은 도틴은 적지 않게 향수를 느꼈지만, 볼칸은 이런 부류의 감상은 느끼지 않는다. 그저 태연하게 말을 이었다.

"내 나쁜 말은 하지 않소. 그대 가문의 이름에 돌이킬 수 없는 상처가 나기 전에 그 남자를 해고하시오. 괜찮소, 나쁜 녀석들이라면 내가 처리할 터이니."

그는 그렇게 단언하며 쿵 가슴을 두드렸다. 클리오는 눈을 깜빡이며 되물었다.

"해고하라니…… 오펜을?"

"그렇소이다."

볼칸은 고개를 끄덕이며 말을 받았다.

"증거를 바란다면 어젯밤 그 남자가 쓴 침대 밑을 들여다보시길. 다량의 닭털이 숨겨져 있을 터이니까."

'그러고 보니 형, 어제 한밤중에 침대 밑에서 뭔가 부스럭댔었지.'

도틴은 그 말에 떠올렸다. 그건 그렇고 그런 수작까지 부렸을 줄이야.

하지만 클리오는 그 말에도 별반 감명을 받지 않은 모양이었다.

"헤에……."

그녀는 그렇게 내뱉고는 잠시 화장실, 하고 말하며 자리에서 일어났다. 소녀가 가게 안쪽으로 모습을 감추자 도틴이 형에게 물어보았다.

"형. 닭털은 어디서 손에 넣었어?"

볼칸은 자랑스러운 듯이 가슴을 내밀며 대답했다.

"그 집의 베개 하나를 뜯었다."

"……그 베개에 들어 있는 거, 새털은 새털이지만 닭털은 아니야."

"뭐, 뭐라고?"

볼칸이 그렇게 경악성을 내뱉은 순간――

쨍그라아아아아아아앙!

바로 근처의 커다란 창유리가 부서지며 볼칸 일행이 앉은 테이블 위에 인간의 머리 크기만한 돌이 날아왔다. 볼칸은 다시 한 번 비명을 지르고 도틴에게 뛰어들었다. 도틴은 그런 형을 잡아떼며 창문 너머의 길을 바라보았다.

"하아~핫핫핫하하하하하!"

시끄러운 웃음소리가 백주대낮의 거리를 경악에 빠뜨렸다.

도틴이 반사적으로 외쳤다.

"새, 새우남이다!"

"아니야아아아아아아아!"

그런 외침과 함께 도틴의 바로 앞 테이블이 아무 것도 없는데 홀로 폭발했다. 유리나 테이블의 파편이 사방으로 날아가고 마시다만 과즙이 도틴의 얼굴로 튀었다. 눈에 들어간 오렌지 과즙을 손으로 훔치며 도틴은 황급히 창문 근처에서 떨어졌다.

가게 안은 이미 혼란의 도가니였다. 사람이 많이 오가던 도로도 마찬가지였다. 손님이나 통행인이 비명을 지르면서 마구 도망치고, 젊은 점원은 쟁반을 든 채 굳어 있었다.

그때――가게 안쪽에서 클리오가 뛰쳐나왔다.

"얘, 얘. 무슨 난리야?"

손 안 씻었군, 하고 도틴은 예리하게 알아챘지만 굳이 지적하지는 않았다. 대신 금발을 황금색 새의 날개처럼 파닥이며 달려오는 소녀에게,

"그 암살자야."

하고 대답했다. 소녀는 까아♪ 하고 환성을 지르고는 가슴 앞에서 손바닥을 마주쳤다.

"어디, 어디야? 나 어제 못 봤는데."

클리오는 그렇게 말하며 멋대로 볼칸의 검을 들었다.

"어, 잠깐, 아가씨!"

볼칸의 제지도 무시한 클리오는 낡은 검을 칼집에서 빼들었다.

"자아, 덤벼라!"

검을 다시 빼앗으려는 볼칸을 누르며 클리오가 외쳤다. 그리고 근처에 멍하니 서 있는 점원을 깨닫고 그 품 안에서 쟁반을 빼앗았다. 소녀는 그것을 방패로라도 삼을 셈인지 왼팔로 안았다.

그러자…… 마치 속삭이는 듯한, 하지만 또렷하게 들리는 목소리가 대답했다.

"……그렇다면 주문대로 가 주지."

화악, 하고 아무도 없었을 터인 클리오의 등 뒤에 검은 옷에 검은 복면을 쓴 남자의 모습이 나타났다.

"꺄아!"

갑작스러운 기척에 클리오는 비명을 지르면서도 몸을 비틀어 검을 마구 내리쳤다. 그 도신이 복면 아래의 목을 가르고――아무런 저항도 없이 지나갔다. 암살자의 모습은 나타났을 때와 마찬가지로

스윽 사라졌다.

"환영이다! 본체는——"

도틴은 곧바로 외치며 재빨리 가게 안을 둘러보고는 한 곳을 손가락으로 가리켰다.

"본체는 몰래 저기 입구로 걸어 들어오고 있어!"

"알아차리지 마라, 바보 자식!"

어제와는 달리 수소에 타지는 않았지만 어제와 마찬가지로 큰 낫을 어깨에 짊어진 블랙타이거가 가게 안으로 들어오며 고함을 쳤다. 도틴은 암살자를 바라보며 무기가 없기에 일단 읽던 책을 들었다. ——마치 바퀴벌레를 때려잡는 요령으로.

등 뒤에서 볼칸이 클리오에게 따지는 말소리가 들렸다.

"어이, 아가씨! 야, 인마! 그 검은 내——"

하지만 뒤이어 들린 따앙, 하는 소리를 듣건대 아무래도 볼칸은 쟁반으로 얻어맞은 모양이다. 그는 투덜대며 도틴의 옆에 섰다.

그리고 간신히 마음을 다잡고는 척, 하고 자칭 암살자를 가리켰다.

"질리지도 않고 나타났냐, 새우남!"

"난 새우남이 아니라고 했을 텐데! 악몽의 귀족, 블랙타이——어라? 이봐, 흑마술사는 어떻게 된 거냐."

"없어."

"뭐, 뭐라고? 어디에 있나!"

"알 게 뭐야!"

볼칸이 큰 목소리로 말을 쏟아냈다.

"태어나면서부터 악인인 자는 없다! 네놈에게도 살아오며 겪은 불행이 있겠지! 하지만! 그것을 이유로 세상에 토라져 사람을 죽이는 일을 생업으로 삼아 태평하게 노동의 의무를 수행하려 하지 않다니, 그런 일은 결단코 가만히 두고 볼 수 없노라! 이 볼카노 볼칸이 심판하여 줄 테니 그곳에 똑바로 서라!"

블랙타이거가 나지막한 목소리로 물었다.

"재판이라니, 오늘은 검도 가지고 있지 않잖나."

"그치만 돌려주질 않는 걸 어떡하라고."

볼칸은 토라진 듯이 힐끗 클리오의 안색을 살피며 중얼거렸다.

아무래도 블랙타이거는 기가 막혀 하는 모양이었다.

"에에이, 바보는 아무래도 좋아! 그 흑마술사는 어떻게 된 거냐!"

"새우남에게 바보라고 불릴 이유는 없다! 흑마술사는 없다고 했을 텐데!"

"있어 주지 않으면 내가 곤란해! 설마 이미 돌아간 건 아니겠지!"

"모른다고 했잖아! 마계에 영혼을 팔아넘긴 부정한 변태 놈, 이 몸께서――"

볼칸이 포즈를 잡으며 외친 순간, 블랙타이거가 무언가를 작게 중얼거렸다. 동시에 암살자의 바로 옆에 검은 불기둥 같은 것이 솟아오르더니, 그 중심에서 무시무시한 울음소리를 내뱉으며 칠흑의 털로 뒤덮인 수소가 나타났다. 수소가 두꺼운 목을 휘두르며 콧바람을 내뿜을 때마다 연기 같은 증기가 공기를 더럽혔다.

수소의 사나운 시선을 받고 하던 말도 중단한 채 입을 뻐끔거리던 볼칸은 재빨리 도틴의 뒤에 몸을 숨겼다.

"자아. 형을 위해 저 무차별 살인마 자식에게 머리띠로 목을 졸라 죽여 주겠다고 말해라."

"형은 정말……."

도틴은 피로가 느껴지는 목소리로 내뱉었다.

그때, 클리오가 그런 도틴과 볼칸을 밀고 슥 앞으로 나섰다. 그리고 검을 양손으로 들고 자세를 낮춘 오소독스한 자세를 잡더니 말했다.

"자기선전은 이제 질렸어. 자, 실력이 말뿐이 아니라면 어디서든지 덤벼 보시지!"

"자, 잠깐, 클리오!"

도틴이 소녀의 치맛자락을 잡고 말리려 했지만 그녀는 그 손을 팟 쳐냈다. 그리고 그대로 슬금슬금 암살자를 향해 전진했다.

블랙타이거가 호오, 하고 감탄성을 내뱉었다. 그리고 옆의 수소에 턱 손을 올리고는,

"좋은 배짱이로군. 이 블랙타이거에게 도전할 셈인가."

암살자도 마찬가지로 큰 낫을 어깨에 짊어진 채 이쪽을 향해 걸음을 내딛었다. 수소는 원래 위치에 둔 채로.

"아으아으아……."

입에 손을 처박고 당황하는 도틴의 불안 따위는 상관없이 클리오의 뒷모습은 매우 침착한 분위기였다. 운동역학적으로 매우 자연스러운 자세를 무너뜨리지 않도록 천천히 이동하며, 칼끝은 기분상으로 살짝 내려가도록 들고 암살자와 대치하고 있다. 어쩌면 이 소녀는 검을 다루는 법을 훈련받은 것이 아닐까, 하고 도틴은 작은 희망을 품었다.

휴웃——.

갑작스럽게 들린 소리가 암살자와 소녀, 어느 쪽의 폐에서 흘러

나온 숨소리인지는 알 수 없었지만——

찰나 블랙타이거의 큰 낫이 호를 그렸다. 클리오 입장에서 볼 때 오른쪽 위에서 내려오는 공격에 소녀는 재빨리 반응했다. 낫의 칼날을 받아서는 위력을 죽일 수 없다고 보았는지, 그녀는 곧바로 전방으로 파고들어 낫의 자루를 든 암살자의 손을 향해 검을 휘둘렀다. 카킹, 하고 예리하고도 둔탁한 금속음을 울리며 블랙타이거의 몸이 살짝 균형을 잃은——것처럼 보였다.

클리오도 그렇게 생각했는지, 박자를 가하듯이 다시 검을 휘둘렀다.

하지만 명백히 암살자 쪽이 능숙했다. 블랙타이거는 오른쪽으로 스르륵 가라앉듯이 몸을 내던지고는 가볍게 발끝을 미끄러뜨려 클리오의 두 발을 후려쳤다. 체중이 가벼운 클리오는 쉽사리 넘어졌지만 대신 적의 추격보다 더 빠르게 몸을 굴려 후퇴했다. 양쪽 모두 곧바로 몸을 일으켜 다시 대치했다.

도틴은 등 뒤에서 작게 웅크린 형에게 말했다.

"대, 대단하다, 저 애."

"으, 음. ……아직——아직 마무리가 허술하지만 말이지."

'형보다는 훨씬 낫거든.'

도틴은 마음속으로 내뱉었다. 하지만 어찌되었든 클리오가 암살자에게 이길 것처럼은 보이지 않았다. ——결국은 체력이 너무나 달랐고, 실전경험도 그러하리라. 현재도 클리오는 아직 1분도 지나지 않았는데 안색이 창백했다. 날붙이를 든 적과 마주하는 일은 어지간히 익숙해진 인간이라도 생각보다 신경을 갉아먹는 법이다.

잘 보자 클리오는 어깨를 들썩이며 숨을 몰아쉬면서 동태를 살피고 있었다. 설마 자신보다 기량이 위인 상대에게 자신이 먼저 공격하려 들지는 않으리라. 슬금슬금 다가오는 블랙타이거를 바라보는 소녀는 평소보다 더욱 작게 보였다――.

하지만――

"나 발하노라, 빛의 칼날!"

파앗――하고 클리오와 블랙타이거 사이의 바닥에 순백색의 빛줄기가 꽂혔다. 폭음과 광열파가 벼락처럼 가게 안에 울려 퍼졌다.

빛 속에서 간신히 실눈으로 관찰한 바로는 블랙타이거는 뒤로 뛰어 피하고 그대로 가게 바깥으로 뛰쳐나간 듯했다. 클리오는 제자리에서 엉덩방아를 찧었다. 볼칸으로 말할 것 같으면 뒤에서 도틴의 목을 죌 기세로 매달려 있었기에 보지 않아도 알 수 있었다.

"혀, 형, 이거 놔!"

"죽을 때는 함께다, 도틴――!"

"그런 거 싫거든!"

그렇게 난리법석을 피우는 와중에 어느 새 오펜이 눈앞에 나타나 있었다. ――아무래도 깨진 창문으로 들어온 모양이었다. 흑마술사는 클리오를 부축해 일으켜 세우고 귀찮다는 듯이 이쪽으로 다가왔다. 다음에는 볼칸을 도틴에게서 떼어내고 무언가 중얼중얼 불평을 내뱉었다. 갑작스러운 마술의 폭발로 귀가 울리는 탓에 무슨 불평인지는 거의 들리지 않았다.

"뭘 하는 거냐, 너희들."

그런 질문만이 간신히 들렸다. 도틴이 어떻게 대답해야 좋을지 망설이고 있자, 클리오가 볼칸의 발밑에 검을 던지며 말했다.

"그 이상한 사람을 쫓아내려고 했어."

"용케도 버텼군. 클리오, 검은 쓸 줄 알았던 거냐?"

"클럽에서 배웠어. 일단은 주전이거든."

클리오는 일단 한 번 자랑스럽게 가슴을 내밀고는 연이어 물었다.

"오펜 너야말로 뭘 했던 거야? 이런 시간까지."

"나? 난 너희를 찾고 있었지. 이런 가게에 들어갈 거라곤 한 마디도 하지 않았잖냐."

"그야 그렇지만."

클리오는 약속시간에 늦은 연인에게 투덜대듯이 입술을 삐죽이며 말했다.

"우리 하마터면 죽을 뻔했단 말이야."

"괜찮아. 내 예상이 옳다면 저 자칭 암살자는 누구 하나 죽이지 못할 테니까."

흑마술사는 그렇게 중얼대며 바닥 위에서 무언가를 주웠다. 블랙타이거가 떨어뜨린 물건인 듯했다. 도틴이 힐끗 오펜의 손을 들여다보자, 그것은 펜던트였다. ──검에 얽힌 외발 드래곤의 문장이 세공된, 은제 펜던트.

제4장 발트안델스

"호오……."

오펜은 오른손을 턱에 괴고 나지막하게 내뱉었다. 그리고 옆에 있던 클리오에게 고개를 돌렸다.

"당했군 그래."

"그러네. 하지만 도리어 정리되어서 잘 됐어. 이 창고 안의 물건들은 뒤죽박죽이었는걸."

사실 오펜도 비슷한 감상을 떠올리던 참이었다.

창고가 쑥대밭이 되었음을 처음으로 깨달은 사람은 클리오였다. ——아무래도 이 아가씨는 한가할 때에는 이 창고로 내려와 재미있어 보이는 물건을 물색하는 모양이다. 그건 그렇고 '쑥대밭이 되었다'라는 표현은 적절하지 않았을지도 모른다. 클리오의 말대로 도적은 원하는 물건을 찾기 위해 창고 한쪽을 깔끔하게 정리정돈하고 갔기 때문이다.

"아르바이트 일당 정도는 줘도 좋을지 모르겠군."

오펜이 말하자 클리오가 어깨를 으쓱였다.

"그게 말이지, 도적이 아무것도 훔치지 않은 모양이야."

"다시 말해 원하는 물건을 찾지 못했다는 거로군. 발트안델스의 검이 어떤 물건인지는 모르지만 이 창고에는 검만 해도 수백 자루나 있잖아?"

"응. 내가 옛날에 세었을 땐 8백 자루 이상이나 있었어. 하지만 그건 아버님이 아직 살아계실 적이니까 그 후에도 더욱 사서 넣으셨을지 몰라."

"어쨌든 그걸 전부 확인했다간 한나절은 걸리겠지. 차일드맨이 처음에 이쪽에 검을 준비시키게 한 것도 그 탓일 거야. 그건 그렇고…… 어떻게 도적이 아무것도 가져가지 않은 걸 알 수 있는 거냐? 재고조사라도 한 건 아니잖아?"

"응. 이게 창고 입구에 떨어져 있었거든. 그리고 이 일은 아직 어머님께 말하지 않았어. 그 편이 더 좋지?"

클리오가 내민 것은 한 장의 쪽지였다. 통로에서 들어오는 가스등의 불빛에 비쳐 읽어보자 '오늘 밤까지 그 검을 준비하라'와 같은 내용이 쓰여 있었다.

"과연. 하지만 티시티니에겐 제대로 보고해 두는 편이 좋아. 녀석들이 다시 올 작정이라면 이 저택에서 또 난리가 벌어질 테니까 말이야."

오펜이 그렇게 말하자 클리오는 불안한 눈빛으로 오펜을 올려다보며 물었다.

"저기 있지. 그 편지, 오늘 온 그 암살자가 쓴 거야?"

"아니……. 어느 쪽인가 하면 다른 한 쪽——차일드맨이 쓴 거겠지. 다시 말해 그 블랙타이거가 우리의 발을 묶고 그 틈에 차일드맨이 이 창고에 숨어들었다. 그런 거겠지."

"그 사람, 굉장히 강한 마술사인 거지……?"

"그래. 내 선생이거든. 대륙에서 최강의 흑마술사라고 해도 과언이 아니야. 전문 훈련을 받은, 명실상부하고 철두철미하게 강철의 킬러도 될 수 있는 남자다."

"……."

그 말을 들은 클리오는 다소 고개를 숙인 채로 엄지손톱을 깨물었다. 하고 싶은 말이 있지만 할 수 없는 듯한 기색이다. 오펜은 금색으로 뒤덮인 그녀의 작은 머리에 턱 손을 놓았다.

"뭐야. 걱정이냐?"

"응. 내가 도울 일은 없어?"

"없어. ……요컨대 또 검을 들고 칼싸움을 벌일 셈이라면 자제해 줘. 《송곳니 탑》의 마술사라는 놈들은 쓸데없이 사람을 죽이려고 들지는 않지만, 만약 필요해진다면 곧바로 돌변해 어떤 잔혹한 수단이든 이용해 죽일 수 있는 인종이거든."

클리오는 늘어진 앞머리 밑에서 이쪽을 올려다보며 물었다.

"……오펜, 너도?"

"내가?"

오펜은 살짝 쓴웃음을 지었다.

"난…… 그럴 수 없었으니까 낙오한 거야."

아자리에 대해 떠올리며 그는 클리오의 머리에서 손을 떼었다. 그리고 창고에서 나가기 위해 몸을 돌렸다.

클리오는 어째서인지 안심한 듯이 번쩍 고개를 들고 눈을 빛내고는, 평소처럼 명랑한 목소리로 물었다.

"얘, 오펜. 너 애인 있어?"

"없어. 하지만 존경하는 여자는 있다."

너도 아는 여자야, 하고 말하려던 오펜은 그 말을 집어 삼켰다. 그 괴이한 생물을 뒤쫓아 출세 코스를 포기했다고 말했다간 제정신을 의심할지도 모른다.

등을 돌리고 창고 문을 닫으며 클리오가 다시 물었다.

"누구? 어떤 사람인데?"

"티시티니려나."

오펜이 그렇게 대답하자 클리오는 충격을 받은 듯했다. 오펜은 웃으며 정정했다.

"농담이야. 하지만 내가 존경하는 여자는 지금 행방불명 중이야. 그래서 찾는 중이지."

대체적으로 거짓말은 아니다. 뒤이은 클리오의 질문은 지금까지 들은 어떤 질문보다 더욱 단순했다.

"찾으면, 그 사람이랑 결혼할 거야?"

오펜은 조금 생각한 뒤에 대답했다.

"……안 할 걸. 그녀는, 설명이 어려운데, 그런 타입의 인간이 아니야. 그러니까 존경한다고도 할 수 있으려나. 존경하는 거랑 좋아하는 거랑은 많이 다르잖아?"

"그럴지도."

클리오는 동의하며 문을 잠그고 휙 오펜을 향해 몸을 돌렸다.

"그럼 좋아하는 건 어떤 타입인데?"

"글쎄다. 사실을 말하자면 생각해 본 적도 없다."

오펜은 그 정도의 대답으로 굳이 깊이 언급하는 것은 피하기로 하였다.

"그것보다 클리오. 넌 학교에서 검을 배웠다고 했는데, 네가 다닐 만한 학교에 그런 클럽이 있는 거냐? 펜싱은 스포츠니까 아닐 테고."

"난 아래 번화가 쪽에 있는 학교에 다녀. 언니랑 같은 학교에 다니고 싶지 않았거든."

"흐응……. 그런데 무슨 클럽인데? 검술 클럽?"

"아냐. 전쟁 클럽."

"……관둬라, 그딴 곳."

오펜은 기막히다는 목소리로 내뱉고는 이마를 손으로 문질렀다. 가볍게 계단을 오르는 소녀의 뒤를 주머니에 두 손을 찔러 넣은 채로 따라갔다. 그러자 손가락에 클리오가 준 반지가 닿았다.

오펜은 그 반지를 본 적이 있었다. 그리고 그 기억에 절대로 잘못된 곳이 없다고 단언할 자신이 있었다.

"……이 글자를 읽을 수 있니, 키리란셀로?"

그녀는 그렇게 말하며 작은 반지를 들어보였다. 키리란셀로는 눈을 가늘게 뜨며 그 은제 반지를 꼼꼼하게 살펴보았지만, 이윽고 포기한 듯이 그녀 쪽으로 내밀었다.

"뭐야, 그게? 정말로 문자야?"

그의 대답은 그뿐이었다. 그녀——천마의 마녀라고도 불리며 《탑》에서 가장 존경과 두려움을 받는 마술사 아자리는 휴게실의 긴 의자에 걸터앉아 깔깔 웃었다.

"물론 문자야. 고대의 마술사——우리들과는 완전히 다른 마술을 다루었다는 녀석들이 이걸 만들었대."

"그런 걸 현재의 우리가 읽을 수 있을 리가 없잖아. 그 고대인은 이미 사멸했지? 그럼 그 말을 할 수 있는 인간은 이 땅 위에 없는 거지."

"……그렇다고 단언할 수는 없어. 그리고 이 마술문자——윌드 그라프의 해독은 착착 진행되고 있는걸. 나도 그 연구에 참여하고 있으니까 너도 웃고 넘길 수만은 없지 않아?"

"……왜 내가?"

"그치만 순서를 따라가면 내 조수가 되는 건 당연히 너일 테니까."

그렇게 말하며 그녀는 매혹적인 갈색 눈동자의 눈을 윙크했다.

"정말로?"

문자 그대로 펄쩍 뛰며 키리란셀로가 묻자 그녀는 웃으며 고개를 끄덕였다.

"아직 시험 결과도 듣지 않은 거야? 말해 두지만 혹시 겸손을 떨 셈이라면 음흉한 거야, 너. ——어쨌든 이번 시험관이 네 시험지를 보고 내뱉은 말이 '뭐, 타당하군'인걸."

그녀는 은제 반지를 공중으로 던지고는 다시 받으며 말했다. 어딘지 자랑스럽게 고개를 기울이고, 두 눈에는 한가득 상찬을 담으며.

"뭐, 어쨌든 말이지, 그렇게 되었으니까 너도 이 정도의 문자는 읽을 수 있게 되지 않으면 곤란하다는 말이야. 이번만큼은 내가 해답을 가르쳐주겠지만——다음부터는 스스로 조사해야 해? 이 반지에는 말이지——《**무기여, 튕겨날지어다**》라고 적혀 있어. 다시 말해서 소유자를 재액으로부터 방어하는 거야. 아마 효과는 한 번뿐이겠지만."

"한 번뿐?"

"그래. 문자의 정밀도가 낮거든. 분명 그렇게 강한 마술사가 만든 건 아닐 거야. 다만——"

그녀는 씁쓸한 얼굴로 지나치게 작은 반지와 손마디가 굵은 자신의 손가락을 비교하며 말했다.

"내 손가락에는 들어가질 않아. 이래선 소유자도 될 수 없어. 넌 어때?"

"아자리가 무리라면 나도 들어갈 리가 없잖아. 어린애 손가락이 아니면 무리 아닐까? 아마 여기저기 싸돌아다니는 어린애가 마차 같은 것에 치이지 않도록 만든 게 아닐까 싶은데."

"나쁘지 않은 추리네. 그렇다면 이 반지는 주인이라면 문자를 읽지 않아도 작용할지 모르겠는걸. 다음에 새끼원숭이에게라도 끼워서 시험해 볼까. 그런데——"

거기서 그녀는 문득 진지한 얼굴이 되었다.

"식사한 뒤에 나중에 내 방까지 와 줄래? 장로들에게는 비밀로 이 반지랑 똑같은 고대의 마술을 시험하고 싶어. 완전히 미지의 마술이니까 조수가 필요하거든."

"응, 좋아."

키리란셀로는 가벼운 마음으로 받아들였다. 아자리도 방긋 만족스러운 웃음을 띠었다.

사실을 말하자면, 이것이 그가 마지막으로 본 천마의 마녀의 미소였다.

"그 흑마술사 자식, 정말로 열 받아!"

토토칸타 중앙가에 있는 대도서관 안에서 사서의 따가운 눈총도 깨닫지 못한 채 볼칸이 큰 소리로 징징댔다.

'형은 항상 그래.'

도틴은 마음속으로 그렇게 내뱉고는 손에 든 책의 페이지를 넘겼다. 그 책은 고대에 만들어진 책의 복제본으로, 일종의 고어 사전과 같은 물건이었다. 요컨대 그들은 오펜의 명령으로 그 《발트안델스》라는 말이 무엇을 의미하는 단어인지 조사하러 온 것이다.

그때——

텅, 하고 볼칸이 도틴의 손에 있는 책을 닫았다. 도틴은 안경을 고쳐 쓰고 고개를 들며 말했다. 이제 슬슬 인내심의 한계에 도달하고 있었다.

"뭐하는 거야?"

"네게는 부당함에 분개하는 마음이란 것이 없는 거냐, 야."

볼칸은 빈손으로(물론 도서관에는 칼을 찬 채로 입장할 수 없었다) 도틴의 머리를 두드렸다.

"잘 들어라, 도틴. 그 흑마술사는 귀찮은 일은 남한테 떠맡기고 자기만 태평하게 저택으로 돌아갔다고."

"마술이라는 건 체력을 굉장히 소모해. 그 사람은 요즘 계속 강한 마술을 연달아 쓴 지 얼마 되지 않았잖아."

"……마술사 같은 소릴 지껄이는구만, 앙?"

볼칸은 양아치 그 자체의 말투로 도틴을 노려보며 쾅, 하고 책상을 두드렸다.

"그래. 넌 그 마술사의 개로 전락할 셈이로군?"

"그런 말은 안 했잖아. 난 그저——"

"아니! 네 눈을 보면 다 안다. 넌 옛날부터 눈앞의 안녕을 위해

긍지를 잊는 녀석이었어."

"형은 형대로 옛날부터 나 말고는 따진 적이 없잖아. 당사자 눈 앞에서는 말이야."

"뭐라고, 네 자식!"

볼칸은 고함을 치고 도틴 앞에 있는 책상을 단숨에 뒤집었다. 책상 끝이 부딪혀 건너편의 책장이 쓰러졌다. 동시에 어딜 어떻게 부딪혔는지 도틴 바로 뒤의 책장까지 이쪽을 향해 쓰러졌다. 눈사태처럼 쏟아지는 책에 깔린 도틴은 아등바등 발버둥을 쳤다. 도서관 안에 흩어져 있던 사람들의 입에서 비명이 흘러나왔다.

"뭘 하는 거냐, 너희들!"

사서관이 분노에 찬 목소리로 목청을 높이며 이쪽으로 돌진했다. 책 사이로 그 모습을 본 도틴은 어쨌든 구조는 받을 수 있겠다며 안도의 한숨을 내쉬었다. 그리고 힐끗 향한 시선 구석에 펼쳐진 채로 놓인 책의 페이지가 보였고——

그 순간 도틴은 앗, 하고 소리쳤다.

"있다! 있어!"

"《언제든·다른·무언가》?"

오펜은 눈앞에서 도틴이 얼굴이 발갛게 상기된 채 한 말을 그대로 되풀이했다. 이곳은 에버래스틴 저택에서 오펜 일행에게 배정된 방이었다. 입구 홀과 가까워 곧바로 정원으로 뛰쳐나갈 수 있는 위치다.

도틴은 열심히 고개를 끄덕였다.

"응. 엄청나게 옛날 언어인데, 발트안델스는 《언제든·다른·무언가》라는 의미야. 달의 문장으로 표기되어 있었어. 이건 마술 인장이었던 모양이야."

"흠……."

오펜은 가만히 생각에 잠기며 실내를 둘러보았다. 도틴은 무언가 대답을 기대하며 이쪽을 올려다보았다. 볼칸은 뭔가에 화가 난 듯이 창밖을 노려보고 있었지만 그런 것은 아무래도 좋았다. 오펜은 딱, 하고 손가락을 튕기며 도틴을 향해 대답했다.

"그렇다면 그 검은 뭔가 변신 마력을 가지고 있을지도 모르겠군. 분명 아자리가 최후에 하려 하다 실패한 마술도 《검》이라고 불리던 모양이었고……."

"다시 말해 발트안델스의 검 탓에 그 사람이 변신했다는 거야?"

"그런 결론이 타당하겠지. 단지 내가 들은 이야기로는 《검》은 차일드맨이 직접 어딘가에 봉인했다는 거야. 그게 어째서 이 저택에 있는지……."

뭔가 수긍할 수 없는 기분으로 오펜이 중얼거리고 있자 문을 세 번 두드리는 소리가 들렸다. 두드리는 방법에 특색이 있는 것으로 보아 누가 왔는지는 금방 알 수 있었다.

"들어와, 클리오."

폴짝 문틈으로 들어온 클리오는 원피스가 아니라 드물게도 승마용 바지를 입고 긴 금발은 하나로 모아 뒤에서 둥글게 묶은 모습이었다. 상당히 어울리기는 했지만 그 차림을 본 것만으로도 오펜은 고개를 저었다.

"아무 말도 하지 마라. ――대답은 처음부터 말해 두마. NO다. 옷 갈아입고 잠이나 자."

"왜에~?"

클리오는 입술을 삐죽이며 불평의 말을 내뱉었다. 그리고 크기가 맞지 않는지 두 손의 흰 장갑을 번갈아 고쳐 끼우고 말을 이었다.

"나도 도울 수 있어. 그리고 어머님의 허가도 받았는걸."

"……티시티니의 허가를?"

의심스럽다는 듯이 물었지만 클리오는 태평했다.

"응. 방해가 되지 않도록 조심하라면서. 언니도 오펜을 지켜 달라고 부탁했어."

"……."

오펜은 어떻게 말해야 이 저택의 여자들을 설득할 수 있는지 고민했다.

"저기 말이다, 클리오. 이게 오리나 멧돼지 사냥 같은 일이라면 같이 데려가도 상관없어. 하지만 오늘 밤에 무슨 일이 일어나는지 알고 있는 거냐?"

"알아."

"아니, 알아도 이해는 못하고 있겠지. 난 오늘 밤 중에 시체가 될지도 모르고, 더욱 안 좋게 돌아가면 살인자가 될 수도 있다고."

"넌 강한 마술사고, 사람은 죽일 수 없다고 했잖아. 그럼 아무도 죽지 않을 거야."

"그건 궤변이야."

오펜은 탄식하며 그대로 선반 위나 어딘가에 장식해 두고 싶을 정도로 작고 아담한 차림의 소녀를 노려보았다.

하지만 클리오는 한 걸음도 물러날 생각이 없는 모양이었다.

"그리고 넌 제대로 된 지원도 필요하잖아? 암살자 둘을 동시에 상대할 수는 없을 테니까."

"만약 파트너가 필요했다면 어딘가의 뒷골목에서 실력이 되는 녀석을 골라서 고용해 왔을 거다."

"하지만 넌 그러지 않았어. 사실은 마술사 동맹에 있는 지인이라는 사람에게 그 역할을 부탁하려고 했던 거지? 하지만 그게 안 되었던 거니까 내가 대신 맡아 줄게."

오펜은 벌레를 씹은 듯한 얼굴로 결연한 표정의 소녀를 바라보았다. 클리오는 팔짱을 끼고 평소의 하늘하늘한 인상을 지우고는 이쪽을 노려보았다. 아무래도 낮에 블랙타이거와 검을 나눈 일로 묘한 자신감이 붙은 모양이다. ——오펜은 초조한 듯이 한숨을 내뱉었다. 이렇게 되면 우유라도 마시고 잠자리에 들라고 하더라도 설득력이 없으리라. ——상대는 이미 이쪽의 이야기를 들을 마음이 전혀 없으니까. 오펜은 어떻게든 되라는 심정으로 클리오에게 물었다.

"무기는?"

클리오는 오펜이 동의해 준 것이라고 받아들이며 파앗 얼굴을 빛냈다. 조금만 더 하면 이쪽에 뛰어들어 안길 기척마저 들었지만 그런 짓은 하지 않았다. 그녀는 휙 몸을 돌려 복도에 세워 두었던 모양인 가느다란 장검 한 자루를 들고 방으로 돌아왔다.

"이거야."

클리오는 그렇게 말하며 날씬한 도신을 칼집에서 빼어 천장에서 쏟아지는 가스등의 불빛에 비추어 보였다. 소녀 자신과 딱 맞는, 은

색의 장식 없는 무기다. 외날의 도신은 살짝 굽이 져 있었다.

"클럽에서 쓰던 녀석이냐?"

오펜이 묻자 클리오는 기쁜 듯이 고개를 끄덕였다.

"평소엔 칼날에 커버를 씌우지만. 오늘은 벗겼어."

"살인자가 되고 싶지 않다면 다시 한 번 커버를 씌워 둬. 그리고 그 검은 그만두고 더 낡은 놈을 들고 나오는 편이 좋을지도 모른다. 어차피 부러질 운명이니까."

"그럴 일 없어."

클리오는 토라진 듯이 말하고는 품에 안듯이 들고 있던 칼집에 검을 다시 넣었다.

오펜은 시계를 보았다. 오전 1시를 조금 넘긴 시각. 클리오는 소파에 파묻히듯이 몸을 기대 잠이 들었고, 볼칸이나 도틴도 꾸벅꾸벅 졸고 있었다. 깨워도 상관은 없었지만 오펜은 내버려두기로 하였다. 어차피 그 두 마술사와 결판을 낼 수 있는 사람은 자신뿐임을 알고 있기 때문이다.

'차일드맨…….'

——당신은 어째서 이곳에 나타났지?

힘없이 흔들리는 가스등 불빛 아래에 오펜은 생각에 잠겼다.

'우선은 아자리가 나타나고, 다음으로 당신이 그 뒤를 쫓듯이 나타났어. 이 저택에 있는 것은——발트안델스의 검. 아자리를 그런 모습으로 만든 고대의 마술이다. 당신은 그것을 원하고 있지.'

아니, 그게 아니다. ——오펜은 홀로 고개를 저었다. 《검》을 손에 넣고 싶은 자는 아자리다. 그녀는 아마도 자신과 똑같은 생각을 하고 있을 터다. 발트안델스의 검으로 그 모습으로 변모했다면, 같은 마술로 원래대로 돌아올 수 있으리라, 라고.

그렇다면 《검》을 찾아 이 저택에 나타난 자는 아자리고, 차일드맨은 그녀를 쫓아 이곳에 나타난 셈이 된다. 하지만 그렇다면 어째서 차일드맨은 아자리를 쫓고 있는 것일까?

'원래대로 되돌리기 위해서가 아니야. 그는 내게 그녀를 원래대로 되돌리는 건 불가능하다고 말했어.'

그렇다면…….

'말살하기 위해서다.'

마술에 관한 결정적인 실패는 《송곳니 탑》의 역사에 상처를 입힌다. 《탑》의 장로들은 우선 아자리의 기록을 전부 말소했다. 이제 남은 것은 그녀 자신뿐이다.

'그런 짓은 하게 두지 않아.'

오펜은 허공을 노려보며 읊조렸다. 목소리를 내 자기 자신에게 확인하듯이.

"그녀를 죽이게 하지 않겠어. 원래 모습으로 되돌리지 못한다면 내가 지킨다. 되돌릴 수 있다면 되돌려 주겠어. 그리고 만약의 사태엔 차일드맨, 당신을――죽일 거다."

오펜은 소리 내지 않고 의자에서 일어났다. 크게 코를 고는 볼칸과 도틴, 그리고 엄청나게 복잡한 자세로 소파에 매달려 있는 클리오를 보고, 또 다시 시선을 허공으로 되돌렸다.

어슴푸레한 불빛에 비쳐진 방 안에서 오펜은 가만히 섰다. 거기서 문득――아무런 이유도 없이 알아차렸다.

'온다――.'

누가 오는지는 알 수 없다. 무언가 절박한 기운이 담긴 맞바람이 그의 이마를 누르고 있었다.

오펜은 천천히 복도로 통하는 문을 밀어 열었다. 복도는 깊은 어둠에 싸여 있었다. 그 이유는 위를 올려다보니 알 수 있었다. 가장 가까운 가스등의 가스가 다 떨어진 것이었다.

그가 복도로 나와 뒤로 손을 내밀어 문을 닫는 것과 동시였다. 저택에 또 무언가가 격돌하는 굉음과 진동이 울려 퍼졌다. 소리를 내며 습격하는 것은 차일드맨의 방식이 아니다. 그렇다면 침입자는——아자리다.

오펜은 그렇게 직감하고 소리가 들린 중정으로 뛰쳐나갔다. 바깥은 여기저기 흩뿌려진 불똥으로 발갛게 달아올라 실내보다 더욱 밝았다. 불꽃이 터지는 소리가 이곳저곳에서 박수처럼 몰려온다. 투명한 연기로 흐릿한 시야 안에서 중정 중앙 지면을 향해 연거푸 불꽃 덩어리를 내뿜는 거대한 괴물의 모습이 보였다.

"아자리!"

오펜은 상대의 이름을 외쳤다. 하지만 불꽃의 폭음에 가려졌는지 아자리에게는 들리는 기색이 없다.

그녀는 거꾸로 선 채 지면을 향해 마술의 불꽃을 쏘면서 자신의 모습을 불꽃 속에서 거대한 삼각형의 형태로 만들고 있었다. ——오펜은 그곳을 향해 달려가려 했지만 중정 가득 거칠게 휘몰아치는 불꽃의 폭풍에 휘말려 좀처럼 나아가지 못하였다.

그러는 와중에도 아자리는 포효하며 강렬한 위력으로 지면을 후려갈겼다.

'저 지하에는——그 지하창고의 중심이 있을 터다.'

아자리는 이 저택의 구조를 알고 있는 것일까?

하지만 그런 점에 궁금해 할 틈은 없었다. 오펜은 낮게 주문을 외어 몸 주변에 장벽을 치며 간신히 아자리 쪽으로 조금씩 조금씩 다가갔다. 아자리가 다시 불꽃 덩어리를 쏘자 충격을 받은 흙덩이가 사방으로 튀었다.

"크——!"

살짝 달구어진 돌덩어리를 아슬아슬하게 피한 오펜이 외쳤다.

"아자리! 나야! 모르겠어!?"

그 순간——또 다른 굉음이 들렸다. 쿠웅, 하고 지면을 울리는 둔탁한 소리. 순간 아자리가 밟고 있던 지면이 함몰하더니 그녀를 지하로 집어삼켰다. ——지면이 무너져 창고까지 낙하한 것이다.

"빌어먹을——!"

진동에 발이 묶여 넘어지며 오펜이 욕설을 내뱉었다. 중정은 대부분 붕괴하고 아자리는 지하창고에 파고들어 모습도 보이지 않는다. 그저 듬성듬성 울리는 그녀의 포효와 나무를 불태우는 불꽃이 탁탁 튀기는 소리들의 합창에 주변이 완전히 둘러싸여 있었다.

"꺄아!"

갑자기 뒤에서 들린 비명에 몸을 돌리자 불꽃에 가로막힌 클리오가 우왕좌왕하고 있었다. 이 난리통에 당연하지만 계속 자고 있을 수는 없었던 모양이다. 잘 보자 볼칸이나 도틴도 함께 있는 모양이었다.

오펜은 혀를 차고——두 팔을 펼치며 외쳤다.

"나 받아내노라, 난폭한 말의 춤!"

휙——하고 거칠게 몰아치던 불이 홀연히 사라졌다. 중정에 어둠이 내리고 희미한 별빛만이 희고 얇은 천처럼 지면에 쏟아졌다. 함몰된 지면 밑에서는 아자리가 움직이는지 계속 진동이 멎질 않는다. 오펜은 한순간 자신도 그 구멍에 뛰어들려 했지만, 그보다 먼저 클리오의 곁으로 달려갔다.

"다친 곳은?"

오펜이 묻자 클리오는 고개를 저었다.

"없어. 어머님이랑 언니는 뒷문으로 도망치셨어. 나, 도움 됐지?"

"그래."

오펜은 고개를 끄덕이고는 다시 함몰된 구멍 쪽을 돌아보았다. ——구멍 틈새에서 아자리의 독살스러운 색을 띤 꼬리의 끄트머리가 힐끗 보였다. 치명상을 입은 뱀처럼 구불구불 움직이는 꼬리를 보며 클리오가 중얼거리는 소리가 들렸다.

"저건——예전에 왔던 괴물?"

"맞아."

오펜이 그렇게 말하며 구멍을 향해 자세를 잡았다. 아자리가 저 거구로 날뛰는 창고 안으로 뛰어드는 것은 자살행위지만, 나오는 순간을 놓치면 이번에는 언제 만날 수 있을지 알 수 없다. 여기서 놓칠 수는 없었다.

볼칸이 좌악 검을 빼들었다. 동생의 뒤에 숨어서. 클리오도 똑같이, 이쪽은 다소 우아하게 발도했다.

오펜은 그들을 손으로 제지했다.

"안 돼. 너희의 손은 빌릴 수 없어."

그 말에는 아무리 클리오라도 반론하지 않았다. 하지만 그녀는 몸을 비틀어 꼬듯이 이쪽을 향하며 물었다.

"어떻게 된 거야? 오늘 밤에 오는 건 그 암살자가 아니었어?"

"녀석들도 올 거다. 행동이 겹친 거야."

"그럴 수가——"

"쉿."

오펜은 소녀를 제지했다. 창고 안에 있던 아자리의 움직임이 멎은 것이다.

'…….'

불안한 듯이 이쪽을 보는 클리오를 무시하고, 몸 안의 마력을 증폭했다. 오펜은 저 거대한 몸을 가둘 수 있는 우리나 붙잡을 수 있는 그물을 상상하며 신중하게 구멍을 바라보았다. ——침묵한 지면의 구멍을.

쇄아아 불어온 밤바람이 매캐한 탄내를 흩날렸다.

——후샤아아아**아아아아아아!**

문자로 표현해보면 그런 소리가 들렸다. 아자리의 포효가 구멍 안에서 뚫고 나오듯이 밤하늘로 솟아올랐다.

'——!'

동시에 중정 일대에 소용돌이 같은 상승기류가 발생했다. 심상치 않은 위력이다. 정원 전체의 지면이 얇게 벗겨지며 상공으로 올라갈 듯한 강렬한 바람이다. 오펜이 퍼뜩 깨달았을 때에는 체중이 작은 클리오나 지인 형제가 이미 허무하게도 몇 미터 정도 상공으로 날아가는 중이었다.

'아자리의 마술인가, 젠장——.'

자신도 자세를 무너뜨리지 않도록 지면에 버티며 오펜은 속으로 욕설을 내뱉었다.

'그녀와 마술로 싸우더라도 이길 리가 없어!'

하지만 하지 않으면 안 된다. 그는 그때까지 증폭했던 마력을 한계까지 쥐어짜 두 손을 기도하듯이 눈앞에서 마주치고 절규했다.

"나의 팔에, 오너라, 아이들이여!"

오펜이 외친 순간 덜커덕 몸 안에서 낚싯바늘로 걸어 송두리째 빼낸 것처럼 무언가 굉장한 '힘'이 소비된 것을 알 수 있었다. ——전력으로 마력을 방출하여 대기를 갈기갈기 찢어발기는 소용돌이의 틈새를 재빠르고 교묘하게 누비며 클리오나 볼칸, 노틴의 몸을 받아냈다. 내버려두었다면 지면과 격돌해 죽었을지도 모르는 그들을 오펜은 가볍게 지면에 내렸다.

동시에 소용돌이도 비산했다.

하지만 상상 이상으로 소모가 격심했다. 전신에서 땀이 뿜어져 나오고 손가락 끝에 힘이 들어가지 않았다. 균형감각을 잃어버릴 정도로 무릎이 떨리고 내장이 따끔따끔했다. 극히 짧은 한순간에 불가능한 운동을 한 것처럼.

오펜은 그대로 지면에 무릎을 꿇었다. 다음 마술을 위해 힘을 모아야 하는 것은 알고 있지만 그럴 경황이 아니었다.

'힘이——모이질 않아. 시간이 필요해……. 이렇게——소모하다니……?'

필사적으로 숨을 고르고 있자 클리오가 낙하한 지점에서 달려왔다.

"왜 그래?"

소녀의 걱정스러운 목소리에 억지로 웃음을 만들어 고개를 들었다.

"별 거 아니야. 그저 커다란 마술을 써서 그래."

"숨 차?"

"그런 거야. 미안하지만…… 손 좀 빌려 줘."

클리오의 손을 빌려 몸을 일으키고 지인들의 모습을 찾으려 했다. ──딱히 그 둘에게 도움을 청할 생각은 없었지만 그래도 무사한지는 확인해 두고 싶었다. 좌우를 둘러보고, 다시 정면으로 시선을 되돌린 그는 움직임을 멈췄다──.

"……."

잘 보자 전방에 볼칸과 도틴이 아연한 분위기로 꼼짝 못하고 있었다. 둘 다 이쪽에 등을 향한 상태다.

아자리는 아직 구멍에서 나오지 않았다. 하지만 몸의 절반이 지면에서 노출되어 있었다.

"이봐. 커지지 않았냐, 저 괴물……?"

볼칸이 믿을 수 없다는 말투로 중얼거렸다.

분명히 아자리는 거대해져 있었다. ──몸의 절반이 지하에 있기 때문에 확실하게는 알 수 없지만, 신장으로 따지면 5, 6미터는 되지 않았을까. 오펜은 경악으로 신음했다.

"빌어먹을. ──역시 상대가 한 수 더 위인가……."

"무슨 일이야?"

클리오의 질문에 오펜은 속에 쌓인 것을 토해내듯이 대답했다.

"내 마력을 억지로 꺼내 흡수했어. 그러니까 나도 이렇게 소모된 거야."

"흡수라니──"

클리오는 그렇게 중얼거리고는 이해한 듯이 경악하더니, 겁에 질린 표정으로 아자리 쪽으로 시선을 던졌다.

"어, 어떡할 거야?"

"공교롭게도 난 이제 꺼낼 수단이 없어. 힘을 몽땅 빨려서 죽지 않은 것만으로도 행운이었을 정도야."

오펜의 중얼거림을 가로막듯이 거대화한 아자리가 날갯짓을 했다. 날아오를 셈인 듯하지만, 지면에 몸이 끼인 탓인지 움직이지 못하는 것 같았다. 하지만 두세 번 홰를 치자 그 거구가 조금씩 지면에서 빠져나오는 것을 알 수 있었다. 볼칸과 도틴이 비명을 지르며 이쪽으로 허둥지둥 달려왔다. 볼칸은 검을, 도틴은 안경을 어딘가에 떨어뜨린 모양인지 보이지 않았다.

"어, 어떻게 된 거냐, 이 얼치기 마술사!"

볼칸이 다가오자마자 울상이 되어 고함을 쳤다.

"네놈의 실수로 저 괴물이 결국 거대화까지 해 버렸잖냐! 어떻게든 해 봐! 얼른 해결하지 않으면 각도기로 재서 죽인다!"

착란에 빠졌는지 말도 안 되는 소릴 내뱉고 있다.

비틀대면서도 오펜의 몸을 부축하던 클리오가 그 대신 볼칸에게 반론했다.

"뭐야, 너! 오펜은 우릴 구하기 위해 마법을 쓴 거잖아! 그렇게 말하는 게 어딨어?!"

"뭔 소리야! 프로라는 건 결과로 승부하는 거라고!"

"뭐가 프로야, 무기도 어딘가로 떨어뜨리고 온 주제에!"

"괜찮아! 어차피 저런 괴물 상대론 검이 도움이 될 리 없으니까!"

"그게 프로가 할 소리야?"

"——쉿——!"

오펜이 날카롭게 두 사람의 말싸움을 제지했다. 그리고 몸을 움직인 순간 그의 이마에서 땀이 흩날렸다. 분명히 그의 귀에 무언가가 들렸다——.

"빛이여!"

"주문이다!"

오펜은 그렇게 외치자마자 클리오를 끌어당기며 지면에 엎드렸다. 그와 동시에 하얀 빛이 주변을 밝히며 아자리가 비명을 질렀다——.

오펜은 등골이 오싹해지는 것을 느끼며 몸을 일으켰다. 클리오가 그의 밑에 깔려 불평불만을 쏟아내고 있었지만 이런 상황에서는 어쩔 수 없다. 어딘가에서 화살처럼 날아온 빛줄기가 V자가 되도록 밤하늘로 뻗은 아자리의 날개 한쪽을 꿰뚫었다. 동시에 날개는 폭발하여 불꽃에 휩싸였다. ——쿠웅, 하고 밤기운이 열을 띤 바람으로 쓸려나갔다.

또다시 주변에 주문이 울렸다.

"빛이여!"

'지붕 위——.'

오펜은 목소리의 근원을 깨닫고 밤하늘에 역광이 된 지붕 위를 보았다. 빛이 다시 아자리를 치고 그녀가 비명을 질렀다.

지붕 위에는 두 인영이 있었다. 한쪽은 장신의 남자, 또 한쪽은 그보다 키가 작지만 역시 남자. 오펜이 외쳤다.

"차일드맨!"

하지만 인영은 오펜의 외침을 무시하고 그대로 아자리를 향해 왼팔을 내밀었다. ——그리고, 주문.

"빛이여!"

빛의 화살이 또다시 아자리의 몸에 박히고, 고기가 타는 냄새와 육편 그 자체를 주변에 흩뿌렸다. 철퍼덕, 하고 발밑에 뭔가 액체 형상의 무언가가 떨어진 것을 보며 오펜은 두 손을 들었다.

"그만둬어어!"

그 외침과 함께 막대한 빛의 격류가 지붕 위 두 사람의 발밑에 직격했다. 오펜이 지른 필살의 광열파는 강물이 토사를 밀어내듯이 그대로 밤하늘을 향해 뻗어나갔다. 빛이 스쳐지나간 곳을 다시 보자 지붕 위에서는 두 인영 모두 사라져 있었다.

'사라졌다——죽은 건가……?'

오펜은 소름이 돋음을 느끼며 자신의 두 손을 보았다. 손끝이 떨리고 있었다.

하지만 바로 뒤에 척, 하고 무언가가 뛰어내리는 소리가 들렸다. 오펜이 황급히 돌아보자 그곳에는 한순간 전까지 옥상에 있던 남자들이 서 있었다.

"누, 누구야——?"

신음하며 클리오가 몸을 일으켰다. 일단 검에 손을 대고는 있지만 아직 뽑지는 않았다.

뽑지 마라, 하고 오펜은 마음속으로 빌었다. 뽑으면 살해당할지도 모른다.

정신을 차리자 오펜은 다친 아자리를 등으로 감싸는 형태로 두 흑마술사와 대치하고 있었다.

흑마술사 중 하나는 차일드맨이었다. ——며칠 전 복면 밑에 보인 냉철한 얼굴은 수없이 추억 속에서 떠올린 얼굴과 한 치도 다르지 않았다. 이상할 정도로 예리한 안광이, 그대로 볼칸의 말버릇을 빌리자면 노려봐 죽일 수도 있지 않을까 싶을 정도로 무겁게 밤의 어둠을 꿰뚫는다. 유리구슬로 되어 있는 듯한 차가운 눈빛은 그것만으로도 충분한 위협이었다. 한일자로 굳게 닫힌 감정 없는 입도, 무슨 일이 일어나든 꿈쩍도 하지 않는 뺨의 피부도.

다른 한 쪽은 그와는 대조적으로 거북한 듯이 이쪽의 안색을 살피고 있다. 가느다란 적모가 밤바람에 흔들리고, 본래라면 애교가 느껴질 눈가는 지금은 어둡게 그림자가 드리워 있었다.

"하티아."

오펜이 그 이름을 내뱉자 젊은 흑마술사는 반걸음 몸을 빼며 미안한 듯이 입을 열었다.

"키리란셀로. 정말 미안하다. ——하지만 오늘은 그렇게 할 수밖에 없었어. 네가——"

힐끗 옆에 있는 스승을 보고는,

"네가, 며칠만 더 일찍 와 주었다면——"

"됐어. 네가 억지로 화난 척을 하는 건 느낌으로 알았으니까. 안 그러냐, 새우남?"

"……알아차린 거냐?"

하티아는 놀란 모양이었다. 오펜은 살짝 웃었다.

"잘 생각해 보면 그런 바보 같은 분장을 생각할 놈은 전 대륙을 뒤져도 너 정도니까 말이지."

클리오는 어리둥절한 표정으로 오펜과 하티아를 번갈아가며 보았다. 자신이 칼날을 섞은 살인마와 눈앞의 미청년이 같은 인물이라고는 연상이 되질 않는 모양이었다.

그리고——

오펜은 스윽 표정을 거두고 차일드맨의 눈빛을 정면에서 받아쳤다.

먼저 입을 연 사람은 차일드맨이었다.

"비켜라, 키리란셸로."

"……거절한다."

"키리란셸로!"

하티아가 옆에서 외쳤다.

"키리란셸로. 잘 들어. 이건 《송곳니 탑》만이 아냐. 덤즐즈 어리전즈 전체의 결정이라고——."

"아자리를 죽이는 게 말이냐."

오펜이 쓰디 쓰게 입에 담자 차일드맨이 주저 없이 대답했다.

"……그렇다."

"꼭 그렇게 해야 하겠다면——"

오펜은 클리오를 옆으로 밀어내고 말을 이었다.

"날 죽인 뒤에 해라. 단지 나도 그냥은 죽지 않아."

"힘도 거의 남아 있지 않는데도 말이냐?"

"할 수 있는 일은 아직 남아 있어."

오펜은 그렇게 중얼거리면서 살짝 자세를 낮췄다. 그리고 차일드맨과 하티아에게는 보이지 않도록 조용히 아직도 지면에 드러누워 있는 볼칸에게 왼손을 내밀었다.

볼칸은 아무래도 부축을 하려는 줄 알았던 모양이다. 그 손을 잡았다.

오펜은 순간 마력을 해방했다.

으악!
깜짝

"날아랏!"

푸우웅! 하고 공기가 진동하며 바람의 날개에 감싸인 듯이 몸을 둥글게 만 볼칸이 포탄 같은 기세로 차일드맨과 하티아 쪽으로 날아갔다. 두 사람 모두 그 공격은 예상하고 있었는지 어렵지 않게 피했지만, 그 순간 자세가 무너지며 빈틈을 보였다.

오펜은 연이어 외쳤다.

"나 발하노라——"

하지만 그 순간 뒤에서 끌어당기는 힘에 쓰러졌다. 뒤를 보자 도틴과 클리오가 함께 오펜의 허리춤에 매달려 있었다.

"무슨 짓이야——"

그렇게 고함을 치려던 오펜은 퍼뜩 깨달았다. 등 뒤에 있던 아자리가 이쪽을 가만히 보고 있다는 것을. 그녀가 무엇을 하려는지 오펜은 잠시 이해하지 못했지만——갑자기 섬광처럼 머릿속에 이미지가 떠올랐다.

그녀는 숨을 들이쉬고 있었다. 주문을 발하기 위해서.

그것을 깨닫고 클리오와 도틴이 그를 쓰러뜨린 것이리라. 그대로 차일드맨과 싸우는 일에 정신이 팔려 있다간 그녀의 주문에 맥없이 말려들었으리라.

"빌어먹을——."

오펜은 욕설을 내뱉고 클리오와 도틴 두 사람의 어깨에 손을 두르고는 남은 힘을 모두 쥐어짜며 주문을 외쳤다.

"나 잣노라, 광륜의 갑옷——!"

그와 동시에 아자리가 더욱 거대한 포효를 질렀고——

이 일대를 맹렬한 불꽃으로 뒤덮었다——.

눈을 뜨자 날이 밝아 있었다.

심지어 이미 대낮인 듯했다. 창문으로 들어오는 햇빛은 하늘 높은 곳에서 쏟아지고 있었고, 그가 누워 있는 침대 주변을 티시티니와 클리오(머리를 풀고 원래 차림으로 돌아와 있다), 그리고 볼칸과 도틴이 둘러싸고 있었다. 볼칸만이 상당히 그을려 있었다. ——그러고 보니 방어 마술 효과 안에 볼칸은 들어가 있지 않았지.

볼칸이 입을 열 때에는 다음으로 어떤 소리가 쏟아질지 뻔히 알고 있었기에 듣지 않았다. 하지만 상당히 오랜 시간을 흘려들으면서도 옆에서 티시티니가 끼어든 부분만은 똑똑히 기억했다.

"——이 ☆◎할 자식! 작작 좀 하지 않으면 칫솔로 문질러 죽일 거다!"

"……자아, 오펜 씨도 지치셨을 테니 그쯤 해서……."

"하지만——"

그렇게 반론하려던 볼칸을 막은 사람은 클리오였다. 그녀는 뒤에서 지인의 망토를 당겨 거의 목을 매달다시피 하며 방 바깥까지 끌어냈다. 도틴도 그 뒤를 따랐다.

방 안에 티시티니와 단 둘이 된 오펜은 알고 싶었던 것을 간결하게 질문했다.

"——그 뒤로, 어떻게 됐습니까?"

"마술사동맹의 사람이라는 분들이 잔뜩 찾아와, 지금은 지하 창고 안에서 무언가를 찾는 모양이에요."

"……차일드맨은?"

"차일드맨이라는 이름의 사람도 아직 창고에 있을 겁니다."

“그런가요…….”

오펜은 오른손을 두 눈에 대고 깊이 탄식했다.

‘결국 난 잘난 듯이 지껄여 놓고는 아무것도 하지 못했어…….’

울고 있는 건 아니었지만, 티시티니는 그렇게 오해한 듯했다. 그녀는 그 후로 줄곧 아무런 말도 하지 않았다.

제5장 '사냥'의 밤

"그 저택 창고 안에 이미 달의 문장의 검은 없었다. ──어젯밤 괴물이 가져간 것이겠지."

차일드맨의 설명은 간결했으며, 또한 담백했다.

"5년 전부터 나는──나와 몇 명의 부하는 그 괴물을 쫓았다. 이유는 너도 알겠지. 그것을 사냥하기 위해서다."

"그녀를 이 세상에서 말살할 셈이냐."

오펜이 내뱉자 그는 변함없는 표정으로──굳어진 것처럼 보이는 딱딱한 뺨을 꿈쩍도 하지 않고 대답했다.

"그녀는 5년 전에 죽었다. 내가 사냥하는 것은 그 괴물이야."

"하지만 그 괴물이 그녀야."

오펜은 딱딱해진 가죽제 의자를 발로 차듯이 몸을 일으키며 불평했다. 조잡한 조명이 오히려 방을 싸늘하고 어둡게 만드는 느낌이었다. 이곳은 마술사동맹 지부 안쪽에 있는 한 방. 오펜이 앉은 의자와 작은 테이블, 그 위 쟁반에 올라간 물병과 컵 이외에는 아무것도 없는 작은 방이다. 의지가 하나밖에 없으니 회의실조차 될 수 없다. 오펜은 그 방 안에서 나란히 자신과 대치하듯이 선 차일드맨과 하티아를 번갈아 노려보았다.

"정말로 그렇게 생각하는 거야, 키리란셀로?"

하티아가 걱정스러운 듯이 어두운 안색으로 물었다. 그리고 두 팔을 펼치며 말을 이었다.

"그런…… 모습을 한 괴물이 그녀라는 거야? 그것에겐 이미 의식도 남아 있지 않아. 아주 희미한 기억과 본능이 남아 있을 뿐이라고."

"희미한 기억과 본능?"

오펜이 되묻자 대답한 것은 차일드맨이었다.

"발트안델스의 검에 관한 기억과, 원래의 모습으로 돌아가고 싶다는 충동적인 본능이다. 그렇기에 그 괴물은 에버래스틴 가에 있는 《검》을 찾아 나타난 것이지."

"……어째서 댁이 봉인했을 《검》이 그 저택에 있는 건데."

"왜냐 하면 내가 그 저택에 봉인했기 때문이다."

오펜은 의미를 이해하지 못하고 의심스러운 눈빛을 보냈다. 차일드맨은 팔짱을 끼고 메마른 입술을 열었다.

"나는 옛날 그 저택의 선대 소유자――즉 티시티니 에버래스틴의 죽은 남편인 에킨트라 에버래스틴에게 고용된 적이 있었다. 사적인…… 암살자로서."

차일드맨은 끝까지 표정을 무너뜨리지 않고 담담하게 고했다.

"그리고 또한 그와 난 친구이기도 하였다. 나는 《탑》에 놓아 둔 채로는 다소 위험하다고 판단한 것들을 때때로 그에게 맡겼다. 마술을 다루는 자가 아니라면 아무리 위험한 물품이라도 무해하니까."

오펜은 클리오에게 받은 반지에 대해 떠올리며 비아냥대듯이 물었다.

"그리고 아자리의 유품도 전부 그 창고에 처박았다는 거군. 《검》이고 뭐고."

“《검》은 원래는 《탑》의 것이었던 것을 아자리가 함부로 꺼내온 것이다. 하지만 그녀의 실패로 발트안델스의 검은 금주(禁呪)로 지정되었지. 발트안델스라는 이름은 차치하고서라도, 그 《검》에 기입되어 있는 주문을 해독하는 데 성공한 자는 그녀뿐이었지만, 어찌되었든 그 《검》의 마술이 실패였다는 것까지는 해명해 준 셈이 되었다.”

“……그녀는 당신의 학생이었어. 당신이 키웠다고.”

오펜은 이를 갈며 내뱉었지만 차일드맨은 냉담하게 오펜을 바라볼 뿐이었다. 그는 오펜의 신경을 매우 거스르는 엄격한 말투로 고했다.

“나는 조직에 충성을 맹세했다. 그리고 그녀는 조직에 등을 돌리고 죽었지.”

“아직 죽지 않았어.”

“우리는 그 의견에 관해서는 평행선이로군.”

차일드맨의 호박색이 들어간 눈빛은 어둠 속에서 가만히 움직이지 않는 도마뱀처럼 이쪽을 정확하게 겨누고 있었다. 오펜은 그 눈빛에 반항하면서도 움직이지 못했고, 그야말로 사막에서 짐승의 왕의 시선에 얼어붙어 그 거대한 짐승에게 통째로 잡아먹히기를 기다리는 시체처럼 공포에 사로잡히며 몸을 떠는 것조차 할 수 없었다.

‘그가 가진 힘의 비밀은 뭐지?’

오펜은 자문했다.

‘언제나 냉정한 점? 규율을 위해서라면 희생을 아끼지 않는 성자 같은 헌신? 어찌되었든 난 그의 힘을 흉내 낼 수조차 없어…….’

오펜은 옛날부터 이 교사에게만큼은 이긴 적이 없었다. ——아니, 정확하게 말하자면 그의 발끝에도 미치지 못했다 해도 과언이 아니다. 아자리가 《탑》이 시작된 이래의 천재라고 한다면, 차일드맨은 최초이자 최후의 대천재였다. 《송곳니 탑》의 차일드맨은 그야말로 최강의 실력자였다. 서른을 갓 넘은 이 젊은 남자에게 전 대륙의 조직 구성원들이 두려움을 품는 건 겉치레나 괴짜 짓, 하물며 과장도 아니었다.

차일드맨은 스윽 몸을 옆으로 향하도록 방향을 바꾸고 목적 없이 걷기 시작하며 말했다.

"나는 오랜 시간 그 괴물을 쫓았다……. 하지만 적도 만만치 않아. 아직도 마술을 쓸 수 있지. 심지어 탁월한 솜씨로 말이다. 거기에 더해 강인한 육체와 피로를 모르는 괴물 같은 체력도 손에 넣었다. 여럿 있던 구성원도 지금은 나 혼자지. 모두 살해당했다."

"그녀의 이성이 조금이라도 남아 있다면 그런 짓을 할 리 없어. 듣기로는 시체가 모두 원형도 남지 않을 정도로 지독하게 살해당했다고 해."

옆에서 하티아가 거들었다. 하지만 오펜은 그 말을 무시했다.

"마술 실력이라면 당신이 더 위일 텐데, 차일드맨?"

차일드맨의 발이 우뚝 멎었다. 그리고 이쪽을 돌아보지 않고 대답했다.

"흑마술이라면 말이지. 하지만 그녀에게는 비장의 수가 있다."

"……백마술인가."

오펜은 나지막하게 내뱉었다. 하티아가 두렵다는 듯이 고개를 끄덕였다.

차일드맨은 마치 강의를 하는 말투로 말을 이었다.

"백마술사는 시간과 정신을 조종하는 힘을 가지고 있다. 언뜻 보기에는 수수하지만 매우 강력하지. 어쩌면 백마술이야말로 진정한 마술이라고 말하는 자도 있다. 그 고도로 세련된 힘과 비교하면 우리의 힘 따위는——"

그는 가볍게 손을 휘저었다.

"하찮은 어린애 장난이다. 백마술의 읊조림을 듣기만 하여도 우리는 전의를 상실할지도 모른다. 목청 높여 외는 것을 듣기만 하여도 맹렬한 공포에 겁을 먹고 도망치지 않을 수 없게 될지도 모른다. 외치는 것을 듣기만 하여도 발광할지도 모른다."

차일드맨은 이쪽을 향해 휘두른 손을 관자놀이에 대고 자신의 머리카락 경계를 쓰다듬었다.

"혹은 갑자기 기절할지도 모르고, 잠이 들지도 모르고, 웃음을 터뜨릴지도 모르고, 순식간에 죽을지도 모른다. 다른 인격이 될지도 모르고, 혹은 두 번 다시 움직일 수도, 아무것도 느낄 수 없게 될지도 모른다."

"……무슨 말을 하고 싶은 거냐, 차일드맨. 빙빙 에두른 표현은 댁답지 않아."

얼굴을 찌푸리며 오펜이 묻자, 차일드맨은 간단해, 라고 서두를 두며 말을 이었다.

"요컨대 백마술사와 싸우기 위해서는 하나라도 더 많은 마술사가 필요하다는 것이다. 그것도 전투능력을 가진 우수한 흑마술사가 말이지."

"……내게 그녀를 말살하는 짓을 거들라는 거냐."

오펜은 으드득 이를 악물고 차일드맨에게 따졌다. 하지만 냉철한 교사는 전혀 동요하지 않았다.

"강요는 하지 않아. 하지만 힘을 빌려준다면 매우 도움이 될 터다."

"거절한다."

"키리란셀로! 이건——"

필사적인 감정을 담은 하티아의 말투에 오펜은 그를 돌아보았다. 붉은 머리의 친구는 입술을 깨물며 말했다.

"이건, 다시 말해…… 네 속죄가 될 거야. 이 일에 협력해 준다면 《탑》을 뛰쳐나간 네 체면도 세울 수 있잖아? 즉 넌 아자리를 찾고 있었으니까——"

"그녀를 찾고는 있었어. 하지만 말살하기 위해서는 아니야."

"키리란셀로, 나도 이 작전에 참가해. 그녀——아니, 그 괴물을 찾아내 《검》을 되찾으면 난 더욱 높은 지위의 부서로 갈 수 있을지도 몰라. 아니면 《송곳니 탑》에 조교수로 돌아갈 수 있을지도 모르고."

오펜은 구역질을 느끼며 침을 뱉듯이 말했다.

"마음대로 해. 네가 어떤 수를 써서 출세하든 내가 알 바——"

"그게 아니야! 내가 하고 싶은 말은, 이 사태를 《송곳니 탑》이 얼마나 무겁게 보고 있냐는 점이야. 예전에 최고의 실력을 가지고 있던 마술사가 자아를 잃고 힘을 얻은 상태로 금단의 마술 물품을 빼앗아 도주했어. 이게 공공연하게 밝혀지면 《탑》의 위신은 실추될 거야. ——거기까지는 가지 않더라도 이미지에 어마어마한 타격을 받겠지. 《탑》은 매년 4명의 마술사를 궁정으로 보내. ——하지만 이 사태가 알려지면 앞으로 어떻게 될지 몰라. 제발 떠올려. 너도 그랬잖아? 그 《탑》은 결사의 각오가 없는 자가 입문할 수 있는 곳이 아니야. 그 《탑》의 마술사 후보들은 그 정도의 각오를 가지고 공부하고 있어. 하지만 《탑》의 위신과 위광을 잃으면 그들의 희망도 무위로 사라진다고."

"또는 《탑》 출신자인 네 희망도 말이지."

하티아는 큭, 하고 숨을 삼켰다.

"그래, 맞아. 내 희망도야. 이런 곳에서 잡일이나 하다 끝낼 마음은 없어. 하지만 그건 너도 마찬가지잖아?"

"내 희망은——"

오펜은 그렇게 말하려다 그 대화 틈새에 문득 가만히 듣고 있던 차일드맨의 기척 비슷한 것이 끼어 들어왔다. ——그는 말을 중단시키고 하티아와 동시에 차일드맨 쪽을 돌아보았지만, 차일드맨은 딱히 아무것도 하지 않았다. 그저 이쪽을 보고 있을 뿐이었다.

거기서 교사는 갑자기 입을 열었다.

"두 사람 모두 무의미한 말싸움은 벌이지 마라. 키리란셀로. 이것은 지극히 단순한 문제다. 우리는 오늘 밤 부대를 결성해 괴물을 토벌할 것이다. 부대에는 다수의 《송곳니 탑》 소속 흑마술사가 참가한다."

"……어째서 그녀가 있는 곳을 알 수 있는 거지?"

"네가 이 지부에 왔을 때, 나는 에버래스틴 가 창고에 숨어들어 《검》을 찾아냈다. 그때 나는 발트안델스의 검에 일종의 신호를 부착해 놓았지. ——떨어진 곳으로 이동하더라도 그것을 더듬어 추적할 수 있도록 말이다."

"……댁은 항상 나보다 한 걸음 앞서는군."

"그러지 않으면 일을 할 수 없을 때라면. 하지만 그런 것은 아무래도 좋다. 괴물은 오늘 밤 중에는 처치당할 것이다. 네가 다시 한 번 괴물――그녀와 만나기 위해서는 이 작전에 참가할 수밖에 없어. 참가하는 이상은 내 명령에 따르게 되겠지만 말이다. 나머지는 네 판단뿐이다. ――따라올 것이냐, 아니냐."

"……."

오펜은 분노로 이글거린다고 해도 좋을 형상으로 차일드맨을 노려보았다. ――차일드맨은 언제나 그렇듯이 지금도 냉담한 가면을 무너뜨리려 하지 않았다.

아니. 거기서 오펜은 냉소적으로 생각했다. 저건 가면이 아니다. 아마도 진짜 얼굴일 것이다.

"……출발은 언제냐."

오펜이 물었다. 차일드맨은 딱히 웃지도 고개를 끄덕이지도 않았지만 그래도 다소는 생각대로 된 게 재미있다는 듯이 눈빛을 반짝였다.

그는 조용히 대답했다.

"부대가 구성되는 대로. 저녁 전에는 출발한다. 너도 그때까지는 준비해라. 무기와 식량 정도는 이쪽에서 준비한다."

"오늘 밤? 그럼 서둘러 준비해야겠다!"

이야기를 들은 순간 클리오는 펄쩍 뛰며 외쳤다. 게다가 머리를 정리하는 데에는 혼자서는 한 시간은 걸린다든가, 이틀 연속으로 철야하는 건 피부에 안 좋다든가 중얼거리며 방을 뛰쳐나가려는 것을, 오펜은 한숨 섞인 목소리로 말했다.

"넌 이 저택에 있어."

그 말을 듣고 돌아본 클리오의 얼굴은 마치 오펜이 사상 최악의 배신자이기라도 하듯이 충격을 받은 모습이었다. 볼칸은 칫칫 혀를 차고 손가락을 저으며 소녀를 향해 고했다.

"그런 거야. 이런 일은 우리 같은 프로에게 맡기고——"

"너도다. 식충이."

"어?"

오펜은 손가락을 세운 채로 얼어붙은 볼칸을 무시하고, 그 옆에서 있는 도틴에게도 말했다.

"너도. 오늘 밤 '사냥'에 참가하는 건 나쁜이다."

"하, 하지만, 그건 위험해!"

클리오는 허둥지둥 달려와 오펜의 가슴을 쿡 찔렀다.

"내가 보기로는, 오늘 저택에 온 마술사 동맹은 오펜 널 원수처럼 보고 있었는걸. 그 '사냥' 도중에 뒤에서 공격당할지도 몰라."

"마술사라는 놈들은 그런 짓을 할 녀석들이 아니야. 특히 한 명이라도 동료가 필요할 때에는 말이지. 그저 지금까지는 내가 그들의 계획을 실질적으로 방해했으니까 대립했던 것에 지나지 않아."

오펜은 음울하게 내뱉으며 이것으로 끝이라는 듯이 팔을 펼쳤다.

"난 아자리를 말살하려는 녀석들의 부대에 참가해서 행동할 생각이다. ——차일드맨의 지휘 아래서. 까놓고 말해서 부대의 규모를 생각하면 아자리가 이길 가망은 없어. 그녀는 오늘 밤 중으로 말살될 거다. 하지만."

오펜은 창밖을 보았다. 너덜너덜하게 그을린 황무지로 변모한 중정이 오후의 빛을 받아 초라하게 펼쳐져 있었다.

"하지만 난 녀석들을 속여 앞지를 거야. 어떻게든 해서 그녀를 지키겠어. 할 수 있다면 그녀를 데리고 차일드맨의 손이 닿지 않는 곳으로 도망갈 셈이다. 뭐, 그렇게 되면 성공하든 실패하든 이제 이 저택으로는 돌아올 수 없겠지. 미안하게 됐다. ──정원을 제대로 재생해 두려고 했는데, 그럴 시간은 없을 것 같군."

차일드맨 이하 수 명의 흑마술사들이 계곡에 진입한 것은 이미 완전히 해가 져 밤이 되었을 즈음이었다. 야간은 위험하지 않은가 오펜이 묻자, 차일드맨은 냉담하게 대답했다.

"사태는 긴급을 요한다."

"한나절조차 기다리지 못한다는 거냐."

오펜은 비꼬듯이 말했지만 차일드맨은 지극히 당연하다는 듯아 말했다.

"그렇다."

오펜은 이제 아무런 말도 하지 않고 계곡을 조금 서두르는 발걸음으로 나아가는 부대를 보았다. ──이곳은 토토칸타에서 수 킬로 정도 서쪽으로 떨어진 아이덴 산맥의 기슭이자, 제대로 된 마찻길도 있는 상당히 개척된 땅이다. 지도를 보면 작은 촌락도 드문드문 존재하는 모양이었지만 극비 임무중이기 때문에 어느 마을에도 다가갈 수 없었다.

부대는 차일드맨이 말한 대로 대인원이었다.

우선은 차일드맨을 선두로, 오펜은 그의 바로 뒤를 따랐다. ──이것은 단순히 차일드맨이 오펜의 능력을 평가한 결과였다. 그 뒤를 하티아를 포함한 6명의 흑마술사가 따른다. 모두 비슷한 차림으로 비밀스러운 종교의 구성원이 갖추어 입을 듯한 검은 망토를 두르고 있다. 오펜도 허리에 검을 찼지만 그들은 거기에 2미터 정도 길이의 보병창도 들고 있었다. 그들 중에는 오펜이 아는 얼굴도 몇몇 있었지만 그는 그 누구에게도 말을 걸 마음이 들지 않았다. 아마도 상대도 마찬가지의 심정이리라. 하티아조차 이쪽과는 눈을 마주치지 않도록 노력하는 듯했다.

그리고 그 총 8명의 뒤에는 따로 떨어져 60살 정도 되어 보이는 노인이 따라왔다. 노인이라고는 해도 몸은 튼튼한 모양인지 젊은 흑마술사들에게 전혀 뒤지지 않고 계곡을 걷고 있었다. 회색에 흰 머리카락이 섞인 듯한 인상으로 수염은 기르지 않았다. 평소는 온후하게 보일 엷게 주름진 뺨은 지금은 딱딱하게 굳어 있다. 그의 가슴에는 검과 드래곤의 문장 대신 거대한 주사위를 올린 범선의 펜던트가 걸려 있었다. ――이것은 백마술사의 증명이다.

이만한 마술사들이 공동으로 작업을 하기 위해서는 국왕의 승인이 필요할 터이지만, 이번은 비합법적인 행동이 틀림없으리라. 특히 백마술사는 왕실과 일부 고위 마술사밖에 소재를 알지 못하는 비밀스러운 성새에 거의 감금당하는 형태로 지내는 게 보통이다. 그런 자를 데리고 나왔다면 차일드맨이 가진 실력은 마술사 최고위의 《십삼사도》에도 필적할 정도라는 것이 된다.

오펜은 차일드맨에게 나지막하게 물었다.

"……저 백마술사는 아자리의 마술을 봉인할 수 있는 거냐?"

"가능성으로는 존재한다."

차일드맨의 대답은――옛날과 똑같이――매우 잔혹했다.

"어쩌면, 이라는 정도의 기대로 불러온 것에 지나지 않아. 백마술사라고 해서 백마술을 봉인할 수 있으리라고는 단언할 수 없으니 말이다. 날아오는 나이프를 똑같은 나이프의 칼날로 받아내는 것이나 마찬가지지."

"……즉 댁은 처음부터 희생을 각오하고 이만한 인원을 모았다는 거로군? 최초로 올 아자리의 공격으로 몇 명이 죽든 상관없이, 한 명이라도 살아남아 그녀의 머리통을 날려 버리면 된다는 셈이잖아."

"그건 모두 알고 있는 바다."

어떨는지, 하고 속으로 내뱉으며 오펜이 물었다.

"누굴 선두로 해서 아자리에게 공격을 가할 셈이야?"

"바로 너다. 이 부대 안에서 가장 젊고 강인하며 실전적인 공격력을 가진 자는 너니까. 그만큼 거칠고 미숙하기도 하다만. 그리고 ——"

차일드맨은 드물게도 농담 같은 말을 입에 담았다.

"그리고 너라면, 설령 죽더라도 시말서를 쓸 필요가 없지."

"——젠장맞을, 왜 이런 꼴을 당해야만 하는 거냐고, 시부럴. ——에이 망할, 녹슨 칼날로 갈아 죽일까 보다!"

정강이를 긁어 상처를 내는 톱풀에 볼칸이 투덜거리는 소리가 들렸다. 그는 선두를 걸으며 서걱, 서걱, 하고 발밑의 잡초나 지나치게 자란 나무뿌리 같은 것을 낫으로 자르고는 불평을 내뱉었다.

"형이 꺼낸 말이잖아."

도틴은 형의 뒤를 걸으며 작게 내뱉었다. 그가 휴대용 가스등을 드는 담당이며, 그 가스등이 하얀 불빛을 주변에 뿌렸다.

"맞아."

이것은 도틴의 뒤를 따라오는 클리오의 말이었다. 그녀는 가볍게 움직일 수 있는 승마복 차림으로 검을 들고, 볼칸이 낫으로 만든 작은 길을 터벅터벅 걸으며 말을 이었다.

"오펜을 도울 방법이 있다고 해서 따라온 거잖아. 마술사들은 정말로 이쪽으로 온 거야?"

"프로의 정보에 의심을 하지 마시라."

볼칸은 돌아보지도 않고 대답했다.

"토토칸타의 뒷세계 정보를 지배하는 내 친구가 마술사 동맹의 동향을 알려줬다고."

"가짜 정보 아니야? 애초에 그 친구란 게 누군데."

클리오가 물었지만, 볼칸은 토라진 듯이 아무런 대답도 하지 않았다.

소녀가 울컥해 검을 빼드려는 것을 보고 황급히 도틴이 소리쳤다.

"포, 폭력은 안 돼!"

"폭력이 아니야. 기사의 검은 언제나 정의인걸!"

클리오가 늠름한 목소리로 목청을 높이며 발도했다. 동시에 볼칸이 발을 멈추고 돌아보았다. 소녀와 자신 사이에 도틴이 끼어 있는 탓인지 볼칸도 도망치지 않고 낫을 옆에 버리고 발도했다.

"기사라고? 에버래스틴 가가 언제부터 귀족가가 된 거지? 허튼 소릴 했다간 연필깎이로 깎아 죽인다!"

"어디 죽여 보시지?"

클리오가 거칠게 콧숨을 내뿜으며 외쳤다.

그 둘 사이에 낀 도틴은 안절부절못하며 둘을 보았다. 어느 쪽의 편을 들든 나중에 형편없는 꼴을 당할 것은 뻔하다. 형의 편을 들면 이 자리에서 둘 다 때려눕혀질 것이다. 그렇다고 클리오의 편을 들어 봐야 몇 주 동안 형의 치근대는 괴롭힘을 견뎌야만 한다.

"어, 어쨌든――"

도틴은 두 사람 사이에서 양팔을 펼쳤다.

"좀 진정해! 자자, 칼은 거두고――형도――아, 뭐야. 오늘은 이상하게 자신만만하다 했더니 옷 속에 책을 넣었던 거였어? 아, 내 책은 아니겠지? 뭐? 에버래스틴 가의 장서? 그럼 됐지만. ――클리오 씨도 옷 속에 뭔가 넣었지? 어? 아니야? 그치만 가슴 부근에――아, 뭐야. 미안. 어중간하게 부풀어 있어서 난 또――"

일단 이 중재는 도움이 되지 않았는지, 볼칸과 클리오의 표정이 더욱 험악해졌다. 도틴은 당황하며 말을 이었다.

"혀, 형도, 응? 그렇게 무서운 얼굴 하지 말고 다 같이 사이좋게 지내자. 이렇게 불안한 산길을 계속 걷는 중인데 여기에 싸움까지 하면서 걷는 건 싫잖아. 응? 그렇지 않아도 형이랑 같이 있으면 진절머리가 날 때가 많은――아니 저기, 그러니까, 그게 아니라, 어, 뭐냐――기분이 화창해지기에는 한참 거리가 먼 느낌――아니――그러니까 형은, 다시 말해서 짜증나는 녀석――"

하지만 도틴의 설득도 하무하게 두 사람은 일제히 무기를 들어 올렸고――동시에 도틴을 향해 내려쳤다. 도틴은 검을 두 자루나 정수리에 받아 퓨우~, 하고 피를 뿜으며 중얼거렸다.

"왜 내가 맞아야 하는 거야?"

"시끄러워!"

볼칸은 고함을 치고는 다시 전방을 돌아보며 서걱서걱 낫으로 풀을 쳐냈다. 클리오도 검을 칼집에 넣고 뒤를 따랐다.

셋이 나란히 몇 걸음 걷고 난 뒤 클리오가 아직 화가 덜 가신 듯이 중얼거렸다.

"애초에 여긴 어느 근처야? 나 이제 다리 아픈데."

"지도를 보면——봐, 저 별의 위치가 여기니까, 이곳은 아이덴 산맥 중턱 즈음일까. 형이 가지고 온 프로의 정보인지 뭔지가 정확하다면 목적지는 이 근처일 텐데——"

"앞으로 얼마나 남았어?"

클리오가 질색이라는 목소리로 꺼낸 질문에 도틴이 즉답했다.

"2시간 정도이려나."

"으헥~"

"뭐가 '으헥~'이냐. 부르지도 않았는데 억지로 따라온 주제에."

그렇게 말하며 돌아본 사람은 볼칸이었다. 그는 낫을 수평으로 휘두르며 말을 이었다.

"잘 들어. 그 괴물을 마술사들보다 먼저 찾아서 말이다, 요래요래 잘 해서 데리고 나온 다음에 어딘가에 감금해 버리면 마술사 놈들에게 부르는 값으로 거래할 수 있단 말씀이다! 심지어 그 빚쟁이 마술사의 콧대도 꺾을 수 있다는 부록까지 딸려오지. 이건 놀이가 아니야! 실패는 용납되지 않는다고!"

"……그런 주제에 형의 계획은 그 '잘 해서' 부분이 전부 애매모호하단 말이야……."

"뭐라고 했냐, 도틴."

"아니, 딱히."

도틴은 탄식을 눌러 참으며 그렇게 대답했다.

"어쨌든 아직 2시간이나 남은 건가~."

클리오가 지친 듯이 중얼거렸다.

"오펜을 도우면 언니가 용돈을 줄 텐데 말이지~. 그냥 돌아갈까? 아, 하지만 돌아가는 길도 걸어야만 하지."

그녀는 그렇게 말하며 발밑의 작은 돌을 차 날렸다. 그 돌은 넉넉하게 공중에서 호를 그리며 밤하늘을 날았다.

도틴은 묘한 느낌이 들어 물어보았다.

"왜 흑마술사를 도우면 용돈을 받을 수 있는 건가요?"

"응~? 그건 말이지~──"

그 질문만을 기다렸다는 듯이 클리오가 눈을 빛내며 설명하려던 때, 근처에 이상한 소리가 울려 퍼졌다.

후우우우오오오오오오우으으으으으으으…… 슈르우우으으으으──

"……."

그 소리──아마도, 콧소리──는 세 사람 모두 들은 적이 있었다. 클리오가 식은땀을 흘리며 볼칸에게 물었다.

"얘. 아까 이야기 말인데, 그 정보 어디에서 입수한 거야?"

"아니──그러니까──"

이쪽도 창백한 안색으로 말했다.

"그러니까──골목 뒤쪽에 버그업스 인이라는 여관이 있는데, 그곳의 주인인 버그업이라는 사람이 옛날에 조금 이름이 알려진 도적이고──암흑가의 여왕이라고 불리던 여자랑 야반도주한 뒤 이제 손은 씻었는데——지금도 취미로 정보 수집을 하고 있다고 해서, 뭔가 알고 있지 않을까 싶어서——"

"늙은이가 취미로 모으는 정보 따위 신용하지 말라고, 정말. 뭐가 앞으로 2시간이야? 이렇게 느닷없이 발견했잖아!"

완전히 화가 난 목소리로 클리오가 볼칸의 머리를 붙잡았다.

"저기……."

도틴은 두 사람에게 속삭였다.

"그런 소리를 하고 있을 때가 아닌 것 같은데——"

그가 말을 끝내기도 전에 밤하늘에 큰 울음소리가 울려 퍼졌다.

——키샤아아아아아**아아아아아아아아아아아!**

놀랄 정도로 가까운 곳——5미터도 떨어지지 않은 수풀 속에서 거대한 괴물이 몸을 일으켰다. 그 괴물이 어마어마한 포효를 지르며 이쪽으로 날아왔다——.

혼란 속에서 도틴은 가스등을 지면에 떨어뜨렸다. 어둠이 주변을 뒤덮고 밤하늘의 희미한 반짝임만이 조용한 밤의 어둠을 밝혔다.

2시간 후, 부대가 휴식에 들어가자 오펜은 홀로 몰래 대열을 빠져나왔다.

몰래라고는 해도 곧장 들킬 것이 당연했지만, 서두르면 간신히 차일드맨 일행을 따돌릴 수 있을지도 모른다.

'하지만 기껏해야 몇 분이야.'

차일드맨은 곧바로 그의 부재를 깨달으리라. 그때까지 얼마나 떨어뜨릴 수 있을까.

아자리의 정확한 위치는 차일드맨밖에 알지 못한다. ——하지만 오펜은 차일드맨이 계곡으로 들어온 뒤로 거의 일직선으로 나아간다는 점을 깨닫고 있었다. 그리고 그가 서두르는 모습을 보건대 차일드맨이 아자리를 향해 완전히 일직선으로 나아가고 있었음은 거의 틀림없다. 그렇다면 진행 방향으로 빨리 나아가면 차일드맨보다 먼저 아자리와 접촉할 수 있을 터이다.

오펜은 계곡 위 깊은 숲속을 가능한 한 서두르며 앞으로 얼마 정도면 아자리에게 다다를 수 있을지 생각했다. 나아감에 따라 숲은 더욱 깊어만 갔고——이것은 당연한 일로, 아자리는 몸을 숨기기 위해 숲속 깊은 곳을 선택했으리라.

'가능할까, 내가——차일드맨을 앞지르는 것이?'

오펜은 그렇게 자문하며 거의 달리듯이 숲속을 나아갔다.

'난 그 남자에게 한 번도 이긴 적이 없는 걸 알잖아?'

성급한 판단이었을지도 모른다——라는 마음이 조용히 몰려오는 해일처럼 그를 집어 삼키려 했다. 하지만 그런 파도 속에서 간신히 머리 하나만큼 띄운 그는 고개를 저었다. 그리고 손에 든 검으로 가슴까지 자란 수풀을 헤치며,

'내가 단단히 정신을 차리지 않으면 아자리가 죽을 거야.'

서걱……하고 파릇파릇하게 자란 톱풀을 베었다. 풀은 풋내 나는 물방울을 사방으로 튀기더니 졸도하듯이 털썩 쓰러졌다. 그 위를 발로 밟은 오펜은 다시 검을 휘둘렀다.

그렇게——한 시간 정도를 나아갔을 즈음, 그는 우뚝 발을 멈췄다. 이미 전신에서 땀을 내뿜으며 밤바람에 한기마저 느끼는 지경

에 다다라 있었다. 풀 즙으로 질척해진 검날을 천으로 닦고는 허리춤의 칼집에 쑤셔 넣었다.

어젯밤——딱 24시간 정도 전에 느낀, 아무런 근거도 없는 예감이 그를 다시 덮치고 있었다. 무엇이 있는지는 알 수 없다. 하지만 그저 근처에 무엇이 있다는 것만은 또렷하게 알 수 있었다. 오펜은 눈을 감았다. 땀으로 눈이 따끔거린다. 손바닥으로 이마를 훔치고 손을 흔들어 땀방울을 털었다. 그 땀방울이 소나기처럼 근처의 이파리에 닿아 차박차박 소리를 냈다.

오펜은 한숨을 쉬고——기분 탓일지도 모른다며 눈을 뜨고 고개를 들었다.

지금까지 달려온 곳과 아무런 차이도 없는, 그저 평범한 숲일 뿐이다. 아까보다도 녹음이 더 짙어진 듯이 보이지만 그것은 단지 어둠의 영향일지도 몰랐다. 훈련으로 상당히 밤눈이 좋은 흑마술사는 냉소적으로 한쪽으로 몰린 눈꼬리를 펴며 칠흑 같은 밤의 숲속을 둘러보았다.

아무것도 없다. 소리도 들리지 않는다.

이런 곳에서 큰 소리를 지르는 짓은 우행임을 이성이 고했다. ——어쨌든 차일드맨이 쫓아오고 있음에는 틀림이 없는 것이다. 하지만 오펜은 거의 체면도 앞으로의 일도 전부 다 내던지고 절규했다.

'난 언제나 내 직감을 믿었어.'

"아자리이이이!"

그녀의 이름이 천천히 울려 퍼지다 사라져 갔다. 숲에 가득 찬 밤기운이 정적으로 돌아오며, 바람이 사각사각 숲의 천장을 이루는 잎과 가지를 흔들었다.

오펜은 다시 한 번 외치려 했다.

"아자——"

후와아아아아아아아아아아아!

순간 그렇게밖에 들리지 않는 공기의 팽창이 일대에 쩌렁쩌렁 울렸다. 아무것도 없는 곳에서 막대한 공기 덩어리가 토해져 부풀어 오르는 듯한, 그런 소리였다. 동시에 문자 그대로 공기의 흐름이 오펜의 정면에서 불어 닥쳐 주변 나무들의 잎들을 헤쳐 날렸다. ——나뭇잎과 수풀에 묻혀 있던 지면에서 모래먼지도 일어나 오펜은 한쪽 팔로 눈을 가렸다.

그리고 다시 소리.

——샤아아아아아아아아!

'아자리의——울음소리다!'

오펜은 순간 환희하며 앞으로 달려 나아가려 했다. ——아자리는 어쩌면 자신의 부름에 응해 준 것일지도 모른다. 그렇다면 그녀는 아직 이성을 잃지 않은 것이 된다.

'아니——그건 아니야.'

오펜은 달리면서 자신의 마음 속 냉정한 부분의 목소리에 귀를 기울였다.

'아자리는 인간의 기척을 깨닫고 경계하고 있을 뿐이야. 그런 건 짐승도 해. 그리고——이대로 있다간 그녀가 도망칠지도 몰라.'

그렇게 되면 이제 그녀를 뒤쫓을 방법은 사라지고 만다. ——차일드맨 이외에는.

"질까 보냐!"

오펜은 짧게 외치고는 나무들 사이를 누비듯이 달리며 아자리의 포효가 들린 방향을 향했다. 발밑에 팔을 뻗는 나무뿌리를 뛰어넘으며, 기적적이라고 해도 좋을 속도로.

그러자——

세 번째로 아자리가 발하는 포효가 밤을 뒤흔들었다. 순간 무언가 대기에 튀어 날아가는 듯한 '힘'이 가득 차올라 폭발했다. 오펜은 그 순간 자신이 불꽃에 휩싸이는 듯한 착각을 느꼈다. ——타인의 마술에 휘말리면 항상 그런 감각에 사로잡힌다. 하지만 아자리의 마술은 이 일대 전부를 불사르는 것이 아니라 훨씬 조용한 것이었다. 그녀의 울음이 밤하늘에 뒤섞여 사라질 때까지 아무것도 일어나지 않았을 정도다. 하지만 다음 순간——갑자기 대지가 맥동하듯이 꿈틀대더니, 무언가 탐욕스러운 식충식물의 기관이라도 된 듯이 가까운 것——즉 나무나 수풀을 집어삼키기 시작했다. 오펜도 가죽 부츠의 발꿈치를 붙잡혀 지면에 무릎을 꿇을 뻔했다. 나무뿌리나 풀은 점점 대지 속으로 들어가 지하로 사라졌다.

아연한 표정으로 주변을 둘러보자 주변은 완전히 공터가 되어 있었다. 사방 십 수 미터 정도일까. 그 중심에 거대한 그림자가 있었다.

'아자리…….'

오펜은 10미터 정도 너머 지면에 자리잡은 거대한 짐승을 바라보며 우두커니 섰다. 거대한, 이라고 해도 어제 오펜에게서 빨아들인 마력은 모두 사용했는지 원래의 3미터 정도 되는 크기로 돌아와 있었다.

나뭇가지 천장이 걷혀 공터에는 별빛이 찬란하게 내리쬐었다.

거대한 삼각형 형태의 짐승은 이쪽을 가만히 바라보고 있었다.

박살난 뒤 다시 공기를 넣어 부풀린 듯한 머리는 꼼짝도 하지 않는다. 짐승의 발밑에는 가느다란 검과 같은 것이 놓여 있다. 그것은 전설이 응당 그렇듯, 짐승에게 바쳐진 산 제물처럼 무기력하게 놓여 있었다. 저것이 발트안델스의 검이리라.

오펜은 마음속으로 확인하고 아자리에게 다가가려 했다. ——짐승은 조금도 움직이지 않고 이쪽을 바라보는 채다.

'그녀는 어째서 숲을 공터로 만들었을까?'

오펜은 신중하게 다가가며 그렇게 자문했다.

'물론 추적자의 모습을 확인하기 위해서겠지만, 도망쳐 숨을 셈이라면 자신의 주변에 있는 숲을 깡그리 뒤엎는 것은 의미가 없어. ——그렇다면——'

오펜이 그 결론에 다다를 즈음, 아자리도 포효를 지르기 위한 예비동작으로 목을 밑으로 늘어뜨리고는 다시 위로 튕기듯이 들어올렸다.

'——그녀는 싸울 셈으로 공터를 만든 거야!'

——샤아아아**아아아아아!**

아자리의 외침과 동시에 오펜은 옆으로 뛰어 피했다. 일순간 전까지 그가 서 있던 지면을 무수한 광탄이 후볐다. 폭발은 빛나는 발톱자국처럼 불타올랐다. 오펜은 지면을 구르며 외쳤다.

"아자리이이이! 나야! 못 알아보겠어!?"

아자리는 그 외침에 다시 광탄으로 대답했다. 광륜의 장벽으로 광탄을 막은 오펜은 다시 외쳤다.

"정말로 마음을 잃은 거야, 아자리!?"

짐승은 전혀 개의치 않고 입을 벌려 포효했다. 무수하게 번뜩이

는 진공의 칼날이 귀를 저리게 하는 굉음과 함께 날아왔다. 오펜은 두 팔을 앞으로 내밀며 외쳤다.

"나의 손 끝에, 호박의 방패!"

압축된 공기의 장벽이 진공의 칼날을 가로막는다. 하지만 몇 개는 그 벽을 꿰뚫고 통과하여 오펜의 뺨을 스쳐 얕은 상처를 만들었다.

'그녀는 날 죽일 셈이야.'

오펜은 경악하며 우뚝 솟은 듯이 서는 강대한 짐승을 올려다보았다. 그녀를 데리고 차일드맨의 손이 닿지 않는 곳으로 도망칠 여유는 없다. ――이대로 있다간 아자리 자신에게 살해당할 것이다!

'어차피 절대적인 마력의 강도가 달라. ――나는 이길 수 없어.'

오펜이 망설이는 사이에 아자리는 다시 포효를 질렀다. 그녀의 머리 위에 거대한 광구가 부풀어 올랐다. 벼락을 붙잡아 꾸깃꾸깃 뭉친 듯한 그것은 주변의 공기를 단숨에 대전시켰고, 오펜은 신체 여기저기에 작은 통증을 느꼈다. ――강렬한 정전기가 머리털을 곤두세운다. 보는 것만으로도 아자리가 만들어 낸 그 광구가 어느 정도의 위력을 담고 있는지 알 수 있었다. ――저 공격에 당하면 어떤 마술로 방어하든 상관없다. 한 번에 날아갈 것이다!

'당하겠어――!'

절망에 눈을 감은 그 순간――

감은 눈꺼풀 틈새로부터 끼어들어오는 빛을 느끼고――

오펜은 다시 눈을 떴다. 하지만 그 빛은 아자리가 발한 것이 아니라 그의 뒤에서 일어난 것이었다.

번쩍――!

등 뒤에서 일직선으로 뻗은 광열파는 아자리의 안면을 타격하고 광구를 폭파시켰다. ——막대한 열량의 폭풍이 오펜의 피부를 달구었다. 폭발의 중심에 있던 아자리는 불꽃에 휘감겨 이미 모습이 보이지 않았다.

'아자리가 죽었어?'

뭐가 뭔지 이해하지 못하고 오펜을 뒤를 돌아보았다. 그곳에는 숲속에서 줄줄이 나온 차일드맨과 하티아, 그리고 다섯 명의 흑마술사——또한 늙은 백마술사가 나란히 있었다.

"차일드맨? 벌써 쫓아온 거냐——."

오펜이 외치자 그 폭음 속에서도 들은 모양인지 차일드맨이 씨익 입꼬리를 끌어올리는 것이 보였다.

차일드맨은 여전히 무표정하게 이쪽으로 다가왔다. ——성큼성큼, 거침없는 발걸음이다. 하티아도 그 옆에서 이쪽을 걱정하듯 살짝 표정에 그림자를 드리우고 있다. 다른 마술사들은 각자 다른 표정을 띠고 있었다. 일을 끝냈다는 달성감과 더불어 옛날 아자리와 알고 지냈던 자들은 비장감을 보이지 않는 것도 아니었다. 백마술사 노인은 무표정하게 이쪽을——아니, 오펜을 지나쳐 그 뒤에서 불기둥에 휩싸인 거대한 괴물의 모습을 바라보고 있었다.

오펜은 차일드맨에게 시선을 되돌렸다.

"조금만 더 하면 댁을 앞지를 수 있었는데 말이지."

오펜이 투덜거리자 차일드맨은 시원스레 답했다.

"글쎄다. 나는 처음에 말했을 터인데."

그리고 어깨를 으쓱였다.

"선두를 맡는 것은 바로 너라고."

"이 망할——"

하고 욕설을 내뱉으려던 때——후욱……하고 주변에 어둠이 내렸다. 등 뒤의 불기둥이 사라진 것이다.

샤아아아**아아아!**

또다시 포효. 동시에 차일드맨 일행의 뒤에서 백마술사의 가느다란 몸이 새하얀 불꽃에 휩싸였다.

"…………!"

비명을 지를 틈도 없었다. 백마술사는 그대로 땅에 허물어져 타고 남은 장작처럼 새카맣게 변모했다.

"산개!"

차일드맨이 부하들에게 재빨리 명령을 발했다. 흑마술사들은 사냥개 무리처럼 단숨에 흩어졌다. ——제각기 다른 방향으로. 그 중심에 차일드맨만이 남아 있다. 오펜은 몸은 여전히 그와 대치한 채로 고개만 어깨 너머로 돌아보았다. 아까까지 불꽃 속에 있던 아자리가 지금은 아까 전과 완전히 똑같은 자세로 우뚝 서 있었다.

"질기군."

차일드맨이 나지막하게 내뱉은 순간, 흑마술사들의 공격이 시작되었다.

"불꽃이여!"

각자가 제각기 주문을 외는 가운데, 늠름한 하티아의 목소리만이 오펜의 귓속에 남았다. 불꽃, 바람, 빛——그런 여섯 종류의 힘이 아자리를 향해 날아간다. 하지만 다시 밤하늘을 향해 아자리의 포효가 울려 퍼지자 그 모든 것이 도중에 사라졌다.

뒤이어 다시 아자리의 포효. 벼락이 한 흑마술사의 몸을 날려 버렸다. 방어 마술이 때에 맞지 않은 것이다.

오펜은 걸레짝처럼 되어 뒤로 튕겨 날아간 젊은 흑마술사의 모습을 보면서도, 두 손을 굳게 쥐고 어떻게 해야 좋을지 알지 못했다.

——아자리는 잠시 정도야 선전하겠지만 그리 오래는 버티지 못할 것이다. 그래서 그녀를 구하기 위해 무언가를 해야만 하는 것은 알고 있었지만, 어떻게 해야 좋을지 알 수가 없었다.

'아니——알고 있어. 하지만——할 수 있을까?'

오펜은 힐끗 차일드맨을 보았다. 이 냉철한 교사는 지금은 부하들과 아자리와의 전투에 집중하고 있다. 슬슬 자신도 전투에 참가해야 할지 망설이는 듯했다.

그리고 다른 마술사들은 각각 주문에 마력을 싣고 있다. 빈틈을 찌른다면 지금밖에 없다.

오펜은 결심하며 뛰쳐나갔다. ——아자리가 있는 방향으로.

'내가 저 《검》을 빼앗아 달아나자. ——그렇게 하면 차일드맨은 《검》에 의존해 그녀를 추격할 수 없게 될 거야. 지금까지처럼 그녀가 도망쳐준다면——'

그 《검》은 아직 아자리의 발밑에 굴러다니고 있었다. 오펜은 입 안에서 주문을 외어 신체의 근력을 단숨에 증폭시키고 짐승 같은 빠르기로 아자리의 발밑까지 미끄러져 들어갔다. 그리고 물새가 물고기를 낚아채듯 《검》을 틀어쥐더니, 이번엔 곁눈도 주지 않고 숲 속으로 달렸다.

등 뒤에서,

"하티아! 오펜이 《검》을 빼앗았다! 쫓아라!"

라는 차일드맨의 목소리가 계속해 이어지는 전투의 소음 속에 선명하게 들렸다.

쿵, 쿠웅…….

등 뒤에서 폭발이 일어나는 것이 들린다. 적어도 이 소리가 들리는 한 아자리는 죽지 않는 것이라며 오펜은 자신을 달랬다. 그는 커다란 발트안델스의 검을 두 팔로 품고 계속해 달렸다. 쫓아오고 있어야 할 하티아의 기척은 느껴지지 않는다.

'두세 명은 더 쫓아와 줄 거라고 생각했는데 말이지. 하티아뿐인가. 하지만 그것만으로도 아자리가 상당히 유리해질 터다.'

발을 옭아매는 수풀을 밟고 뛰어넘으며 오펜은 정신없이 달렸다. 멈추면 하티아와 싸워야만 한다. 그런 사태는 도저히 수긍할 수 없었다.

하지만――

"불꽃이여!"

하티아의 외침과 동시에 오른쪽의 수풀이 화악 불타올랐다. ――아무래도 그렇게 형편 좋게 일이 돌아가진 않는 모양이다.

오펜은 단념하고 멈춰 서서 뒤를 돌아보았다. 이대로 도망쳐도 등 뒤를 노린다면 그걸로 끝이다.

그가 멈춰 서서 기다리자, 몇 초도 되지 않아 수풀이 겹쳐 자란 너머에서 하티아가 모습을 나타냈다. 보병창은 숲에 들어올 때 버리고 온 모양이지만 손에 칼집 없는 검을 들고 있었다.

하티아가 먼저 입을 열었다.

"그녀는――아니, 네가 그녀라고 여기는 저 괴물은 코미크론을 죽였어. 너도 기억하지? 우리랑 같은 교실이었던 그 코미크론이야."

아마도 아까 아자리에게 벼락을 맞아 날아간 흑마술사를 말하는 것일 테지만, 사실 오펜은 그의 정체를 깨닫지 못했다.

"……그가 코미크론이었나."

오펜이 그렇게 내뱉자 하티아는 그것을 분위기에 어울리지 않는 생뚱맞은 농담이라고 여긴 모양이었다. 그는 눈가를 씰룩이며 화가 난 듯이 말을 이었다.

"뭐, 됐어. ——이 임무에 죽을 정도의 위험이 있다는 건 그도 알고 있었으니까. 하지만 그 광경을 보고도 넌 계속 우릴 실망시킬 거야?"

"실망?"

"우리를 배신하겠냐는 말이야."

하티아는 마치 토해내듯이 말하며 칼끝으로 오펜을 가리켰다.

"넌 마음만 먹으면 아자리와도 호각으로 싸울 수 있는 힘을 가지고 있지 않았어? 네가 도와주기만 했다면 그녀도 가능한 한 빠르게 ——괴로워하지 않고 죽을 수 있었을 거야."

"내가 아자리를 죽인다고?"

오펜은 비아냥대듯이 큭큭 웃으며 검을 뺐다. 그리고 옆 땅바닥에 발트안델스의 검을 던졌다.

하티아는 분노에 찬 표정으로 말했다.

"넌 뜻밖이라는 모양이지만 우리가 보기엔 지금의 네 행동이 훨씬 정신이 이상해. 아직도 모르겠어? 그녀에겐 이미 마음이 없어. 단순한 짐승이라고."

"그걸 누가 증명할 수 있지? 그녀를 원래대로 되돌릴 때까지는"

"그녀를 원래대로 되돌릴 방법 따윈 없어. 발트안델스의 검의 사용법을 해명한 건 아자리뿐이라고."

"그렇다면 내가 해 주지."

"네가? 초보적인 월드 그라프조차 읽지 못하는 주제에? 농담조차 되지 않아."

"흥. 네가 하는 말은 일일이 지당하게 들리기는 한다만, 중요한 부분이 빠져 있지 않나? 그녀가 코미크론을 죽인 것도 너희가 공격해서가 아니냐고. 방어행동이라는 거지."

"하지만 정당방위라고도 말할 수 없지. 그리고 그녀는 네게도 공격한 것을 잊지 않았겠지? 넌 딱히 그녀를 공격한 게 아닌데도 말이야."

"그 점에 관해서 우리의 의견은 평행선이로군."

오펜은 일부러 차일드맨의 말투를 흉내 내어 말했다. 하티아의 눈빛이 번뜩 날카로워졌다.

"그렇다면 여기서 싸우게 될 거야."

"괜찮지 않겠어? 얼마 전에도 검을 나누지 않았냐. 안 그래, 블랙타이거?"

오펜은 재빨리 검을 오른손으로 바꿔 들고는 왼손을 내밀며 빠른 말투로 읊조렸다.

"나 발하노라, 빛의 칼날!"

번쩍! 하고 광열파가 두 사람 지면 사이에 작렬하며 폭풍과 토사를 퍼 올렸다. 그 틈에 오펜은 뒤로 뛰어 거리를 두었다.

토사 너머에서 하티아의 주문이 날아왔다.

"어둠이여!"

순간 훅, 하고 주변에 칠흑의 어둠이 뒤덮였다. ——별빛도 없고 밤눈도 통하지 않는 완벽한 어둠이다. 오펜은 혀를 차고는 또 다시 후방으로 뛰었다. 그렇게 넓은 범위에 어둠의 마법을 치지는 않았을 터이지만 한 걸음 물러나도 계속 칠흑의 어둠이 이어지고 있었다.

이렇게 되면 다시 한 번 뛰어도 마찬가지이리라. 오펜은 포기하고 다시 왼손을 전방으로 내밀며 외쳤다.

"나 발하노라——"

하지만 그 순간, 내민 왼손을 붙잡혔다.

'——!'

휙, 하고 붙잡힌 손을 당겨져 저항하지도 못하고 몸이 공중을 날았다. ——전방을 향해 원을 그리듯이 던져져, 등으로 떨어져 숨이 턱 막힌다. 오펜은 어둠 속에서 무턱대고 검을 휘둘렀다. 하지만 하티아는 이미 근처에 있지 않은 모양이었다.

'이대로 가다간 상대가 원하는 바야.'

오펜은 검을 버리고 가슴 부근에 손바닥을 짝 마주치며 외쳤다.

"나 지우노라, 마신(魔神)의 발자국!"

마술로 만들어진 결계를 부수기 위한 힘을 방사하자 얼마 있지 않아 유리창이 깨지듯이 어둠의 결계가 무너졌다.

잘 보자 하티아는 몇 미터 정도 떨어진 곳에 서서 이쪽을 바라보고 마력을 준비 중이었다.

오펜도 똑같이 힘을 끌어올리려 했지만, 그 집중은 갑작스레 깨졌다. ——하티아의 등 뒤에 나타난 것을 보고 간담이 서늘해진 것이다.

그 오펜의 표정에 하티아도 정신이 팔린 것이리라. 어리둥절한 표정으로 그의 움직임까지 멎었다.

"클리오!"

"오페에에에에에에에에엔!"

하티아의 뒤에 있던 수풀 속에서 느닷없이 튀어나와 적발의 마술사를 발로 차 쓰러뜨리고 그대로 밟으며 나타난 소녀는, 틀림없는 클리오 본인이었다. ──소녀는 검을 들고 울부짖듯이 이름을 부르며 오펜의 등 뒤로 돌아갔다.

뒤이어──

"살려줘어어어어어어!"

볼칸과 도틴이 나란히 수풀에서 뛰쳐나왔다. 두 사람은 쓰러진 채인 하티아를 정성스럽게 짓밟고는 이쪽으로 달려와 동시에 소리쳤다.

"괴물이야! 쫓아와! 네 관할이잖아! 흑마술사!"

"'잘 하면 자기 것'이라고 말했던 주제에에에에에!"

"뭐, 뭐야, 너희들?"

오펜이 자신에게 매달리는 소녀를 떼어내며 묻자, 도틴이 굳어진 목소리로 설명했다.

"우, 우리, 그 괴물을 찾으려고 했어. 그랬더니, 클리오가 찬 돌이, 우, 우연히 그 괴물에게 명중해서──"

"미쳐 날뛰는 괴물에게 쫓겨 계속 도망치던 중이다! 얼른 우릴 도와라, 흑마술사!"

"아자리한테 뒤쫓겼다고? 무슨 소린지 모르겠는데 그녀는 저 너머에서 차일드맨 일행과 싸우는──"

영문을 알지 못한 채 오펜이 볼칸, 도틴, 그리고 아자리가 있던 방향과 자신이 왔던 방향을 번갈아가며 보자, 털썩 지면에 착 달라붙듯이 쓰러져 있던 하티아가 상반신만을 일으켰다. 그는 드물게도 격노한 듯이 새카만 안색으로——

"네놈드으으으으을!"

하고 외친 순간, 또 등 뒤 수풀에서 거대한 무언가가 튀어나왔다.

"끄아아아아아아아아아아아아아악!"

하티아의 단말마 같은 비명이 울려 퍼졌다. 적발의 마술사를 짓밟고 이쪽으로 돌진해 오는 그 무언가를 향해 오펜은 재빨리 자세를 잡고 주문을 외웠다.

"나 발하노라, 빛의 칼날!"

섬광이 주변을 밝혔다.

순백의 광열파가 꽂히자 정면에서 똑바로 돌진하던 그 그림자는 견디지 못하고 폭발하며 날아갔다. ——그리고 그 여파로 하티아의 몸도 수 미터 정도 공중으로 날아갔다. 그 그림자와 하티아가 털썩털썩 연이어 지면에 떨어진 뒤, 오펜은 공황 상태의 클리오를 달래면서 그쪽으로 다가갔다. 움찔움찔 경련하는 하티아를 건너 몸의 절반이 날아간 괴물을 관찰했다. 불에 그슬린 상처로부터 보이는 내장이 아직 꿈틀거리는 그 괴물은 냉정하게 보자 아자리보다 훨씬 작았고 전혀 닮지도 않았다. 소와 곰을 합쳐 둘로 나눈 외견으로, 목 부근에는 커다란 주머니가 달려 있었다.

"고함수(獸)로군."

"고함수우?"

아직 오펜의 허리에 매달려 있던 클리오가 앵무새처럼 되풀이했다. 오펜은 그녀의 금발 위에 손을 두며 침착한 목소리로 설명했다.

"크게 외쳐서 사냥감을 놀래켜서 실컷 뛰게 한 뒤 힘이 다 떨어지면 덮치는 짐승이다. 이 부근에도 있을 줄은 몰랐군 그래."

"하앗~핫핫하!"

갑자기 울려 퍼진 웃음소리에 그쪽을 돌아보자, 기절한 하티아의 머리 위에 발을 올린 볼칸이 의기양양해 하고 있었다. 그 옆에 도틴을 (억지로) 대동해 칼집에서 빼든 검을 들며 자랑스럽게 외쳤다.

"이것 봐라, 이 마술사에게 결정타를 날린 것은 바로 이 몸이시다! 어차피 사도(邪道)인 마술사 따위 마스마튜리아의 투견의 칼날에 걸리면 이 정도지! 냄새 구린 적들이여, 계속해서 덤비겠다면 얼마든지 덤벼라! 달력으로 넘겨 죽여 주마!"

"……그런 걸로 안 죽어."

"그렇다면 털을 뽑아 죽인다!"

"……."

오펜은 의미도 없는 소리를 시끌시끌 내뱉으며 하티아의 머리를 잘근잘근 짓밟는 지인들을 바라보며 나지막하게 내뱉었다.

"……난 뭣 때문에 그렇게 진지하게 싸웠던 걸까."

"뭐 어때. 결과적으로 도움을 받았으니 됐잖아."

입술을 삐죽거리며 이제야 간신히 허리에서 손을 뗀 클리오에게 오펜은 그래, 하고 고개를 끄덕였다. 그리고 계속 쓰러져 있는 하티아를 보며 말했다.

"너희의 주장도 옳지 않은 건 아니겠지. 하지만 난 내 주장을 관철하겠어. ——아니면, 아자리의 주장을 말이지. 달리 무언가 이유가 있으면 모를까, 《탑》의 명예인지 뭔지 따위의 형편으로 그녀를 죽이게는 두지 않을 거다."

"……."

하티아는 대답하지 않았다. 그저 볼칸의 구두 밑에서 조금 그을린 채로 움찔움찔 떨 뿐이었다.

"무슨 소리야?"

클리오가 묻자 오펜은,

"아무것도 아냐."

하고 대답하고, 발트안델스의 검을 주워 클리오에게 건넸다.

"이걸 감시해 줘. ──하티아도 말이지. 난 하나 더 해야 할 일이 있거든."

그렇게 말하며 아직 폭발의 진동이 울리는 방향으로 발을 향하려던 오펜의 앞으로 클리오가 휙 돌아갔다.

"잠깐만!"

그녀는 애원하듯이 제지하며 발트안델스의 검을 볼칸 쪽으로 던졌다. 볼칸은 제대로 받지 못하고 도틴과 함께 벌러덩 쓰러졌다.

"저 검의 감시라면 지인들에게라도 맡기면 되잖아? 왜 자꾸 날──떼놓고 가려고만 하는 거야. 도움도 많이 됐잖아."

"뭐…… 그렇긴 한데……."

오펜은 설명을 하려 했지만 갑자기 귀찮아졌다. ──그리고 아무리 여기서 달랜다고 하여도 이 소녀는 틈만 있으면 뒤를 따라올 것이 자명했다.

"좋아. 따라와라."

오펜은 그렇게 말하며 아자리와 차일드맨 일행이 싸움을 펼치고 있을 광장을 향해 달렸다. 그 뒤에서 클리오는 환성을 질렀고──

그리고——몇 걸음도 걷지 못하고 말을 걸었다.

"얘, 오펜. 잠깐만 기다려 줘."

"아 뭔데!"

짜증을 내며 오펜이 뒤를 돌아보자, 소녀는 지면에 주저앉아 있었다.

"여기까지 걸어오는 바람에 발바닥이 까져서 완전히 피투성이가 된 것 같아. 업어 주면 안 돼?"

오펜은 무시하며 달리기 시작했다. 등 뒤의 환성이 단숨에 매도로 바뀌었다.

아자리가 마술로 만든 공터로 돌아가자, 그곳의 싸움은 이미 막바지로 치닫고 있었다. ——그것도 명백히 오펜의 예상과는 다른 방향으로.

넓은 공터에는 점점이 흩어지듯이 시체가 쓰러져 있었다. 새카맣게 탄 백마술사와 코미크론은 물론, 갈기갈기 찢어진 자가 하나, 목부터 위가 사라진 자가 둘, 그리고 오펜이 보는 앞에서 또 하나 이름 모를 흑마술사가 불덩이 속에서 타죽고 있었다. 모두 흑마술의 일격으로 죽은 모양이었다.

'……그녀는 왜 백마술을 쓰지 않는 거지?'

오펜은 문득 의문을 느꼈지만 그것을 따지자면 애초에 그녀는 최초에 에버래스틴 가에 나타났을 때부터 백마술을 쓰지 않았다. 그렇게 되면 그녀는 백마술을 쓸 수 없게 된 것일지도 모른다. 어쨌든 별반 중요한 일은 아니었다.

백마술의 사용 여부와 상관없이 아자리의 전투능력이 심상치 않았던 것이다. 천마의 마녀라고 불린 최우수 흑마술사의 실력이 있다고 하더라도 이 전개는 이상했다. 동시에 6명의 흑마술사를 적으로 돌리고, 그 중 5명까지 해치우고 말았다. 남은 사람은 차일드맨 본인뿐이었다.

오펜이 공터로 돌아오자 차일드맨이 힐끗 이쪽을 보았다. ——표정은 변함이 없다. 그저 돌아온 자가 하티아인지 오펜인지를 확인했을 뿐인 듯했다. 차일드맨은 곧바로 아자리를 돌아보고 크게 외쳤다.

"빛이여!"

어마어마한 빛의 격류가 차일드맨의 눈앞에서 터져 나왔다. 광열파는 아자리의 몸에 꽂히며 폭발을 일으켰다. 열기가 이 부근의 지면을 달구었지만 아자리 자체에게는 유의미한 상처를 입히지 못했다. 마술로 방어한 것이다.

'엄청난 힘이다. ——이래선 차일드맨이라도 이길 수 있을 리 없어.'

오펜은 그 사실을 깨닫고 차일드맨에게 달려갔다.

동시에 아자리가 포효했다. 솟구치는 불꽃을 향해 차일드맨이 방어 마술을 펼치기 위해 자세를 잡았다. 오펜도 스승과 합창하듯이 두 손을 들어 주문을 외쳤다.

"나 잣노라, 광륜의 갑옷!"

화악——차일드맨이 만든 결계에 겹치듯이 오펜이 만든 광륜의 벽이 우뚝 솟았다. 불꽃은 막아냈지만 그래도 날름날름 붉은 혓바닥 같은 불길이 이쪽까지 닿았다. 방어가 2중으로 쳐져 있지 않았더라면 위험했을지도 모른다.

후우, 하고 긴장에 찬 숨을 토하며 오펜은 다음에 올 그녀의 공격을 기다렸다. 그 옆에서 차일드맨이 재미있다는 듯이 물었다.

"나를 도와주겠다는 건가?"

'코미크론을 죽였잖아.'

하티아의 말을 떠올리며 오펜이 대답했다.

"난 그저 그녀를 구하고 싶을 뿐이지, 당신이 죽길 원하는 건 아니야."

그리고 얼굴을 찌푸리며 말을 이었다.

"그건 그렇고 이건 너무 강해. ——어떻게 된 거지, 아자리는? 이건 마치 당신과도 필적할 정도의 힘이잖아."

"그렇군."

차일드맨은 차갑게 대답하고 다시 한 마디 주문을 외쳤다.

"빛이여!"

"그만둬!"

오펜도 동시에 외치며 또 똑같은 광륜의 벽을 차일드맨과 아자리 사이에 만들었다. 차일드맨의 광열파는 빛의 벽에 가로막혀 금속음과도 비슷한 굉음을 내며 사라졌다. 차일드맨은 후후, 하고 기막혀 하는 미소를 지었다.

"너도 바쁜 녀석이로군. 그렇게 아침까지 나와 저 괴물의 마술을 막아낼 셈인가."

"난 당신이 알아 주길 원해."

오펜은 힐끗 아자리에게 경계의 시선을 보내며 차일드맨을 설득했다.

"그녀를 구할 방법은 분명히 있을 거야. 절대로 불가능할 리가 없어. ――적어도 발트안델스의 검을 사용하는 방법만 해명할 수 있으면 가능할 거라고."

"……."

차일드맨은 불투명한 눈동자로 가만히 이쪽을 바라보았다. ――상당히 오랜 시간을 그렇게 있었던 것처럼 느껴졌지만 실제로는 그렇지도 않을 것이다. 차일드맨은 이윽고 하하, 하고 웃음을 터뜨리더니 묘하게 감정 깊은 표정을 띠며 말했다.

"너는 정말 좋은 남자로 자랐어. 언젠가 내 후계자가 나타난다고 한다면 그 사람은 바로 너겠지."

"차일드맨. 지금은 그런 건 아무런 상관이――"

오펜의 말은 도중에 중단 당했다. 어느 새 차일드맨의 손에 나타난 단검이 뿌리까지 깊이――오펜의 하복부에 꽂힌 것이다. 위에서 역류한 피의 맛이 입안에 퍼졌다. 격통을 느낀다기보다는 압도적인 수마가 덮쳐오는 감각.

"차일드……맨……. 어째서――"

간신히 내뱉은 말에 차일드맨은 아무것도 아니라는 듯이 대답했다.

"곧 치료해 주마. 할 일을 끝낸 뒤에 말이다."

"이――새――끼――"

저주마저 담아 오펜이 손을 뻗었지만 허공을 갈랐고, 차일드맨은 휙 몸을 돌려 아자리를 돌아보았다. 아자리가 포효를 지르기 위해 고개를 들었고――

하지만 차일드맨이 그보다 먼저 이제까지는 보이지 않았던 강렬한 기력을 발하며 주문을 외쳤다.

"천마여!"

쿠웅——하고 악마의 발걸음처럼 무겁게, 단단하게 굳어진 거대한 대기가 대지를 짓눌렀다. 중앙에 지면이 몇 센티나 침하하고 지하에 복잡하게 뻗어 있던 나무들의 뿌리가 빠직빠직 부러지는 소리가 울려 퍼졌다. ——그와 동시에 아자리의 거구 주변에 부하가 걸린 대기가 파직파직 터져 나갔다——.

아자리의 목구멍 안쪽에서 신음 같은 울음이 흘러나왔다. 그것은 아마도 그녀가 발하려던 마술이었겠지만——순식간에 무산되었다. 대기의 붕괴가 시작되고 무언가 새카만 안개 같은 것이 별빛이 쏟아지는 광장에 퍼진다. 그 순간 몸이 떨릴 듯한 둔탁한 반짝임이 아자리를 감싸며 짓눌렀다——.

물질붕괴의 마술은 순식간에 강렬한 폭발을 일으키며 아자리를 너덜너덜한 걸레처럼 쥐어짜 올렸다. 오펜은 그 후 곧바로 차일드맨에게 치료를 받았지만, 그는 딱히 감사의 말을 할 마음도 들지 않아 아자리의 시체 쪽으로 달려갔다. 아직 갓 구운 비프스테이크처럼 김을 내는 괴물의 몸은 매우 뜨거웠지만, 오펜은 화상도 무시하고 그녀의 머리를 품에 안았다.

"아자리이이이이!"

그녀의 이름을 불러도 대답은 없다. 그녀의 머리는 열기에 짓물러진 채 축 힘없이 늘어져 있었다. 하지만 희미하게 숨소리는 들렸다. 곪은 듯이 짓물러진 눈꺼풀을 억지로 들어올린 아자리는 이쪽을 바라보았다——같은 느낌이 들었다.

"아자리——나야. 오페——키리란셀로야. 아자리!"

"키리란셀로!"

느닷없이 아자리의 눈알이 쿨척 움직였다. ——인간의 주먹 크기 정도는 됨직한 붉게 타오르는 눈알이다. 그녀는 떨리는 숨을 내뱉으며 듣기 어려운 목소리로 말했다. ——하지만, 아자리의 목소리가 아니었다.

남자의 목소리였다.

"키리란셀로! 너를 찾고——있었다. ——저 여자는——분별을 잃었어. 나는——구하고 싶었다……."

"…………?"

오펜은 영문을 알지 못한 채 품속에 안은 괴물의 머리를 바라보았다. 괴물은 다시 말을 이었다.

"나는 이런…… 눈이 이렇게 되어, 아무것도 보지 못했다. 들리는 것은 소리뿐이었고——그리고, 뭔지 알 수 없는 감각으로——주변의 것들을 구별했다. 하지만! 보이지 않았어——."

"……그게 무슨 의미야?"

오펜이 물었지만 괴물에게서는 만족스러운 대답을 얻을 수 없을 듯했다. 괴물은 죽음에 직면한 인간이 곧잘 그러하듯이 자신의 이야기만을 멋대로 늘어놓았다.

"나는…… 그녀를…… 돕고…… 싶었——다."

"……."

"그래서…… 너를 찾고 싶……었다……. 너라면…… 분명——도울 수 있을——"

괴물은 그대로 말을 멈추고는, 잠시 움찔움찔 눈알만을 움직였다. 그리고 이윽고 그것도 멎자, 몸 전체에서 점점 순식간에 생기가 빠져나갔다. ——썰물이 빠져나가듯이.

오펜이 거기서 고개를 들자 그곳에는 차일드맨이 서 있었다. 무표정하게——아니, 눈동자 속에 희미하게 타오르는 만족스러운 무언가를 희롱하듯이 괴물의 시체를 내려다보고 있었다.

거기서——조용했던 밤의 숲속에서 소리가 울렸다.

"빌어먹을! 야, 너 인마! 이 포대자루처럼 들어 올리는 걸 그만두지 않으면 그네로 흔들어 죽일 거다!"

"아, 잠깐, 어딜 만지는 거야! 거긴 언젠가 성장해서——"

"아, 저기, 안경이 기울어져서 엄청 기분이 안 좋은데——"

잘 보자 하티아가 홀로 볼칸과 도틴, 그리고 클리오를 붙잡아 이쪽으로 걸어오고 있었다. 아파 보이는 기색은 없다. 그는 세 인질과 동시에 발트안델스의 검도 들고 있었다. ——그만한 짐을 한 번에 옮기고 오는 것을 보건대 마술로 완력을 강화했음이 틀림없다.

"오펜. 이 《검》은 《송곳니 탑》에 반납하겠어. 원래는 《탑》의 것이었으니 말이야."

하티아는 그렇게 말을 걸었다.

"내 연기력도 그다지 쓸모없지는 않았지?"

그는 그렇게 말하며 클리오 일행과 고함수에게 밟힌 등을 쓰다듬었다.

하지만 오펜은 그의 말을 듣지도 않았고, 실제로 그에 대해서는 아무래도 좋았다. 발트안델스의 검도, 이제 아무래도 좋았다.

오펜은 그제야 이 바보 같은 잔재주의 실체 전부를 이해하였다.

제6장 천마의 마녀

오펜은 기다렸다.

토토칸타 시에서 북쪽으로 뻗은 큰 가도는 이 스테아웨이 가도밖에 없다. 여름의 이 가도는 가늘고 긴 보석과도 같노라, 라고 흔히들 일컫지만 지금은 아직 초여름. 여행을 좋아하는 자들에게 절찬받는 녹음 풍부한 풍경은 한없이 짙은 여름의 녹음이 아니라 아직 풋풋하게 파릇했다. 이 계절의 바람은 동쪽에서 분다. 그것도 거의 끊임없이. 오늘도 역시 바람은 불었다. 정오를 조금 지난 시각의 이 바람은 기분이 좋았고, 오펜은 가도 옆 흙담 같은 곳에 엉덩이를 걸치고 가만히 길 한쪽――토토칸타 시로 이어지는 방향을 바라보았다.

오펜은 오랫동안 기다렸다. 하지만 그의 얼굴에는 딱히 기다리다 지친 기색은 없었고, 굳이 말하자면 이 시간이 더욱 오래 이어지면 좋겠다는 생각조차 하고 있는 것처럼 보였다. 어깨에 짊어지듯이 검을 기대고 조잡한 칼집을 손가락으로 통통 두들기며.

이윽고 그가 바라보던 방향에서 작은 흙먼지가 일었다. ――마차가 일으키는 먼지다. 그 작은 먼지가 커짐에 따라 편자와 수레바퀴가 내는 소리도 다가왔다. 마차는 2두짜리로 그다지 큰 크기는 아니다. 마차의 검은 지붕이 보이는 거리가 되었다. 오펜은 천천히 몸을 일으켜 길 한가운데를 가로막고 양팔을 펼쳤다.

"멈춰라아앗!"

그는 큰 소리로 외쳤다. 이미 몇십 미터까지 다가온 마차의 마부석에 앉아 있던 인간이 투덜거리며 고삐를 당기는 모습도 보이는 거리다.

마차가 멈췄다. 그 측면에는 금테를 두른 문자로 〈덤즐즈 어리전즈〉라고 적혀 있었다.

마부석 위의 남자는 40대를 넘긴 인상으로, 펄쩍 위에서 내려와 전방에 선 오펜 쪽으로 뚜벅뚜벅 걸어왔다. 어깨를 들썩이며 분노로 새카맣게 상기된 얼굴이다. 하지만 오펜이 가슴팍에서 꺼낸 드래곤 형상의 문장을 보이자 태도가 일변하여 공손해졌다.

"대, 대체, 무슨 일이신지?"

오펜의 대답은 참으로 귀찮은 듯했다.

"……별 일은 아니야. 여긴 토토칸타에서 어느 정도나 떨어져 있지?"

"허, 허어――3킬로 정도입니다만."

"그럼 달려갔다 오는 것만으로도 수십 분은 걸리겠군. 다녀와."

"예?"

"말대답 말고 하라는 대로 해라. 여기부터 달려서 토토칸타 정문을 찍은 다음에 돌아와."

"……하지만……."

"됐으니까 얼른!"

오펜이 고함을 지르자 마부는 히이, 하고 비명을 지르고 단걸음에 토토칸타를 향해 달렸다. 그 뒷모습이 충분히 멀어질 때까지 오펜은 움직이지 않았다. 이윽고 바람이 몇십 번이나 그를 스친 후에 마차 쪽을 돌아보았다. 그리고 검을 든 채로 입을 열었다.

그의 목소리는 화가 났다기보다는 오히려 슬픈 듯이 들렸다.

"나와. 내가 여기서 기다리고 있을 거라는 정도는 예상하고 있었잖아?"

오펜은 어느 정도 각오를 하고 있있다. ——그래서 후회는 하지 않았다. 불만도 없었다. 그저 의문만이 남았다. 하지만 희미한 기대도 없었던 것은 아니다. 즉 자신의 생각이 전부 착각인 것은 아닐까, 하는 기대.

마차 측면의 문이 열리고 장신의 남자가 내려오는 모습을 보며 그런 생각들이 전부 뒤섞인 감각에 사로잡혀 있었다.

"무슨 짓인가, 키리란셀로."

차일드맨은 지면에 발을 대며 이상하다는 듯이 내뱉었다. 손에는 발트안델스의 고풍스러운 검을 들고 있다. 오펜에게는 이제까지 그 검을 자세히 관찰할 기회가 없었지만, 그래도 그는 훨씬 옛날부터 그 검을 자신의 수족처럼 다루는 듯한 분위기가 감돌았다. 5년 전 아자리가 사라진 후, 그녀의 피로 범벅이 된 채 남아 있던 검. 며칠 전 에버래스틴 가에서 가지고 나온 검. 그리고 지금——차일드맨이 가지고 있는, 이 검.

"댁이라면 알고 있을 텐데. ——내가 여기에 있는 이유를 말이야."

"……글쎄다. 짐작도 되지 않는군. 이전 너의 행동을 배신이라고 여기는 자가 있던 것은 사실이다만, 나는 그렇게 생각지 않아. ——

결과적으로 그 괴물을 발견해 꾀어내 준 자는 바로 너니 말이다. 그러니 너에 대한 처분——아니, 주살에 관해선 내가 상층부에 건의하여——"

"꽤나 말수가 많군 그래. 하나도 안 닮았다고, 차일드맨과는."

오펜이 의미심장한 말투로 그렇게 말하자, 차일드맨의 언제나 냉정한 표정이 움찔 떨리는 모습이 보였다.

차일드맨은 잠시 침묵했다. 하지만 이윽고 탄식하며 다시 입을 열었을 때에는 이제까지와는 달라진 목소리를 꺼냈다.

"……언제부터 깨달았던 거야?"

"네가 그 괴물에게 최후의 일격을 꽂았을 때야. 그가 내게 다잉 메시지를 남겼지."

오펜은 차일드맨의 모습을 한 자를 바라보며 말을 이었다.

"야, 아자리. 어째서 이렇게 된 거야? 될 수 있으면 이야기해 줬으면 하는데. ……슬슬 내 부름에 응해 줘도 괜찮잖냐."

차일드맨은 결코 미남은 아니었다. ——하지만 언제나 무너지지 않는 냉정한 표정과 엄격한 규율에 몸을 바친 헌신적인 정신 등으로 언제나 어떠한 종교의 교조 같은 매력을 발산하고 있었다. 그 매력이 어느 새인가 다른 것으로 바뀌어 있음을 오펜은 그때가 되어서야 간신히 깨달았다.

그것은 틀림없이 5년 전까지 아자리가 가지고 있던 본능적인 매력이었다.

"……듣고 나면 어쩔 셈인데?"

아자리의 목소리——5년 전과 똑같은 아자리의 목소리로 대답한 그녀는 우선 그렇게 되물었다. 조금 비굴해 보이기도 하는 웃음을 띠고 손안의 발트안델스의 검을 만지작거리며. 차일드맨의 손가락으로.

발트안델스의 검을 고풍스러운 칼집에 담아 들고 있는 그 모습은 어딘지 만족스러워 보였다. ——달의 문장으로 표기되어 있다고 한 사람은 분명 도틴이었던가? 어찌되었든 검의 자루와 도신 사이에 원반형이 달에 얹힌 기분 나쁜 짐승의 세공이 되어 있다. 그것은 어쩌면 아자리가 옛날 변화했던 그 모습과 비슷할지도 모른다고 느꼈다.

오펜은 시선을 검에서 소유주로 옮겼다. 그리고 결연하게 대답했다.

"듣고 나서 결정하지."

"……좋은 대답이야. 그때 재회했을 때에도 생각했지만——강해졌구나, 키리란셀로."

"5년이나 지났어. 그리고 그다지 똑똑해지진 못했고."

"그럴지도 모르겠네. 하지만 나는 네 그런 면이 참을 수 없이 마음에 들었어. ——너는 하티아, 혹은 차일드맨보다 우수한 마법사가 될 소질이 있다고 생각했거든. 그래. ——파트너로 삼는다면 바로 너라고 여겨질 정도로."

아자리는 어깨를 으쓱했다.

"네 말대로 여기서 네가 기다리고 있으리라는 걸 깨닫고 있었을지도 몰라. ——만약 네가 여기에 없었더라면 도리어 매우 따분했겠지. 내 정체를 간파할 수 있는 사람은 하티아나 다른 마술사 동맹의 녀석들이 아니라 너야. 정말로 날 이해하고 있던 바로 너뿐."

"……슬슬 이야기해 주지 않겠어? 그 마부가 돌아올 때까지 그다지 시간이 있는 건 아니니까. 다시 한 번 왕복시키는 건 너무 잔인하잖냐."

"그러네."

아자리는 가볍게 맞장구를 치고는 차일드맨의 얼굴로 살벌한 미소를 띠었다——.

"5년 전, 내가 이 《검》의 마술에 실패한 것에 관해서는 딱히 이야기할 것도 없어. 그 결과로 나는 그 괴물 같은 모습이 되어 대륙을 방랑하는 꼴이 되었지. 차일드맨이나 굉장한 실력의 흑마술사들의 추격을 피하면서 말이야. 그들은 《탑》에서 실패자를 낸 것을 드러내지 않기 위해 날 말살하려 했어. 아니, 그것보다——증거를 인멸하려 했다고 표현하는 것이 더 가깝겠네. 그들은 내게 이미 의식이 없을 것이라고 여겼지."

아자리의 눈에 음험한 빛이 떠오르는 게 보였다. 그녀는 콧방귀를 뀌며 말을 이었다.

"천만에 말씀. 내게는 의식이 있었어. ——나는 5년 동안 의식을 유지하며 차일드맨의 집요한 추격에서 도망쳤지. 5년 동안이나 말이야. 내 귀여운 남동생이 어엿한 남자로 자랄 정도의 시간을."

그녀는 그렇게 말하며 자신의 말에 감명을 받은 듯이 킥, 하고 웃었다. 하지만 곧바로 다시 예리한 표정으로 돌아와 입을 열었다.

"대략 한 달 정도 전일까. 나는 이대로 있다간 언젠가 발광할 것을 깨달았어. 그러지 않아도 언젠가는 지쳐서 차일드맨에게 처치당할 거라고. 그래서 이 상황을 타파할 방법을 모색했지."

"……넌 물론 발트안델스의 검이 있다면 원래의 모습으로 돌아갈 수 있다고 생각했을 거야."

오펜이 그렇게 말하자 아자리도 긍정했다.

"맞아. 하지만 《검》은 5년 전 차일드맨이 어딘가에 봉인한 탓에 행방을 알 수 없었어."

"그래서 넌 차일드맨 본인이 《검》을 찾도록 만들면 되겠다고 생각했겠고."

"그리고 어쨌든 차일드맨의 추격을 봉해야만 했다는 사정도 있었어. 내가 백마술에도 능하다는 사실은 알고 있지? 나는 차일드맨의 빈틈을 찔러 그와 정신을 바꿔치기했어. 그대로 통째로 말이야. 그만큼 강력한 마술이 성공할지 아닐지는 까놓고 말해 도박이었지. 하지만 난 그 도박에서 승리해서──"

"……차일드맨의 부하를 말살한 거로군."

오펜이 음울하게 어두운 목소리로 말을 받았다.

그녀는 어깨를 움츠리며 말했다.

"그들은 5년 동안이나 날 계속 노려 왔단 말이야. 내게는 죽을지 죽일지의 문제였는걸."

오펜은 그녀의 말에 좀처럼 석연치 않은 느낌을 받았지만, 아무 대답도 하지 않고 그녀를 바라보기만 하였다. 그녀는 그것을 동의라고 받아들였는지 말을 이었다.

"정말 얄궂은 일이야. 차일드맨은 줄곧 날 원래 모습으로 되돌리는 건 불가능하다고 여겼어. ──하지만 막상 자신이 같은 처지가 되니 가장 먼저 발트안델스의 검을 향해 날아가더라. 난 그 뒤를 추적해서 토토칸타에 다다랐어. 그리고 차일드맨이 이 저택에 뛰어들었을 때 검이 있는 곳은 그곳임을 확신했지. 나는 차일드맨으로

서 하티아에게 협력을 부탁하고――그 뒤의 일은 너도 알고 있지? 《검》을 되찾기 위해 결과적으로 차일드맨을 죽여야만 했던 거야."

"상황 탓만은 아니야."

오펜은 얼굴을 찌푸렸다.

"넌 반드시 차일드맨을 이 세상에서 지워야 할 필요가 있었어. 여하튼 《송곳니 탑》의 정예들을 전부 죽여 버렸으니 말이야. 그 후는 어딘가에라도 튀어서 또 변신 마술을 시험하면 되겠지. 어떤 모습으로도 변할 수 있으니까."

"……그렇게 쉽지는 않아."

아자리는 쓴웃음인지 아닌지 알 수 없는 미소를 띠며 그렇게 말했다.

"내가 어째서 5년 전에 실패했을 것 같아? 그리고 그저 사람의 모습을 바꾸기만 할 뿐인 물건이었다면 어째서 《검》의 형태를 취해야만 했을까? 이 발트안델스의 검은 말이지, 문자 그대로 무기야. 병기. ――다시 말해 벤 상대를 자기 마음대로 변화시킬 수 있는 거지. 돌로도, 동물로도 말이야. 하지만 나는 그렇다면 스스로 자신을 베면 자신을 마음대로 바꿀 수 있을 것이라고 생각했어. 단지 상처의 아픔 탓에 정신 집중이 무너져 그런 괴물 같은 모습이 되어 버렸을 뿐이고."

"어쨌든 그래도 넌 시험해 볼 생각이지?"

"응. 도전할 셈이야. 그리고 그런 내 대답을 들은…… 넌 어떡할 셈이지?"

아자리는 마치 도발하듯이 살짝 눈을 치뜨며 말했다. 실제로는 차일드맨의 몸을 쓰고 있는 그녀 쪽이 훨씬 키가 컸지만, 오펜은 그

때 확실히 수 년 전 《탑》에서 의자에 앉아 자신을 놀리듯이 올려다 보던 마녀의 모습을 보았다.

오펜은 가만히 그녀의 눈동자를 바라보았다. 모습은 차일드맨인 채이지만 그 목소리와 눈동자만큼은 완전히 그녀의 것이 된 것이 아닐까 하는 감각에 사로잡혔다. 오펜은 틀어쥔 오른손을 펼치고, 왼손에 들고 있던 칼집에서 검을 빼들었다.

"검이나 빼들고 어떠할 건데?"

아자리가 물었다. 오펜은 고개를 저으며 중얼대듯이 말했다.

"설령 네가 연인이었다면――난 네 말에 수긍도 했겠지. 하지만 아니야. 넌 차일드맨을 죽이고 말았어."

"말했잖아? 죽을지 죽일지의 문제였다고."

"하지만 너만큼 머리가 좋은 인간이라면 살인까지는 피할 수 있었을 거야. 하지만 너는 자신의 보신 때문에…… 그런 짓을 저지르고 말았어."

오펜은 자기의 목소리가 울음소리처럼 목에 걸리는 것을 느꼈다.

"날 살인자라고 하고 싶은 거야?"

힐문하듯이 말하는 아자리에게 오펜은 눈을 부릅뜨며 대답했다.

"난 널 존경했어. 넌 그런 날 배신했다."

"그건 네가 멋대로 날 추켜세운 거잖아? 나한테 어쩌라는 건데? 그 괴물 모습인 채로 영원히 도망쳤으면 좋았을 거라는 말이야?"

"배신해서는 안 되는 부분이라는 게 있어, 아자리. 죽여서는 안 됐다고."

"그는 날 죽이려 했고――"

"그게 아니야!"

오펜은 그렇게 외치며 울화통을 터뜨리듯이 검을 휘둘렀다.

"그가 어째서 직접 《검》을 봉인했다고 생각해? ——《탑》의 장로들에게 건네지 않고. 어째서 직접 널 쫓았지? 자신이 괴물과 뒤바뀌었을 때, 《검》을 찾으려 했던 건 어째서일까? 그는 쉽사리 앞서 했던 말을 뒤집을 인간이 아니야. 그가 불가능하다고 했다면 정말로 불가능한 거라고. 하지만 그는 거짓말을 했어. ——그는 《검》으로 원래대로 되돌릴 수 있는 걸 알고 있었지. 그는 자신의 손으로 널 구하고 싶어 했단 말이다."

"……그런 건 네 추측에 지나지 않잖아."

"네 장례식에서 그는 내게 널 원래대로 되돌리는 건 불가능하다고 말했어. ——내게는 불가능하다고 말했다고. 그는 자신이라면 할 수 있다고 생각했어."

오펜이 그렇게 내뱉자, 아자리——그녀의 정신이 지배하는 차일드맨의 표정이 움찔 떨리며 동요하는 게 보였다. 오펜에게는 기묘한 광경처럼 여겨졌다. 그의 기억 속에서는 동요라고는 한 점도 보이지 않았던 냉철한 남자의 얼굴이 감정 풍부한 아자리의 정신에게 빼앗긴 탓에 처음으로 여기서 표정을 보이고 있다니. 그는 말을 이었다.

"그래. 지금 돌이켜 보면 그는, 항상 그랬듯이, 그때도 나보다 훨씬 현실적인 수단을 취했을 뿐이었어. 널 추격하겠다고 주변을 속이고 마술사 동맹의 조직력을 이용해서 네 행방을 찾는다. ——내가 5년 동안 그저 방황하며 대륙을 정처도 없이 우왕좌왕한 것과 비교하면, 차일드맨은 확실히 나보다 몇 수는 더 위였지."

오펜은 단숨에 말을 쏟아내자 피곤함을 느꼈다. 어깨를 들썩이며 숨을 헉헉 몰아쉬고는 아자리를 보자 그녀는 이상하다는 얼굴로 이쪽을 보고 있었다. ──아니, 오히려 어디도 보고 있지 않은 눈빛이었다. 잠시 후 그녀는 탄식했다.

"진절머리가 나네. 내가 어째서 5년 전에 《검》을 썼을 것 같아?"

아자리는 그렇게 말하며 발트안델스의 검을 뺐다.

"그 고지식쟁이에게 인정을 받고 싶어서였어. 나란 여자를 말이야. 난 그에게 어울리는 여자가 되고 싶었거든."

똑바로 뻗은 발트안델스의 검은 아자리의 손에서 대각선으로 지면에 닿아 칼끝이 살짝 땅에 꽂혔다. 그녀가 칼집을 버리는 모습을 보며 오펜은 그 시선을 완강한 차일드맨의 몸에서 내던진 칼집으로 옮겼다. 메마른 가죽 칼집은 땅을 구르다 길에 튀어나온 돌에 부딪쳐 튕겼다.

오펜도 그녀를 따라 검을 들며 물었다.

"그렇다면 어째서 그를 죽이려 한 거야?"

"모르겠어. ……하지만 이미 목적을 이루었기 때문일지도 모르겠네."

"목적?"

"그는 날 인정해 준 거잖아?"

그녀는 자조하듯이 그렇게 말하고는 오펜의 눈앞에서 발트안델스의 검을 들었다.

"아자리……."

목 안쪽에서 으르렁대듯이 오펜이 이름을 입에 담자 그녀가 고개를 저었다.

"농담이야. 하지만 이해해 줘. ──딱히 내가 원해서 이렇게 된 건 아니야. 결과적으로 이렇게 되었을 뿐. 내 도량으로는 이 이상의 선택을 할 수 없었어."

"…………."

오펜은 말없이 한 걸음 그녀에게 다가가려 했지만 그 전에 하나의 질문을 던졌다.

"그렇다면 다시 말해 우리가 이렇게 검을 서로에게 겨누는 것도 선택의 결과겠지. 너는 차일드맨의 입을 막아야만 했던 것과 마찬가지로, 네가 살아 있다는 것을 알게 된 나도 처치해야만 하게 된 거야."

"……글쎄, 그건 어떨까. 요컨대 신뢰의 문제지. 넌 신뢰할 수 있어. 원래 모습으로 돌아온 후에는 네 것이 되어도 좋다고 생각할 정도인걸?"

"부탁이니까 더 이상 날 배신하지 말아 줘. ──난 널 존경했다고."

그녀는 입을 다물고 고개를 끄덕여 보였다.

그 반응에 오펜은 조금 놀랐지만, 아자리는 곧 사나운 시선으로 검을 다시 들었다. ──차일드맨의 눈으로, 그리고 차일드맨의 얼굴로. 초여름의 햇살이 발트안델스의 도신에 반사된다. 그 빛이 눈을 찔러 오펜은 눈을 감고는, 다시 떴다.

그는 거기서 문득 얼빠진 상상을 했다. ──하티아, 차일드맨, 그리고 아자리. 지금까지는 추억 속에 있던 예전의 동료들이 순서대로 자신의 힘을 시험하고 있다, 같은.

'아자리──.'

오펜은 복잡한 기분으로 칼자루를 틀어쥐었다. 자신이 해야 하는 일은 익히 알고 있다. 그것을 위해서도 이런 곳에서 그녀에게 죽어서는 의미가 없다.

아자리가 검을 들어 올렸다. 차일드맨의 키는 오펜보다 훨씬 크기 때문에 칼끝의 높이도 오펜의 시점에서는 하늘을 찌를 정도로 높이 느껴졌다. 다만 차일드맨이라면 검을 저렇게 높이 들어 올리는 짓은 하지 않았겠지만——그 전직 암살자는 원래 장검보다도 나이프나 강선 같은 무기를 좋아했다. 아자리는 반대로, 예를 들면 화려한 기마 시합 등을 진심으로 즐기는 면이 있었다.

저건 아자리다. ——오펜은 자신을 타일렀다. 차일드맨이 아니야. 하지만 생각하기에 따라서는 그 둘은 이런 형태로 하나가 된 것이다——.

아자리가 차일드맨의 몸으로 재빠르게 한 걸음을 내딛었다.

옛날과 변함없는 버릇이다. ——오펜은 떠올렸다. 그녀는 쓸데없는 뜸을 들이지 않는다. 재빨리 품에 뛰어들어 쉽사리 승부를 결정짓는다. 오펜은 그런 그녀를 꾀어내듯이 칼끝을 살짝 내렸다.

아자리는 첫 한 걸음으로 결심한 모양인지, 그 후는 호흡을 할 틈도 두지 않고 돌진했다. ——한 걸음——또 한 걸음 나아가——이미 칼끝이 닿을 거리로——

휫——

눈 깜빡일 사이도 없이 그런 소리가 들렸다. 금속의 칼날이 공기를 가르는 소리. 귀를 기울이지 않는다면 도저히 들리지 않을 그런 작은 소리——.

오펜은 움직이지 않았다. 그의 어깻죽지에 그녀의 강렬한 일격이 명중했다.

하지만 그 순간 그의 몸에서 억누를 바 없는 맹렬한 힘이 솟구쳤다. ──몸 안에 담겨 있던 공기가 단숨에 파열하는 듯한 힘이. 그 힘은 어깨에 파고든 발트안델스의 검을 받아내고는 그대로 얽혀 단숨에 튕겨냈다.

검이 하늘을 날아 오펜의 등 뒤에 털썩 떨어지기까지 두 사람 모두 꼼짝도 하지 않았다. 앞을 보자 아자리는 완전히 어리둥절한 얼굴로 텅 빈 자신의──아니, 차일드맨의 손을 내려다보고 있었다.

"급소를 피해 찔렀군, 아자리."

오펜은 검을 오른손 하나로 고쳐 쥐고 맨손인 그녀에게 스윽 다가갔다.

"하지만 어찌됐든 네게 승산은 없었어. 그 반지를 기억해? 위험으로부터 몸을 지켜 주지만, 단 한 번밖에 쓸 수 없다는 그 반지."

"……네 손가락에는 끼워져 있지 않은 것 같은데?"

그녀는 뒤로 물러나며 그렇게 말했다.

오펜은 어깨를 으쓱였다.

"손가락에 끼울 필요는 없어. 그것의 완전한 소유주가 된다면 말이야. 그런 작은 반지라면 통째로 삼키는 것쯤 식은 죽 먹기지."

그는 그렇게 말하며 자신의 배를 왼손으로 툭툭 두드렸다. 아자리는 씰룩이는 얼굴로 어떻게 사기극이 벌어졌는지를 눈앞에 두고 아연해하였다. 오펜이 다시 한 걸음 다가가자 그녀는 이번에는 뒤로 물러나지 않고 웃음을 터뜨렸다.

"마──말도 안 돼! 바보 같아! 그런 수법에──"

몸을 비틀며 크게 웃는 아자리에게, 오펜은 얼굴을 가까이 가져가며 말했다.

"이걸로 결판을 내자, 아자리."

그러자 아자리가 순식간에 웃음을 거두고, 고양이처럼 재빠르게 살짝 자세를 낮추고 이쪽으로 뛰어들려 했다——.

오펜이 검을 휘두르자, 그 칼날은 그녀의 배를 옆으로 그었다. 검의 금속이 살갗에 파고드는 감촉이 팔을 통해 전해졌다.

그리고 충격이 그대로 어딘가로 빠져나가자, 천마의 마녀의 몸은 크게 비명을 지르며 그대로 뒤로 쓰러져 갔다.

에필로그

바람에 뒤섞인 말의 울음소리가 초여름의 토토칸타에 감도는 공기의 냄새와 잘 어울렸다. 좋은 햇살이다——6월의 토토칸타는 매우 건조하지만 그러면서도 녹음의 향기가 짙다. 동쪽에 있는 대(大)스카이미러 호수에서 불어오는 바람이 한때는 불탄 황야 같던 에버래스틴 가의 정원을 스르륵 훑어 통과한다. 오펜이 사흘 걸려 수복하긴 했지만 역시 여기저기 손상의 흔적은 남아 있었다.

두 마리의 말이 거의 동시에 또 어수선하게 울었다. 두 마리 모두 밤색의 암말로 마차에 묶여 있다. 이 마차는 에버래스틴 가의 소유물이었지만 티시티니가 오펜에게 양도해 주었다.

"준비는 다 하셨나요?"

"예? 아, 예. 괜찮습니다."

멍하니 주변을 바라보다가 갑자기 날아온 말에 오펜은 화들짝 놀라며 뒤를 돌아보았다. 현관 앞에는 티시티니와 마리아벨이 나란히 오펜을 배웅하러 나와 있었다. 어째서인지 클리오의 모습은 없었다.

오펜은 쌍두 마차 쪽을 보며 말했다.

"그렇다고 해도 그 땅딸보들을 뒤쫓는 데 대단한 준비는 필요 없지만요."

"그 지인 분들, 검을 가지고 도망쳤다면서요?"

티시티니는 마치 장난꾸러기 아이들의 이야기라도 하듯이 웃으며 살짝 인상을 찡그렸다. 아름다운 미간의 주름이 예의바르게 세로로 줄을 그렸다.

“예. 아마도 어딘가에서 그 발트안델스의 검을 돈으로 바꿀 셈이겠지요. 저도 어리석었습니다. 그 녀석들 앞에서 그런 마술 물품이 얼마나 비싸게 팔리는지 입 밖으로 내뱉고 말았으니까요.”

오펜은 탄식이 섞인 목소리로 말하며 머리를 긁적였다. 그리고.

“그런데…… 클리오는 어디죠? 배웅해 줄 거라고 생각했는데요.”

“그 아이는——”

티시티니는 옆에 있던 마리아벨과 힐끗 시선을 마주치더니 입가를 누그러뜨렸다. 그리고 그대로 입을 다물고 작게 어깨를 움츠렸다.

그 동작만으로도 오펜은 직감이 왔다.

그는 쓴웃음을 지으며 말했다.

“……당신은 훌륭한 여성입니다, 티시티니. 하지만 현명한 어머니라고는 하지 못하겠군요.”

“그럴까요?”

티시티니는 완전히 어머니 그 자체의 전형을 과시하는 듯한 분위기로 두 손을 허리에 댔다.

“아뇨, 실언이었습니다. 당신은 현명한 어머니입니다. 정말로요.”

“그 아이를 잘 부탁해요.”

“그 애가 착한 아이로 있는 한은 말이죠. 뭐, 도저히 감당할 수 없게 된다면 돌려드리러 오겠습니다.”

오펜은 그렇게 말하며 티시티니에게서 마리아벨로 시선을 옮겼다. 클리오의 외모를 살짝 건드린 듯한 닮은꼴의 여성은 몸 앞에서 손을 마주잡고 가만히 이쪽을 바라보고 있었다. 오펜은 문득 사실 그녀가 말을 할 수 없는 게 아닐까 의심했지만, 그런 건 아니었다. 마리아벨은 스읍 숨을 들이쉬고, 색소가 옅은 입술을 살짝 벌리며 이렇게 말했다.

"전 정말로, 당신과 결혼할 수 있다면 좋겠다고 생각했답니다."

유리처럼 투명한 목소리였다. 그 말에 당황한 오펜이 머뭇거리자, 그녀는 가느다란 팔을 오펜의 목에 스윽 두르고 뺨에 살짝 입을 맞췄다. ——그 한순간의 감촉 속에서 오펜은 느닷없이 떠올렸다.

'그 아이도 참, 이번 일로 완전히 혼란에 빠지는 바람에…….'

이럴 수가. ——오펜은 현기증을 느꼈다. 이 집안사람들은 자신들의 저택이 암살자들에게 노려지는 그때에도 그런 가십에 열을 올리고 있었던 것이다.

하지만 생각해 보면 혼자서 심각하게 굴었던 자신 쪽이 더 이상했던 것일지도 모른다.

'너무 외골수였던 거야, 난.'

품에 안겼을 때와 똑같이 재빠르게 몸을 뗀 마리아벨에게 후, 하고 미소로 대답하며 오펜은 그렇게 생각했다.

마차는 산보 정도의 속도로 마을을 빠져나와 가도로 나왔다——볼칸과 도틴이 《검》을 들고 어디로 갈지는 뻔했다. 그 녀석들은 마술에 관한 일이라면 단세포적으로 《송곳니 탑》을 향하리라. 그렇다면 북쪽이다.

토토칸타에서 북쪽으로 이어진 가도——며칠 전 아자리가 탄 마차가 사용한 스테아웨이 가도를 그대로 더듬어 나아가며 오펜은 가만히 생각에 잠겼다. 가죽 고삐를 만지작대며, 바람을 느끼면서, 느긋하게.

마차가 마침 아자리의 마차를 세운 지점을 지나쳤다…….

“이 녀석은 볼칸 자식이 쓰던 검인데 말이지.”

쓰러진 채로 숨을 몰아쉬는 아자리를 바라보며, 오펜은 손에 들고 있는 검을 들어 보였다.

“그 바보 녀석은 검을 손질하는 법도 모르고, 거기에 더해 이걸로 동생의 머리를 퍽퍽 두들겨대다 보니――그거 알아? 지인의 머리통은 쇠보다 단단하다는 거. 뭐, 결국 무슨 말이 하고 싶냐면, 그 탓에 칼날이 전부 망가져서 이놈은 거의 몽둥이야. 그렇다고는 해도 아자리, 갈비뼈 정도는 나갔을 테니까 억지로 움직이면 내장을 다칠 거다.”

“날…… 죽일 거야?”

그녀는――이라고 해도 물론 차일드맨의 모습이지만, 어쨌든 안면에 비지땀을 한가득 흘리며 그렇게 물었다. 오펜은 볼칸의 검을 뒤로 내던지고 대신 그녀가 떨어뜨린 발트안델스의 검을 주웠다.

“널 죽일 거냐고? ……그럴 수 있었다면 5년 전에 《탑》을 뛰쳐나오진 않았겠지.”

“옛날의 너와 지금의 너는 다르잖아.”

“똑같아. 아니, 다르려나. ――하지만, 별로 차이는 없어.”

“날 어떡할 거야?”

“…….”

오펜은 발트안델스의 검을 손 안에서 연신 고쳐 쥐며 잠시 생각에 잠겼다. ——아니, 생각에 잠긴 시늉을 했다.

사실을 말하면, 결심은 이미 되어 있었다.

"네 선택에 맡기지."

오펜은 그렇게 말하고 손에 든 《검》을 아자리의 눈앞에 꽂았다.

"이 《검》은 내 바람대로 널 《변화》시킬 수 있는 무기지? 나는 5년 전의 널 똑똑히 기억하고 있어. ——원래대로 되돌리는 것도 아마도 가능할 거야. 아니면 넌 그 모습인 채로 차일드맨으로서 살아갈 수도 있지. 가능성으로 따지면 낮겠지만, 그…… 괴물의 모습으로 돌아가고 싶다면, 그렇게 해 줘도 상관없어. 결국은 너 자신의 문제야. 네가 어떤 삶을 고르더라도 난 그 희망을 들어 줄게. 단——"

오펜은 목소리를 낮추며 말했다.

"단, 네게 조금이라도 죄책감이 있다면, 어떤 모습이 되더라도 두 번 다시 내 앞에 모습을 보이지 말아 줘. 어떤 사정이 있든 넌 차일드맨을 죽였으니까."

아자리는 잠시 거친 숨을 몰아쉬며 침묵했다. 그녀가 그대로 고통으로 기절하는 것이 아닐까 오펜이 걱정하기 시작할 즈음, 그녀는 자신의 희망을 밝혔다.

"슬슬 나와라. 혼자서 마부석에 앉아 있어 봐야 지루하기만 하니까."

오펜은 마부석에서 돌아보지 않고 마차 쪽에 말을 걸었다. 마차는 원통을 반으로 나누어 옆으로 눕힌 형태였고, 앞뒤의 입구를 커튼으로 막아 놓았다. 그다지 커다란 물건은 아니지만 둘, 셋 정도는 태울 수 있으리라. 그 마차의 전방 커튼이 샤악 소리를 내며 열렸다.

"언제부터 알아차렸어?"

커튼 틈새에서 얼굴을 내민 사람은 클리오였다. 완전히 의표를 찔렸다는 듯이 두 눈을 휘둥그레 뜨고 있다. 오펜은 기막히다는 듯이 말했다.

"티시티니가 은근히 전해 주더라. 그 아이를 잘 부탁해요, 라면서."

"그럼 잘 부탁받아 준 거야?"

"어차피 마차에서 끌어내려도 다른 수를 생각할 거잖냐."

"응."

클리오는 조금도 주눅들지 않고 고개를 끄덕였다.

오펜은 그제야 뒤를 향해 찌릿 소녀의 얼굴을 노려보았다. ——클리오는 묘하게 방긋방긋 신나는 표정으로 웃음을 띠고 있다. 마치 자신과는 다른 차원의 생물인 것처럼 보이는 그녀의 얼굴을 바라보던 오펜은 나지막하게 내뱉었다.

"아직도 뭔가 꿍꿍이가 있군. 뭘 숨기고 있는 거야?"

"딱히 숨기는 건 아니야."

클리오는 마술의 트릭을 밝히는 것처럼 우월감에 젖은 시선을 던지더니, 뒤쪽을 향해 말했다——.

"이제 나와도 돼."

"어, 임마. 또 누가 있는 거냐?"

아무리 오펜이라도 그 사실에 경악하며 비명을 지르자, 클리오의 옆에서 쑥 얼굴을 내민 사람은 아직 어린아이 같은 인상이 남아 있는 소년이었다.

"매지크!"

"그치만 마술을 가르쳐주겠다고 했잖아요. 그런데도 여관에는 얼굴도 내밀지 않고 마을을 나가다니 너무하시는 거 아닌가요?"

"하, 하지만——어떻게 이 마차에——"

"어라? 말한 적 없었나?"

이상하다는 듯이 그렇게 끼어든 것은 클리오였다.

"나, 번화가 쪽 학교에 다니거든. 학년은 다르지만 매지크랑은 같은 교실이야. 오펜에 대해서 이야기했더니 아는 사이라지 뭐야. 엄청 놀랐어."

"저기 말이다……."

망연자실한 분위기로 오펜이 투덜대자, 매지크는 소녀 같은 얼굴에 기분 탓인지 홍조를 띠며 항변했다.

"아버지와는 제대로 이야기를 했어요. ——오펜 씨가 여관에서 나가신 뒤로 며칠이나요. 그랬더니 어딘가 신용할 수 있는 마술사에게 사사한다면 괜찮다고 말씀하셔서, 일단 신용할 수 있는 마술사라면 오펜 씨밖에——"

"아아, 알았다. 알았다고. 망할, 버그업 자식——."

오펜은 별 수 없이 손에 든 고삐에 화풀이를 하며 하늘을 올려다보았다. 초여름의 하늘은 높았고 한없이 투명했다. 바람은 하늘의 바로 위에서 불어오는 모양이었다. 녹음으로 감싸인 가도를 고삐를 쥔 채 나아가며 오펜은 일단 외톨이 여행이 아니라는 것을 감사해야 하려나, 하고 생각했다.

가도를 내려다보는 하늘은 드문드문 구름을 뿌렸고, 둥실둥실 떠다니는 구름은 언제든 머리 위로 떨어질 것만 같이 보였다.

"안녕하세요~! 마리아벨입니다앗~! 권말 코너 진행역을 맡게 되었습니다~!"

"……본편이랑 다르게 엄청 텐션 높구만, 너."

"낮게 진행해서 어쩔 건데. 자, 인사 정도는 하시지."

"알았다, 알았어. 독자 여러분, 처음 뵙겠습니다. 신출내기 아키타입니다."

"……또~ 또 그런 웃지 못 할 농담이나 내뱉고."

"뭐 어때."

"어떠기는 뭐가. ……뭐, 분명히 전작에서 2년 가까이나 지났지만~."

"2년이나 지나면 당연히 이미 이름도 잊은 사람도 많겠지."

"그 이전에 이름을 읽을 수 없다는 사람 쪽이 더 많은 거 아니야?"

"……그렇진 않을 걸."

"근데 말이지~. 네 이름, 까놓고 말해 반칙이야."

"반칙이라니…… 딱히 규칙이 있는 것도 아니잖냐."

"그치만 읽을 수 있을 리가 없잖아, 그런 글자. '禎信'였던가? 아마 지금 이 책을 손에 든 사람 전부 이 글자 못 읽을 걸?"

"참고로 '사다노부'는 아닙니다."

"또한 정답은 끝장을 참조하세요."

"실은 다른 펜네임을 쓸지 생각했던 시기도 있었지."

"……그래? 뭔가 불길한 예감이 드는데……. 어떤 펜네임이야?"

"日和見라고 쓰고 '히나타카즈미'*라든가, 히노에우마 헤소고로라든가, 또 링네임 식으로 해서 파이터 도로가메, 란도셀 만년과장, 하이힐 정강이털……. 플랜더스의 고양이라는 것도 있었지."

"……친정으로 돌아가겠어요."

"친정은 어디길래."

"뭐, 됐어. ……그건 그렇고 왜 이렇게 시간이 벌어진 거야. 2년이나 걸려서 이 이야기를 쓴 건 아니잖아?"

"응."

"뭘 했어?"

"펜네임 생각했어. 꼴까닥 코토부키라든가, 루메니게 체중계라든가."

"그런 걸로 청춘의 2년을 헛되이 쓰고는 후회 같은 것도 없어?"

"그 외에도, 제대로 글도 썼습니다."

"……어떤?"

"「이제 콧털이 멈추지 않아!」라든가, 「지브롤터 해협 겨울색」이라든가."

"너 말이지~……."

"뭐, 뭐가 어찌되었든, 이런 녀석이 무사히 이번 일을 끝낼 수 있었던

---

*日和見는 보통 '히요리미'라고 읽는다

것도 모두 응원해 주신 여러분들의 협력이 있었기 때문입니다."

"아, 조금은 겸허한 면이 있긴 하구나."

"겸허의 허라는 글자는 허언의 허!"

"진짜 싫다~."

"으으음. 어쨌든, 이 원고를 집필 중에 도와주신 모든 분께 감사를! 아~, 니시오기쿠보의 책방에서 알바를 하는 키타무라 군, 오늘도 메구로에서 알전구를 마구 핥으며 혼자서 웃고 있을 야나기토 군, 취해서 날뛰다가 공중변소를 흔적도 없이 파괴한 즈미폰 군——"

"……너 진짜 제대로 된 친구가 없구나."

"시끄럽고. 아~, 강의에서 신세를 진 S, O, K, 그리고 야마시타, 사와노 료 선생님, 히탄 씨 사랑해요~(웃음). 알바를 하게 해주신 아츠기의 이시마루 가구점 분들. 그리고…… 나머지는, 뭔지 잘 알 수 없는 방문판매 아저씨! 자주 창밖에서 내 방을 들여다보는 녹색 얼굴의 사람!"

"갑자기 거짓말처럼 들리는데?."

"(무시) 그리고 물론 편집부의 M씨나 일러스트를 맡아 주신 쿠사카 씨! 그 외 어쨌든 이 책의 출판에 힘을 써주신 모든 분들! 그리고 마지막으로 이 책을 구입해주신 당신!"

"정말로 감사합니당♪"

아키타 요시노부

나의 명령에 따르라, 인형

「왠지 누군가가 보는 것 같아」
「기분 탓이야。
야생 짐승 같은 거 아니야?」
돌아보지도 않고、
매지크는 다시 콧노래를 재개했다……

도린이 올려다본
거대한 초상화 밑에는、
「시스터 이스터시바」라고
새겨져 있었다

「우왓핫핫하하하하하!」
느닷없이 큰 웃음소리가 울려퍼지며
운하 안에서 골렘이 나타났다!

SORCEROUS STABBER ORPHEN

CONTENTS

나의 명령에 따르라, 인형

애장판 1

나의 명령에 따르라, 인형

秋田禎信
Yoshinobu Akita

일러스트 쿠사카 유야 **번역** 곽형준 **디자인** 백진화
편집 정성학 김일철 **마케팅** 김정훈 **책임편집** 박관형

나의 명령에 따르라、인형

프롤로그

어둠. 아니, 어두운 석조 회랑 안. 그 회랑 끝에 위치한 방의 입구에서 빛이 흘러나온다. 벽에는 물이끼 같은 것이 끼어 축축한 색을 띠고 있었다.

그런 방 안에서 여러 사람의 목소리가 들렸다…….

"이, 이봐……. 이건 뭐지?"

"……인형? 같이 보이는데……."

"몇십――아니, 몇백 개는 되는 거 아니야? 기분 나빠……."

"스테파니, 이 문자 읽을 수 있나? 고어(古語) 같다만……."

"……《그들은 주인의 명령을 받들 뿐. 어떠한――》"

하고 문장을 읽는 여자의 뒤에서 다른 남자가 대화를 나누었다.

"어마어마하군. 이런 커다란 유적이 지금까지 발견되지 않았다니……."

"여긴 도시의 사각이니 말이지. 지금까지는……."

"《어떠한 미래에도, 한없는 시간이 가로막을지언정――》"

"하지만 여기서 발견한 것들의 연구보고를 완성하면……."

"그래. 연구가 인정받는다면 우리들도 중앙으로 갈 수 있을지도 몰라. ――적어도 이런 마을에서는 나갈 수 있겠지. 젠장, 이딴 마을 엿이나 먹으라지!"

"《한없는 시간이 가로막을지언정, 주인의 명령을 잊지 않으리라.》"

"나는 토토칸타로 갈 거다……. 그곳에는 마술사의 권리가 제대로 인정받고 있거든. 그 《송곳니 탑》에서 교관이 되는 것도 좋고…….”

“하. 네가 교관씩이나 맡을 만한 재목이냐.”

“좀 조용히 해 봐! 어어…… 《그들은 주인의 명령을 받들 뿐》. ——나머지는 이 구절의 반복이야. 마치 주문 같아.”

“아무래도 좋아. 어차피 겉만 그럴싸한 협박일 테니까.”

“난 토토칸타로 갈 거야…….”

“이봐, 잡담은 그쯤 해 둬. 자, 이 녀석을 관에서 꺼내 옮기자고.”

…….

“그대들은 주인의 명령을 받들 뿐——알고는 있겠지만.”

영묘(靈廟) 안에 울리는 목소리는 차가웠다. 하지만 그것은 감정이 차갑기 때문이 아니라——오히려 운명이 뼛속 깊이 싸늘하게 식은 차가움이었다. 절망과, 이제 존재하지 않을 미래에 대한 춥디 추운 선망.

영묘는 어둡고 습했다. 그 탓인지 실내는 괴이한 냄새로 가득했다. ——이 습기로는 지나가는 말로도 시체를 잘 보존할 수 있다고 할 수 없으리라.

그리고 목소리의 주인은 홀로 그 악취를 견디고 있었다.

“나는 그대들에게 생명을 줄 수 없었다. ——그것은 나의 ‘마술’로는 무리다. 아마도 지고의 ‘마법’이라면 가능했겠지만——.”

목소리는 후회에 젖듯이 잠시 멈췄다.

"가능했겠지만, 나의 선조는, 나의 《시조》는 그 정도까지 유능하지 못했지. 그 부족함은 역사에 오점을 남겼고——오점은 이어져 내려와——현재——우리는 필요한 힘을 얻지 못했다."

암흑 속에서 조용히——녹색의 윤곽이 떠올랐다. 부드러워 보이는 연두색 로브의 소매 윤곽이 보였다.

"그리고 그대들도 마찬가지다. 아니, 생각해 보면 그대들의 상황은 더욱 좋지 않다. 그대들은 필요한 생명조차 얻지 못했으니——내가 그대들에게 줄 수 있는 것은 문자뿐——내가 가진 힘의 결정인 《월드 그라프》뿐이다."

목소리는 신경질적으로 탄식했다.

"그리고 나의 힘은 여기까지다. 나도 이제 곧 죽으리라. 도움도 얻지 못하고——어차피 우리는 과거의 종족이다. 앞으로 이어질 시간을 살아갈 생명력은 이미 남아 있지 않아. 후후——."

그 웃음소리에는 자조가 흘러 넘쳤다.

"황당무계한 말이지만, 나는 우리 동포들의 유체가 썩는 이 악취가——전혀 신경 쓰이지 않는다. 그것은 아마도 이미 나의 신체조차도 썩어가 같은 냄새를 풍기고 있기 때문일지도 모르겠군. 아니, 혹은——."

거기서 어깨를 으쓱이는 기척이 주변의 어둠에 파문처럼 퍼졌다.

"이 냄새가 기쁜 것일지도 모르겠어. 적어도 이 썩은 내는 우리가 존재했다는 증거다. 하지만 그것도 언젠가——이 시신을 쥐들이 전부 파먹으면, 그걸로 끝이지. 냄새조차 나지 않아. 우리는 지상에서 사라질 것이야……."

목소리는 거기서 잠이 든 것처럼 사라졌다. 침묵이 어둠을 깊이 만들며——보일 듯 말 듯 하던 로브의 윤곽이 다시 어둠 속으로 녹아들었다.

하지만——느닷없이 큰 목소리가 터져 나왔다.

"웃기지 마라! 나는 사라지지 않는다!"

목소리는 숨을 몰아쉬며 외침으로 변화했다. 외침은 절규로. 그리고——

"나는 사라지지 않는다! 죽음은 피할 수 없을지도 모르나! 사라지지 않는다!"

——절규는 단말마의 떨림으로 변화하고——

"사라지지 않아! 나는, 내가 존재했던 증거를 이곳에 남길 것이다!"

거기서 목소리는 힘을 모두 쓴 것처럼 갑자기 힘을 잃었다. 털썩, 하고 무언가가 쓰러지는 소리. 혹시 그것은 목소리 그 자체가 쓰러진 것일지도 모른다——.

그렇게 목소리는, 마지막으로, 천천히, 나지막하게 내뱉었다.

"그러니…… 그대들은 주인의 명령을 받들라. 주인의 명령을 받들라……."

"——알겠습니다, 나의 주인이시여. 언젠가……."

그 대답은 아까 전에 들리던 목소리와는 완전히 다른 방향에서 들렸다. 하지만 그것은 명백히 똑같은 목소리였다.

이미 생명을 가지지 않은, 이라는 의미에서.

제1장 비보의 파수꾼

키에살히마 대륙의 초여름은 짧다.

아무도 그 이유를 모르고 흥미를 가지려 하지도 않는다. 매지크도 그 이유를 모르는 사람 중 하나다. 그리고 또한 그 이유에 딱히 관심을 가지지 않은 인간 중 하나이기도 하다.

하지만 어찌되었든 그 초여름이 한 해 중에 가장 쾌적한 시기 중 하나임에는 틀림이 없다.

매지크는 강변에 놓인 바위 뒤 그늘에 누워 멍하니 허공을 바라보았다.

가볍게 콧노래도 불러보았다.

“얘, 매지크~.”

거기서 바위 너머――물가 쪽에서 소녀의 목소리가 들렸다.

“아까부터 부르는 그거, 무슨 노래야~?”

매지크는 콧노래를 멈추고 잠시 생각에 잠긴 뒤에 대답했다.

“딱히. 아무 노래도 아냐.”

그렇게 대답하고는 다시 콧노래를 시작했다.

바위 너머에서 들리는 소녀의 목소리는 흐응, 하고 왠지는 모르지만 알겠다는 듯한 반응을 보이고는 무의미하게 물을 여기저기 뿌렸다. 어찌된 이유인지 그녀는 대낮부터 즐겨 멱을 감는다. 그런 주제에 남의 시선은 피하고 싶은지 매번 매지크를 데리고 와 망을 보게 하였다.

매지크는 콧노래를 부르며 멍하니 생각했다.

'대체 재는 뭐지?'

콧등을 손가락으로 긁적이며.

'전부터 이래. 학교에서도 항상 심부름꾼처럼 부려먹고. 젠장. 날 뭐로 보는 거야. 나는 흑마술사 매지크라고.'

하고 마음속으로 단언하고는 거기서 자신을 잃은 듯이 생각을 고쳤다.

'아니, 적어도 일단은 마술사 후보생이야. 마술사라고 하면 기사 계급까지는 가지 않아도 평민보다는 조금 격이 높은 칭호라고. 저런――봐봐, 클리오는 결국엔 상가의 막내딸에 지나지 않잖아. 저런 여자에게 파수견처럼 다뤄질 이유는 없어.'

거기서 자신이 입고 있는 옷을 내려다보았다. 며칠 전 들린 마을에서 새로 구입한 것으로, 거의 그의 마술 스승인 남자의 복장을 흉내 낸 차림이다. 검은 셔츠에 크기가 큰 가죽 바지, 그리고 그 위에 검은 망토를 두른 모습. 여기에 원래는 벨트에 단검을 넣을 칼집을 꽂든지 해서 무장을 하고 싶었지만, 그의 스승은 무기 종류를 절대로 건드리게 하지 않았다.

'스승님까지 날 어린애 취급해. 난 이미 14살이야. ――이제 조금만 있으면 열다섯이라고. 겨우 반년만 있으면 말이야. 그런데도 사부는 사과 껍질도 깎지 못하는 녀석에게 날붙이 같은 걸 들게 하면 무슨 일이 일어날지 모른다고만 하고!'

매지크는 콧노래의 곡조를 살짝 험악하게 바꾸며 금발을 쓸어 올렸다. 그림으로 그린 듯한 미소년의 햇볕에 그을리지 않은 매끄러운 피부를 타고 그리는 윤곽은 화를 내고 있어도 애교가 느껴지는 듯했다.

"애."

거기서 소녀――클리오가 돌아보며 말했다. 바위 뒤의 매지크에게는 보이지 않을 터이지만 그는 알 수 있었다. 그녀는 금발이 젖어 몸에 달라붙은 모양새로 물었다.

"왠지 누군가가 보는 것 같아."

"기분 탓이야. 여긴 가도에서 몇백 미터나 떨어진 곳인걸. 굳이 이런 곳까지 훔쳐보러 오는 별종은 없다고."

"하지만――"

그녀는 주변을 두리번거렸다. 나이는 열일곱. 상인 가문 에버래스틴 가의 막내딸. 그 집안에는 아득히 먼 옛날 몰락귀족의 피가 섞여 있다는 말이 있는데, 실제로 클리오에게는 그 특징이 진하게 묻어나왔다. 훌쭉한 몸매와 며칠이나 햇볕 아래에서 지냈는데도 탈 기색을 보이지 않는 피부. 모조 보석처럼 초점이 명확하지 않은 눈동자. 그리고 손가락. 반짝반짝 빛나는 수면에서 느닷없이 새의 깃털이라도 자아낼 것처럼 재간 있어 보이는 손가락은 명백히 농사일이라곤 모르는 귀족의 손가락이다.

되풀이하지만 매지크의 위치에서는 보이지 않는다. 하지만 매지크는 정확히 그녀를 향해 말했다.

"야생 짐승 같은 거 아니야? 여기에 물을 마시러 왔다든가."

"그런가……?"

클리오는 애매모호한 목소리로 중얼거리고는 다시 물방울을 튕겼다.

매지크는 다시 콧노래를 재개했다. 그때――

갑자기 그의 눈앞에 신발 바닥이 나타났다. 그 사실을 깨달았을 때에는 이미 늦었고, 피할 틈도 없이 그 신발은 있는 힘껏 그의 안면을 짓밟았다.

"퓹!"

매지크는 신음하며 안면을 밟은 발을 치우려 했다. 하지만 발버둥을 치면 칠수록 그 발은 교묘하게 중심을 이동하여 매지크를 꼼짝할 수 없게 만들었다. 그렇게 잠시 아등바등 저항하던 매지크는 비명을 질렀다.

"잠깐요! 스승님이죠!? 하지 마세요!"

"호오. 내가 눈앞에 서 있어도 깨닫지 못한 것 같기에 살짝 인사를 했을 뿐이다만."

그런 말과 동시에 스승 발이 사라졌고, 매지크가 위를 올려다보자 그곳에는 '스승님'이 서 있었다. 매지크를 가랑이 사이에 두고 위풍당당하게 선 차림으로. 매지크의 복장에 한 번 더 돈을 들인 듯한 복장이지만 머리카락과 눈동자가 모두 검은 만큼 매지크보다 더 잘 어울렸다. 그는 명실상부한 흑마술사이며, 아직 스무 살 정도이지만 평범한 마술사가 아니었다. 여행용 검은 망토를 어깨에 고정하는 장신구와 가슴에서 흔들리는 은제 펜던트 위에는 검에 얽힌 외다리 드래곤의 문장이 빛났다. ——이것은 대륙 마술의 최고봉 《송곳니 탑》에서 마술을 배운 자의 증거이자, 최고의 마술사라는 증명이기도 하였다.

"갑자기 밟을 건 없잖아요, 스승님——."

매지크가 항의하려 했지만 오펜은 쉿, 하고 얼굴 앞에 손가락을 세웠다.

“작은 소리로 말해. 클리오가 알아차린다.”

“뭐야. 스승님. 설마 훔쳐보러 오신 건가요?”

“바보 같은 소리 마라. 내가 너냐.”

오펜의 말에 매지크가 몸을 움찔 떨었다. 오펜은 씨익 웃고는 살짝 허리를 숙이고 얼굴을 들이댔다.

“역시 정곡을 찌른 모양이군. 마술로 빛을 굴절시켜서 본래 시선이 닿을 리 없는 곳을 엿본 거지? 콧노래를 주문으로 삼아서. 주문 소리가 닿지 않는 곳에는 마술의 효과도 닿지 않으니 말이다.”

“아하하.”

매지크가 얼버무리듯이 웃자 오펜은 조용히 고개를 끄덕이고 그의 이마를 손가락을 쿡 찔렀다.

“왜 그렇게 금방 알아챘냐 하면——그게, 뭣이냐. 나도 옛날엔 그랬던 적이 있거든. 견습생 시절에.”

“아, 정말요?”

살짝 비친 용서의 기색에 매지크가 안도하며 되묻자, 오펜은 다시 한 번 고개를 끄덕이고는 주먹으로 매지크의 머리를 때리고 표정을 바꾸었다.

“하지만 다른 놈이 하는 걸 보니 열이 받는군 그래.”

“회, 횡포다.”

“시끄러워. 잘 들어. 두 번 다시 하지 마라. 어겼다간 클리오에게 까발린다. 저 녀석이 화를 내면 손도 댈 수 없게 되는 건 알고 있겠지?”

“추, 충분할 정도로요…….”

그의 말은 사실이었다. 매지크가 그렇게 대답하자 오펜은 만족한 듯했다.

"좋아. 다시 한 번 말하지. 두 번 다시 하지 마라."

오펜은 그렇게 다짐을 시키고는 재빨리 몸을 일으켜 소리 없이 그곳에서 사라졌다. 잠시 그 뒷모습을 바라보고는 이제 말을 해도 들리지 않을 곳까지 떨어지자 매지크는 나지막하게 내뱉었다.

"……정말, 스승님도 별나. 이상한 데서 성실하다니까."

그는 어깨를 움츠리고는 다시 콧노래를 시작했다.

'저 꼬맹이, 지금 장난하자는 거냐?'

오펜은 고동이 멎지 않는 가슴을 쓰다듬으며 뚜벅뚜벅 빠른 걸음으로 걸었다. 그들의 마차를 세워 놓은 곳까지 일직선으로 이동하며 계속해서 마음속으로 투덜대면서.

'마술을 썼다고? 저 녀석한테 가르치기 시작한 지 아직 2주밖에 안 됐는데?!'

통상 마술사가 마술을 다룰 수 있게 되기까지는 몇 년에서 몇십 년까지도 걸린다——사람에 따라 어느 정도는 차이가 나지만 그래도 별반 다르지 않은 것이 보통이다. 힘이라고는 하나도 없는 견습생이 마술이라는 새로운 '감각'을 익히는 것만으로도 5년은 걸린다고들 한다. 극단적으로 재능이 풍부한 인간만이 모이는 《송곳니 탑》에서도, 오펜은 3년과 4개월의 시간이 필요했었다. 그래도 우연히 나타나는 단기간 기록이라고 주변의 칭송이 자자했다.

'2주라고?'

물론 매지크가 다루던 힘은 견습생이 처음으로 마술이라는 것을 다루게 될 즈음 보이는 정도의, 지극히 초보적인 힘에 지나지 않는다. 평가를 하면 어설프기 짝이 없다. 일반적으로 마술사의 성숙 단계에는 3단계가 있으며, 첫 단계는 단순히 '마술'이라는 힘을 지각하고 스스로 그 힘을 다룰 수 있게 되는 것. 다음으로 둘째 단계가 중요한데, 그 마술의 힘을 집중하고 증폭할 수 있게 되는 것. 이 단계에 접어들면 어엿한 마술사라고 할 수 있으며《송곳니 탑》이라면 문장이 새겨진 펜던트를 수여받는다. 참고로 셋째 단계는 요컨대 제몫을 하는 마술사가 된 뒤에 그 힘으로 큰 연구 업적을 이루는 것으로, 마술사의 역량과는 그다지 관계가 없다.

첫 단계의 마술사처럼 그저 단순히 주변에 마술을 방사하고 있을 뿐이어서는 대단한 힘이 되지 않는다. 기껏해야 훔쳐보기나 손을 대지 않고 성냥갑을 움직이는 정도로, 물을 끓일 수조차 없다. 자신의 힘을 그 목적에 맞춰 집중하고 또한 증폭하지 않으면 전혀 의미가 없다.

하지만 그렇다고 해도 2주는 터무니없었다.

'저 녀석, 이대로 가면 1년도 되지 않아 마술사가 되는 거 아니야?'

만약 그렇게 된다면——

그는 절망적인 목소리로 최후의 한 마디를 목소리로 내어 중얼거렸다.

"내년부터는 수업료를 받을 수 없게 되잖아!"

◆◇◆◇◆

"——그렇게 하여 이 마스마튜리아의 투견, 볼카노 볼칸이 목숨을 걸고 흑마술사의 사악한 음모를 타도하여 이 발트안루데스의 검을 되찾은 것입니다."

하고 당당하게 밝히는 형의 뒤에서 도틴이 작은 목소리로 정정했다.

"발트안델스."

"맞아, 바틀안델스."

볼칸은 돌아보지도 않고, 심지어 고집스러울 정도로 다시 잘못된 이름을 입에 담았다.

도틴은 흘러나오는 탄식을 삼키고 형의 뒤에서 그들의 정면에 있는 검은 로브 차림을 한 거구의 남자에게 시선을 옮겼다.

"…………."

넓적하고도 인상이 두루뭉술한 남자는, 가만히 볼칸을 바라보면서도 그의 설명에는 조금도 반응하지 않고 그저 침묵을 지키고 있다. ——아니, 정확히는 말이 통하지 않는 느낌이었다.

현재 그들이 있는 곳은 조금 큰 도시라면 어디에라도 있는 덤즐즈 어리전즈(대륙 마술사 동맹)의 지부 중 하나이다. 그의 형은 건물에 들어가 곧바로 보이는 접수처에서 아까부터 한 시간 넘게 손에 넣은 고대의 비보——발트안델스의 검을 팔기 위해 설명을 반복하고 있다. 하지만 접수처에 앉아 있는 거구의 남자는 완전한 무표정으로 멍하니 그들을 바라볼 뿐이었다.

그 반응에 아무리 볼칸이라도 불안해지지 않을 수는 없었는지 망설이듯이 중얼거리는 소리가 들렸다.

"듣고 있어?"

"……예이."

거구남은 나지막하게 그렇게 입에 담았다.

볼칸은 휙 도틴을 돌아보았다.

"도틴, 혹시나 싶은데, 이 자식 바보 아니냐?"

"쉿, 다 들려……."

도틴은 그렇게 주의했지만, 힐끗 앞을 보자 그 남자는 명백히 듣지 않은 모양인지 다시 허공을 보며 멍하니 있었다.

볼칸과 도틴은 함께 탄식했다. 형은 다시 그 접수처의 남자를 돌아보고 이제 몇 번째인지 모를 《검》의 설명을 반복했지만, 도틴은 이제 아무래도 좋다는 기분으로 주변을 둘러보았다.

대륙 마술사 동맹이 덤즐즈 어리전즈──'옛 처녀의 기도'라고 불리는 이유는 그 단체의 문장이 기도를 올리는 처녀의 옆얼굴이기 때문이다. 반원형의 방패 한가운데에 기도를 하는 여성의 옆얼굴(다만 도틴은 항상 그 여자의 얼굴이 처녀라기엔 훨씬 늙어 보인다고 생각했다)이 부조되어 있고, 그 문장은 접수처 안쪽의 벽에 걸려 있다.

여기 아렌하탐에 있는 마술사 동맹 시설은 그다지 큰 규모는 아니었고, 도틴이 2주 전까지 있던 토토칸타 지부와 비교하면 몇 분의 일 정도밖에 되지 않았다. 아무래도 학교였던 건물을 물려 쓰는 모양인지 마술사 연합의 건물치고는 묘하게 채광이 좋았다. 바닥은 리놀륨이 깔려 있지만 여기저기 금이 가 있고 더불어 제대로 청소도 하지 않는 듯했다. 벽도 상당히 낡고 때가 눈에 띄었다.

——흠집은 물론이고 절반밖에 지워지지 않은 낙서 자국, 어린애의 것으로 보이는 손자국, 신발을 던져 생긴 듯한 작은 발자국이 천장에 나 있다.

건물 입구에는 간판도 없었다. ——그래서 마술사도 뭣도 아닌 그들이 마술사 연맹 건물에 들어올 수 있었던 것이다. 단지 입장하자마자 만난 자가 바로 이 접수처의 거구남으로, 생각해 보면 이것은 우람한 냉사가 경비를 서는 것보다 더 형편이 나빴다. 건물 안쪽에 들여보내주지도 않으며——내쫓아 주지도 않았으니까.

그렇다. 특히 내쫓아 주지도 않는 것이 문제다. ——하고 도틴은 다시 마음속으로 한숨을 쉬었다. 자신의 두꺼운 안경 너머로 형의 등을 보았다. 신장 130센티라기에는 땅딸막한 체격에, 모피 망토에 전부 들어가는 형——볼카노 볼칸의 등을. 망토 끄트머리에서 칼집이 힐끗 보인다. 그는 그 검과는 다른, 고풍스러운 대검을 접수 카운터 위에 놓고 까치발을 든 채로 호들갑스럽게 그 검을 손에 넣은 경위를 지껄이고 있다.

"사악한 흑마술 집단이——"

"그때, 도움을 바라는 여성의 목소리——"

"땅을 가르고 나타난 커다란 괴수——"

반복할 때마다 미묘하게 바뀌다 보니 지금은 사실과 완전히 다른 이야기가 되었지만, 어찌 되었든 접수처의 거구남에게 이해의 표정이 떠오를 기색은 없었다. 도틴은 안경을 일단 벗어 자신의 셔츠로 렌즈를 닦고는 다시 썼다.

'나 참——그러니까 이런 곳에 오는 건 관두자고 했던 거야.'

도틴은 신장 2미터 이상이나 될 법한 거구의 남자를 올려다보았다. 형보다 한층 더 키가 작은 도틴의 시점에서는 남자의 머리가 그야말로 하늘 꼭대기까지 닿을 것처럼 느껴졌다.

볼칸이 다시 이야기를 끝내고 헉헉 숨을 몰아쉬며 거구남에게 씨익 웃음을 던지는 것이 보였다. 그는 어린아이가 부모의 안색을 살피는 듯한 표정으로 말했다.

"이해하셨는지요?"

"예이."

하고 대답하는 거구남. 표정에 변화는 없다. 형은 그래도 포기하지 않았다.

"그럼 이 검을 얼마에 사주실 수 있는지?"

"예이."

거구남은 그런 대답을 되풀이할 뿐, 또다시 지금까지와 똑같이 허공을 바라보았다.

"…………."

형은 다시 이쪽을 돌아보았다.

"도틴. 역시 이 자식 바보다."

"다 들린다니까……."

도틴은 황급히 형을 말렸지만 실은 그도 똑같이 생각하던 참이었다.

"어떡할 거냐, 도틴. 이 녀석이랑 이야기해도 끝이 안 난다고."

"어떡할 거냐니……. 저 발트안델스의 검을 마술사 연맹에 팔아 돈으로 바꾸겠다고 말을 꺼낸 건 형이잖아."

"내 탓이라는 거냐?"

볼칸은 도틴의 멱살을 잡고 노려보았다.

"너도 반대하지 않았잖냐!"

"했거든! 마술사가 우리 같은 사람을 상대할 리가 없다고——"

"상대하지 않는다고 해도 이런 의미는 아니잖냐!"

형은 그렇게 외치며 뒤에서 아직도 멍하니 있는 거구남 쪽을 가리켰다. 도틴은 내키지 않지만 동의할 수밖에 없었다.

"그야 그렇지만……."

"그럼 그 반대는 무효야. 그렇게 됐으니 네 잘못이다!"

"무슨 말도 안 되는 소리야!"

도틴은 아우성을 치며 도움을 요청하듯이 다시 거구남의 얼굴을 올려다보았다. 거구남의 표정에 변화라고는 조금도 보이지 않았다.

결국 도틴은 멱살을 잡고 있던 형의 손을 밀며 거구남을 향해 말했다.

"저기…… 이런 식으로 눈앞에서 분쟁이 벌어질 경우는 보통 말리려 하지 않을까 싶은데요……."

"예이."

거구남은 갑자기 움직이더니, 접수 카운터 안쪽에서 슥 몸을 내밀어 뒤에서 볼칸의 목덜미를 잡아들었다. ——볼칸은 도틴에게서 떨어져 공중에 매달린 채로 손발을 아등바등 움직이며 소란을 피웠다.

"뭐, 뭐냐! 젠장, 양동이를 씌워 죽인다! 야 인마, 도틴, 네 짓이냐?"

"……."

도틴은 형의 말에는 대답하지 않고 멍하니 거구남을 올려다보았다.

그리고 무언가가 머릿속을 스쳐 지나갔다.

그는 엇흠, 하고 헛기침을 하고 나서 거구남에게 말했다.

"저기…… 형을 떨어뜨려 주세요."

도틴의 말에 반응해 거구남이 팟 손을 놓자, 볼칸은 어떻게 해 볼 도리도 없이 털썩 바닥에 떨어졌다——.

볼칸은 나지막하게 내뱉었다.

"왜 내리라고 하지 않고 떨어뜨리라고 했냐……."

그 말을 무시하고 도틴이 말을 이었다.

"손을 들어."

거구남은 곧바로 머리 위까지 양손을 들었다.

이쪽으로 달려드는 것도 잊고 볼칸도 아연한 표정으로 거구남의 행동을 보았다. 도틴은 다시 말을 이었다.

"콧물을 흘려."

"예이."

거구남은 자신의 콧구멍에 검지를 제2관절까지 쑤셔 넣더니, 다시 빼보였다. 당연히 콧물이 그렇게 알맞게 나오지는 않았지만 그 대신 기세 좋게 코피가 터졌다.

"어, 어이, 뭐야. 뭐야, 이거?"

볼칸도 그 모습에 기분이 나빴는지 이쪽에 매달리듯이 다가왔다. 도틴도 기분이 나쁜 것은 마찬가지였지만 어쨌든 형보다는 냉정을 유지하고, 얼굴 아래 절반을 피투성이로 만든 검은 로브의 거구남을 바라보며 중얼대듯 말했다. ——지극히 당연한 말을.

"아무래도…… 왠진 모르지만——이곳의 마법사는 이상한 것 같아."

결국 그 접수요원은 무시하고 도틴과 볼칸은 건물 안쪽으로 들어갔다. ——도틴으로 말할 것 같으면 당장에라도 나가고 싶었지만, 볼칸은 그런 그의 의향은 무시하고 쭉쭉 복도를 나아갔다. 칼집에 든 발트안델스의 검을 어깨에 메고 터벅터벅 걷는 형의 뒤를 따라가며, 도틴은 영문 모를 불길한 예감을 느꼈다.

'어쩌면 내 인생은 앞으로도 쭉 이 모양인 게 아닐까?'

그런 불길하기까지 한 상상이 뇌리에 떠올랐다.

'고향에도 돌아가지 못하고, 하루 벌어 하루 먹고 살면서, 끈질기게 빚쟁이에게 뒤쫓겨 각지를 전전하면서, 무슨 일만 있으면 형한테 검으로 얻어맞고, 심지어 그 싸움으로 다쳐도 병원도 가지 못하고…….'

그렇게 중얼중얼 마음속으로 불길한 예상을 늘어놓고 있자, 아무래도 앞을 걷던 형도 비슷한 생각을 한 모양이다. 딱히 누구에게 향하는 것도 아닌 볼칸의 불평이 들렸다.

"원 참, 재수도 없지. 모처럼 이렇게——"

하고 어깨에 짊어진 검을 든 손으로 쿡 찌르고는,

"이렇게 엄청 무거운 검을 짊어지고 이렇게 몸소 와 줬는데 접수원은 무능한데다 마중도 없고 말이야. 마술사라는 놈들이 이렇게 무뚝뚝한 놈들일 줄은 생각도 못했다고. 인간이라는 것들은 이놈이고 저놈이고 죄다 사기꾼이나 살인자밖에 없다고는 생각했지만, 거기에 지루함까지 더해질 줄이야!"

그 말을 들은 도틴은 목소리로는 내지 않고 대답했다.

'……그렇게 말하면 형은 사기꾼은커녕 거짓말쟁이 양아치 수준이잖아. 지루함은 말할 것까지도 없고.'

이 말을 볼칸이 들었다간 반죽음을 당할 테지만 마음의 목소리는 들리지 않는다. 특히 이 형에게는.

——도틴은 형제의 유대감이라는 말은 거짓말이다, 하고 절실하게 느꼈다.

그렇다고 해도 볼칸이 이렇게 인간에게 불평을 표하는 것도 이유가 없는 것은 아니다. ——애초에 그들은 '지인(地人)'이다. 대륙 남부의 극한지에 사는 그들 종족은 어지간해서는 그 외의 토지에는 발을 들여놓지 않는다. 집안에서 의절당한 그들 형제(정확하게 말해 부모에게 의절을 당한 사람은 볼칸뿐이었지만, 도틴은 거의 유괴당하다시피하여 형에게 끌려나왔다)를 제외하면 이 근처에서 지인을 보는 경우는 거의 전무하다고 해도 과언이 아니었다.

거기에 더해 인간들의 인식에서 지인은 그렇지 않아도 체격이 작다 보니 완전히 어린아이를 강제노동에 보내는 것처럼 보이고, 손재주도 없으며, 목욕도 하려 하지 않는 종족이다.

따라서 이 인간의 도시에서 지인이 제대로 된 일거리를 찾을 수 있을 리 없는데다, 애초에 제대로 된 대접을 받는 일조차 거의 없다고 해도 좋다. 그래서 그들 형제는 고향을 뛰쳐나온 뒤로 1년 반 동안 거의 부랑자나 마찬가지인 생활을 보냈다. 다만, 만약 인간이 지인들의 토지——마스마튜리아에 발을 들인다면 완전히 반대 처지에서 똑같은 말을 할 수 있을 테니 누군가의 잘못인 것은 아니다.

도틴이 그런 생각을 머릿속에서만 투덜투덜 정리하며 작게 하품을 하였다.

형이 아직도 무언가를 투덜대는 말이 들렸지만 흘려 넘겼다.

실제로 형의 말 따위는 아무래도 좋았다. ——어차피 지루하고 엉뚱한 소리밖에 하지 않으니까. 하지만 그래도 조금은 들어두지 않으면 나중에 질문에 대답하지 못하여 무안해질 것이다.

볼칸은 그런 동생의 기색은 추호도 깨닫지 못하고 큰 소리로 불평을 계속했다.

"아무래도 인간 놈들은 날 너무 얕보는 거 아니야? 숙소를 잡으려 하면 거절당하고, 일거리도 소개해 주지도 않고, 길을 걷기만 하면 들개가 달려들고."

볼칸은 마술사동맹 아렌하탐 지부의 복도를 자기 집인 것처럼 걸으며 불끈 주먹을 쥐고 열변을 토했다. 도틴은 힐끗 그런 형을 일별하고 입안에서 중얼거렸다.

'당연하잖아.'

하지만 이유는 달랐다. 숙소에서 쫓겨난 것은 형이 검을 차고 있기 때문이고, 일거리를 받지 못하는 것도 형이 소개소에서 순서를 지키지 않은 탓이다. 거기에 더해 개에 관해서도 볼칸이 그 개의 먹이를 가로채지 않았더라면 그렇게나 빈번하게 들개에게 쫓기는 일은 없었을 것이다.

무장에 대해서 말하자면 도틴은 지금까지 수없이 에둘러 형에게 검을 차는 것을 그만 두도록 설득했다. 이 전쟁의 지읒도 안 보이는 평시에 무장을 하는 사람은 군인이나 마술사, 그렇지 않으면 변태뿐이다. 더욱이 마술사와 변태는 동의어이니 결국 칼을 차는 사람은 군인과 변태, 두 종류뿐이라고 해도 좋다.

그리고 불행하게도 형은 그 중 변태다. 적어도 대충 그렇게 불러도 지장은 없으리라.

"우리는 박해를 받고 있어!"

볼칸이 주먹을 휘두르며 외쳤다. 하지만 조용히 정적에 가라앉은 복도에서는 아무런 반응도 돌아오지 않았다.

후우――하고 탄식한 도틴은 주변을 둘러보았다. 그저 일직선으로 뻗은 복도는 곳곳에 양동이와 대걸레가 놓인 것 이외에 눈에 띄는 장식물은 아무것도 없다. 마술사동맹의 건물에 들어온 적은 없으니 자세한 것은 모르지만, 혹시 다른 도시의 마술사동맹 시설도 이곳과 비슷하다면, 그렇다. ――분명히 마술사 놈들은 지루한 녀석들이리라.

하지만 그건 그렇다고 치고, 도틴은 거기서 의문을 느꼈다.

'――왜 아무도 없는 거지?'

지금은 2시 반――점심시간이라고 할 만한 시각은 아니거니와 복도를 이만큼이나 걸었으니 한 명 정도는 누군가 스쳐 지나가는 직원이 있어도 이상하지 않을 터다. 마술사동맹은 아무리 부외자가 훑어보아도 영세조직은 아니고, 인력이 부족하다는 이야기도 들은 적이 없다. 어쨌든――그가 가진 마술사의 이미지로 생각하면 이 마술사동맹이라는 곳에는 24시간 내내 마술사들이, 문의 경첩이 낡았다는 이유만으로 벼락인지 뭔지를 날려대고, 가위가 녹슬어서 잘 잘리지 않는다는 이유만으로 바람 칼날로 책상까지 한 번에 종이를 양단하고, 스쳐지나갈 때 어깨가 부딪혔다는 이유로 서로에게 저주를 걸어대는 곳일 터다.

하지만 이곳은 지나치게 조용했다.

'마치——아무도 없는 것처럼.'

앞을 걷고 있던 형이 우뚝 발을 멈췄다. 그 동작에 맞춰 도틴도 멈춰 섰다. 잘 보자 형은 완전히 어리둥절한 얼굴로 우연히 복도 왼쪽에 있는, 문이 훤히 열린 방을 들여다보고 있었다.

문에 붙어 있는 문패에는 '탈의실'이라고 쓰여 있다. 그 밑에는 문에 직접 '1학년 C반'이라고 새겨져 있었지만, 못 같은 것으로 흉하게 긁혀 지워진 상태였다. 아무래도 이 건물은 예전에 정말로 학교였던 모양이다.

형의 시선을 쫓아 방 안을 보자, 그곳에는 상의를 전부 벗고 긴 의자에 앉아 날개가 묶인 새 같은 자세로 브래지어의 후크에 손을 댄 채로, 눈이 번쩍 뜨일 정도로 아름다운 인간 마녀가 무표정하게 가만히 전방을 바라보고 있었다. 그녀는 꼼짝도 하지 않고 마치 석화라도 당한 것처럼 오로지 공허하게 두 눈을 뜨고 있을 뿐이었다.

"저기……."

도틴은 자신도 모르게 말을 걸었다.

"그런 자세론 지칠 테니까…… 편하게 계시면 어떨까요."

"예……."

마녀는 감정이 없는 목소리로 대답하고는 그대로 털썩——긴 의자 밑에 굴러 떨어지듯이 쓰러졌다. 잠시 후 그녀가 코를 고는 소리가 들렸다.

"……소름이 돋는군."

명백히 그 말대로의 안색으로 볼칸이 중얼거렸다. 도틴은 한 번 고개를 끄덕여 동의했다.

"여기 있는 사람들은 전부 이런가? 마치…… 응, 영혼이라도 빠져나간 것 같아."

"날씨가 따뜻해서 그럴지도 모르지."

볼칸은 무책임한 추측을 내뱉었다.

하지만 도틴은 다른 생각이 떠올랐다.

'마치 옛이야기에 나오는 모래의 수왕(獸王), 바질리콕 같아.'

'그 시선에 담긴 독은 백성을 죽이리라.' ――분명 전설에는 그런 식으로 전해졌을 것이다. 한순간의 시선이 바위를 부수고 거목을 쓰러뜨리며…… 인간의 영혼까지도 날려 버린다.

다만 이 키에살히마 대륙에는 수왕이 살아갈 만한 사막 따위는 없다. ――정확하게는 모래의 수왕이 사는 장소가 필연적으로 사막이 되는 셈이지만.

어찌되었든 이 대륙에는 몇백년이나 그런 황당무계한 괴물 따위가 출현한 적이 없을 터다.

그렇게――거기까지 생각했을 때, 드디어 처음으로 건물 안에 사람의 목소리가 들렸다.

"으꺄아아아아아아아아아아아아!"

비명!

왁! 하고 볼칸이 검을 안아든 채로 화들짝 놀라며 엉덩방아를 찧었다. 도틴 자신도 놀란 얼굴로 도망칠 길을 찾았지만, 생각해 보면 도망치려면 지금까지 걸어온 복도를 되돌아가는 것 이외에는 없다. 도틴이 당장 그렇게 행동으로 옮기려 한 순간, 그의 발목을 덥석 붙잡는 자가 있었다.

"잠깐!"

"뭐, 뭘 하는 거야, 형! 도망쳐야——"

"바보 자식! 여기서 도망쳐서 어쩌자고!"

볼칸은 그렇게 소리치고는 이번에는 물귀신처럼 도틴의 다리에 팔을 둘렀다. 그리고 그대로 장난감을 사달라고 떼를 쓰는 어린아이처럼 고개를 마구 흔들었다.

"마스마튜리아의 투견! 전사 볼카노 볼칸은 결코 적에게 등을 돌려서는 안 돼! 이유는 모르지만 아무래도 이 건물에 있는 마술사는 어마어마하고 성가신 사태에 말려든 모양이다!"

"아, 아니, 그러니까 도망을 쳐야——"

"수치도 모르는 놈!"

볼칸은 그렇게 외치며 결국은 도틴의 벨트를 붙잡고 이쪽으로 끌어내렸다.

"의로운 일을 보고도 행하지 않는 것은 용기라는 말도 모르는 거냐!"

"……용기가 아니다, 라는 말일걸."

"사소한 건 아무래도 좋아! 어쨌든 여기서 네가 해야 할 일은 도망칠 길을 찾아 한심하게 소란을 피우는 게 아니다!"

"내, 내가 해야 할 일?"

"그래. 진실이다. ——이 이상사태의 원인을 파헤쳐 진실을 밝혀내는 거다!"

"혀, 형……."

도틴은 가만히 형의 얼굴을 바라보았다.

"뭔가 이상한 병이라도 걸렸어?"

"아냠마!"

볼칸은 도틴의 얼굴 한가운데에 주먹을 꽂아 넣은 뒤에 말했다.

"다시 말해 무슨 말이 하고 싶냐면——그러니까——설명하기엔 시간이 부족해. ——아니——"

거기서 갑자기 생각에 잠기더니,

"젠장. 너도 내 동생이라면 형이 생각하는 것 정도는 알아채! 알라고!"

"무슨 말도 안 되는……."

도틴은 그렇게 신음하고는, 거기서——갑자기 깨닫고 말았다.

그는 형을 째려보았다.

"설마 형……. 내게 바질리콕을 찾으라는 말이야?"

그 이름을 들은 볼칸은 어리둥절한 표정이 되었다.

"……뭐냐, 그 '바질리콕'이라는 건."

"아니, 모른다면 모르는 대로 상관은 없지만……."

"상관없다면 됐어. 어쨌든 네가 찾아야만 하는 건 그 '바질리콕'이 아니다. 훨씬 중요한 거다. 다시 말해서——진실이다."

"진실이라니, 무슨 진실."

볼칸은 응응 고개를 끄덕이고는 두 팔을 펼쳐 도틴을 타이르듯이 말했다.

"야, 도틴. 지금 우리들에게 필요한 게 뭐냐?"

인연을 끊는 것이겠지, 라는 말은 목구멍 안쪽에 밀어 넣은 도틴은 고개를 갸웃거렸다.

"그, 글쎄……."

"우리의 생활에 결핍되어 있는 건, 뭐냐?"

"그러니까……."

도틴이 고민하자, 볼칸은 갑자기 얼굴을 붉히며 고함을 질렀다.

"돈이지!"

"어, 아…… 응. 돈이지."

도틴은 건성으로 맞장구를 치고는 안경 위치를 바로잡았다. 곧바로 도망치고 싶었다.

볼칸이 말을 이었다.

"다시 말해서 말이다. 우리는 이 발트안델스인지 뭔지 하는 마법의 검을——"

"아, 형. 성공했네. 다섯 글자 이상의 단어를 제대로 외우다니."

"시끄러워! ——어어, 그러니까——어쨌든, 우리는 발트 어쩌고의 검을 돈으로 만들기 위해서 이 괴물 저택에 온 거야. ——하지만 이곳의 녀석들에게는 아무래도 거래를 할 능력이 없는 모양이다. 실제로 뭔지는 잘 모르겠지만 이상한 사태가 벌어진 탓에 그럴 겨를이 아닌 것 같고."

"그, 그렇지."

도틴은 머뭇거리며 대답했다. 형이 무슨 말을 하고 싶은지 점점 알게 되었기 때문이다.

아니나 다를까, 볼칸이 말했다. 눈을 감고, 손가락을 하나 세운 채, 거드름을 피우며.

"다시 말해 이런 상황이니까…… 우리가 알아서 이 검의 대금을 받아가도 딱히 나쁜 일은 아닌 게 되지 않을까 이런 말인데——"

'역시나.'

도틴은 탄식했다.

'형은 혼란을 틈 타 빈집털이를 하겠다는 거로군.'

"아니야!"

느닷없이 볼칸이 버럭 소리를 질렀다. 도틴이 깜짝 놀라 뒤로 물러나자 형은 후후, 하고 의미심장하게 웃었다.

"정곡을 찌른 모양이로군……. 이 형이 그런 수치도 모르는 짓을 할 리가 없잖냐. 어디까지나 거래의 대행일 뿐이라고."

'왜 이런 때에만 묘하게 예리할까.'

도틴은 이마의 땀을 훔치며 물었다.

"그래서 결국 구체적으로 어떻게 하겠다는 건데?"

형은 태연한 얼굴로 말했다.

"응. 우선은 금고를 찾는 거다. 그리고 그걸 어떻게 해서든 열어서 마음대로 가져가는 거지."

'……역시 빈집털이잖아.'

입안에서 그렇게 중얼거린 도틴은 천천히 몸을 일으켰다. 그리고 아직 바닥에 주저앉아 있는 형을 내려다보며 말했다.

"……뭘 하는 거야, 형. 뭘 어쩌려든 얼른 가자. 언제까지고 이런 곳에 앉아 있는 건 싫으니까——"

"물론이다."

하지만 볼칸은 여전히 앉은 채로 단언했다.

"하지만 아까 그——그 뭣이냐——지병인 추간판 탈출증이 재발한 탓에 움직일 수가 없어서 말이지."

"……설마 형, 다리가 풀린 건 아니겠지?"

"아니야! 이 형은 결코 다리가 풀리지도 않았고, 무릎도 떨리지 않아! 하물며 되도록 너 혼자서 가주길 바란다고도 생각하지 않아!"

"……."

"알았으면 얼른 날 업어라. 나 참, 눈치 없는 녀석이라니까."

"……."

이제 아무래도 좋다는 기분으로 도틴은 한숨을 쉬었다.

산책에 어울리지 않는 장소――라고 하면 묘지, 병원, 마른 우물 안, 그 외에도 부모의 침실, 올라간 것까지는 좋지만 내려올 수 없는 높은 나뭇가지 등 얼마든지 있겠지만, 그 중에서도 가장 어울리지 않는 장소라면 마술사 동맹의 건물 안이 아닐까.

도틴은 거의 질질 바닥에 끌듯이 하여 만사가 서투른 형을 업고 복도를 걸으며 왠지 모르게 의미도 없이 드럼통을 계속해 굴리는 노예의 모습을 뇌리에 떠올렸다. 심지어 실제로 그의 현재 상황과 똑같지는 않을지언정 그리 멀지도 않았다.

등 뒤에서 볼칸의 목소리가 들렸다.

"좀 더 빨리 못 걷냐? 얼른 가지 않으면 이상하다고 생각한 경찰이 올지도 모른다고!"

도틴은 문득 무언가가 푹 가슴을 찌르는 충동을 느끼고, 그래, 이게 살의로구나, 하고 수긍했다.

예전엔 학교(라고 도틴은 확신했다)였던 이 건물은 구조로 따지면 상당히 단순한――3층 건물 두 개가 평행으로 이어진 형태였다. 각각의 건물 동쪽에는 계단이 있고, 그 반대쪽 끝에는 비상계단으로 나가는 문이 보인다. 복도는 직선. 각 층에 6개씩 방이 있고,

한 동만은 살짝 더 컸으며, 원래 교무실로 사용했으리라 여겨지는 방이 있다. 그 방은 지금은 옛 서류를 보관하는 창고가 되어 있는 듯했다.

"아까의 비명은 어디에서 들린 걸까?"

도틴이 묻자 볼칸은 사뭇 당연하다는 듯이 말했다.

"그야 뻔하지. 그다지 넓은 건물도 아니니까 하나하나 뒤지면 될 뿐이야."

'남한테 업게 해놓고 무슨 소릴 하는지.'

도틴은 마음속으로 투덜거렸다. 그리고 아까부터 불길한 예감이 드는 것도 불안했다.

자신보다 체중이 나가는 형을 업고 끙끙대며 계단을 올라 건물 3층에 도착했다. 2층은 그냥 지나쳤다. 언뜻 보기에 마술사들의 개인실로 보였기 때문이다. 도틴은 이러한 마술사들의 소굴에 무언가 이상한 일이 일어난다고 하면 연구실 같은 곳임에 틀림이 없으리라 판단했다.

그리고 그 건물 3층이 연구실로 쓰이는 듯했다.

제1부터 제6까지 숫자가 붙은 연구실의 문이 빼곡하게 늘어서 있다. 복도에서 보니 제1부터 제5까지의 연구실은 창문에 두꺼운 커튼이 쳐져 있어서 지금은 아무도 쓰지 않는 모양이었다. 제6——즉 계단에서 가장 먼 곳에 있는 방은 살짝 문이 열려 있었다. 그 문 틈새는 마치 그들을 유혹하는 듯했고, 도틴은 입구가 훤히 열린 쥐덫이 떠오르는 것을 도저히 참을 수 없었다.

그리고——제6연구실로 향해 발을 내딛으려던 도틴은 자신의 행동에 소름이 돋았다.

'……나, 뭘 하는 거지? 찾는 건 사무실의 금고지 바질리콕이 아니잖아?'

하지만 내딛기 시작한 발은 이제 멈추지 않는다. 깨닫고 보자 그는 그때까지 형을 업은 탓에 비틀대던 발걸음은 온데간데없이 거침없이 복도를 걷고 있었다.

"……! ……!"

도틴은 필사적으로 발을 멈추려 했다. 하지만 몸이 전혀 말을 듣지 않았다. 멈추기는커녕——조금씩 제6연구실로 다가감에 따라 머릿속이 새하얗게 되었다.

'아무 생각도 할 수 없게 되고 있어!'

퍼뜩 놀라며 어깨 너머로 형의 얼굴을 보자, 역시나 볼칸은 벌써부터 의식을 잃고 그 접수대의 거구남과 똑같은 눈빛으로 허공을 바라보고 있었다. 도틴은 어떻게든 저항하기 위해 자기 스스로 다리를 다른 쪽 다리에 걸었다. 그러자 앞으로 나아가던 기세를 죽이지 못한 채 넘어진 도틴은 얼굴부터 바닥에 격돌했다.

"아야야……."

코를 쓰다듬으며 신음. 그 때——목소리가 들렸다.

"저항하지 마라."

"……?"

도틴은 경악하며 고개를 들었다. 어떤 전설에서도 바질리콕이 이야기를 했다는 말은 들은 적이 없다.

시선을 들자 제6연구실 문 뒤에서 날씬한 나신의 남자가 이쪽을 바라보고 있었다. ——피부가 약간 파랗고 이상할 정도로 여윈 인간이었다. 아니…… 저것은 인간이 아니다, 하고 도틴은 별안간 깨달았다.

"……인형?"

바닥에 쓰러진 채로 올려다보기에, 그 남자는 매우 무기질적인 인상이었다.

피부는 묘하게 매끄럽고 핏기는 없었으며 호흡을 하는 기색을 보이지 않는다. 얼굴을 시작으로 몸 전체에 굴곡이 적고 관절 부분만이 부자연스러울 정도로 부풀어 있다. 모발은 듬성듬성했으며 체모에 이르러서는 전혀 보이지 않는다. 키는 평범한 인간보다 약간 큰 정도일까. 남자는 오른팔에 의복으로 보이는 빨간 천 같은 것을 들고 있었다. 아무리 객관적으로 보아도 어울리지는 않지만, 그런 것은 상관없다는 듯이 옷을 입으며 남자가 말했다.

"……너희의 말은 아직 잘 이해할 수 없지만, 마음의 목소리를 듣는 한, 그 호칭은 그다지 잘못되지는 않았을 것이다."

"……헤? 이——'인형'이란 호칭?"

도틴은 그렇게 되물으며 몸을 일으켰다. 아까까지 의지에 반해 계속해 움직였던 두 다리는 지금은 그 반동인지 꿈쩍도 하려 하지 않았다.

"저, 저기——당신은 누구인가요?"

허공을 바라보는 채로 움직이지 않는 볼칸을 옆으로 내던지며 도틴이 물었다. 남자는 붉은 토가(toga)처럼 보이는 옷을 두르며 대답했다.

"나는 비보의 파수꾼이다."

"비보의 파수꾼?"

"그렇다. 아득한 고대로부터 나의 주인이 남긴 수많은 비술을 봉인·수호하였다."

"……."

도틴은 멍하니 그 비보의 파수꾼이라는 자를 바라보았다. ——파수꾼은 천천히 이쪽을 향해 걸어왔다.

곧바로 도망쳐야만 할 것 같았다. 하지만 다리가 움직이지 않았다.

'뭐——뭐지? 아까부터 몸이 마음대로 움직이질 않아…….'

"너희는 내게 지배되어 있다."

"그, 그게——."

"이곳의 인간들은 모두 나의 마술 영향 아래에 있다."

"나, 나는?"

"아무래도 완전하게는 걸리지 않는 듯하다."

"어째서?"

"알 수 없다. 하지만 마술이 듣지 않는다면 다른 수가 있지."

"……어떤 수?"

도틴이 한심한 목소리로 그렇게 묻자, 파수꾼은 말없이 오른손을 펼치며 들었다. ——그러자 철컥, 하는 소리와 함께 중지 끝에서 10센티 정도의 바늘 같은 가느다란 칼날이 튀어나왔다.

"가, 가능하다면 좀 더 다른 수를 생각해 주시면 안 될까요?"

도틴이 애원하듯이 말하자 파수꾼은 한순간 우뚝 발을 멈췄다. 그리고 다음으로 중지의 칼날을 거두고 주먹을 쥐자——손목이 덜컹 열리더니, 왼손으로 손목과 주먹 사이에서 예리한 강선(鋼線) 같은 것을 잡아 꺼냈다. 그리고 다시 걸음을 옮겼다.

"그건 그것대로 아플 것 같잖아."

도틴은 신음하며 어떻게든 도망치려고 몸을 비틀었다.

그러자 그 순간, 그의 모피 망토의 끝자락이 펼쳐졌다.

동시에 파수꾼이 다시 멈춰 섰다.

"……?"

도틴이 어리둥절한 표정으로 보자, 파수꾼은 가만히 그의 망토 안쪽을 살펴보았다. 도틴도 따라 그 시선을 좇자, 그곳에는 형에게서 떠맡은 발트안델스의 검이 있었다. 인간 사이즈의 무기는 지인이 허리춤에 매달기에는 너무나 길었지만, 그래도 칼집 고정구를 벨트에 매달아 줄곧 바닥에 끌고 다녔던 것이다.

파수꾼은 희미하게 떨리는 목소리로 말했다.

"그것은…… 월드 그라프(마술 문자)의 검인가……?"

"아, 알아?"

도틴은 신음하며 잘 보이도록 검 위에서 망토를 치웠다.

파수꾼은 손을 뻗으면 닿을 거리까지 걸어왔다.

"물론이다. 오호라, 이 검의 마력이 나의 마술을 저지하고 있는가."

"……."

그것이 행운이었을지 아니면 반대였을지 마음속으로 생각하며 도틴은 일단 입안에 고인 침을 삼켰다. ――파수꾼은 가만히 발트안델스의 검을 바라보았다. 그 표정은 다가오면 다가올수록 점점 더 감정을 읽을 수 없었다. 파수꾼은 색유리 같은 하늘색 눈동자로 무언가 깊이 생각에 잠긴 모양이었다.

파수꾼은 이상하다는 듯이 내뱉었다.

"그 검에는 발트안델스라는 이름이 적혀 있다. 그다지 큰 힘은 가지고 있지 않지만 그래도 인간에게는 과분한 것이다. 그리고."

그는 고개를 갸웃거리고는 손목의 강선을 다시 집어넣으며 물었다.

"너는 마술사가 아니로군. 어째서 그런 것을 가지고 있지?"

'그렇다면 왜 인간조차 아닌 당신이 이 마을에 있고, 심지어 마술사의 시설을 덮친 건데!'

하지만 그런 말을 꺼낼 정도의 배짱은 도틴에게 없었다. 전혀 이해할 수 없었다. 이곳은 별난 게 아무것도 없는 마술사 동맹의 지부다. ——그런데도 그곳에 있는 마술사들은 어째서인지 전부 바보가 되어 있고, 연구실에서는 뭔지 잘 알 수 없는 비보의 파수꾼인지 인형인지가 나타났다. 거기에 그를 이 사태에 말려들게 한 당사자——볼칸은 혼자서 곧바로 바보의 동료가 되어버렸다. 누가 여기까지 업고 온 줄 아는 거야, 젠장.

도틴은 마음속으로 투덜댔다. 하지만 그럴 상황이 아니다.

사태를 전혀 알 수 없는 것이다. 완전히 이해불능이다.

하지만——

도틴은 각오하고, 자신이 현재 지을 수 있는 가장 호의적인 미소를 띠며 두 팔을 펼쳤다.

"제, 제가 어째서 이런 것을 가지고 있는가 하면——그러니까——"

거기서 아까 볼칸이 몇 번이고 내뱉던 가짜 이야기를 떠올리고는,

"다시 말해서, 오……오펜이라는 이름의 사악한 흑마술사가 있는데——"

그는 옅은 웃음을 띠면서도 식은땀을 흘렸다.

'문제는 연기력이야.'

엄마, 나 거짓말을 할 거야——.

그 거짓말이 나중에 얼마나 큰 사건을 일으킬지는 상상도 되지 않았지만, 어쨌든 도틴은 이야기를 하며 오늘 몇 번째인지 모를 불길한 예감을 느꼈다.

제2장 아름다운 아렌하탐!

"물과 사람의 도시!"

"역사와 만나는 곳!"

거기서 두 사람의 목소리가 하나로 합쳐졌다.

""아름다운 아렌하탐!""

——하고 어설픈 부조를 새긴 대문처럼 둘이서 양손을 펼친 포즈를 취하는 매지크와 클리오를 곁눈으로 째려보며 오펜이 중얼거렸다.

"뭘 그딴 걸 사전에 서로 짜고 앉아 있냐."

"그치만."

클리오는 입술을 삐죽이며 항변했다.

"한가하잖아요."

매지크도 비슷한 표정으로 그 뒤를 이었다. 오펜은 탄식 섞인 목소리로 그들 앞에 쭉 이어진 행렬을 가리키며 말했다.

"당연히 한가하지. 애초에 처음부터 말했잖냐. 아렌하탐에는 관광객이 끊임없을 정도로 방문하니까 마을에 들어가기 위해서는 진절머리가 날 정도로 긴 시간이 걸린다고 말이야."

"아하하. 스승님은 왠지 가끔 휴일에 자식한테 억지로 가족여행에 끌려 나가는 아버지 같네요."

"맘대로 지껄여라, 빌어먹을."

오펜은 험악한 형상으로 매지크를 바라보고는 가지고 있던 짐을 자기 학생의 품 안에 내던졌다. 짐의 무게를 버티지 못한 매지크가 땅에 넘어졌지만 오펜은 무시하고 돕지 않았다.

마차를 통한 입장은 불가능했기 때문에 마을 외곽 마구간에 맡겨 두었다. 그래서 필요한 짐은 전부 손으로 들고 갈 수밖에 없었고, 특히 클리오의 짐까지 들고 있던 오펜은 상당히 심기가 불편했다. 원래부터 시니컬한 인상의 얼굴을 더욱 씰룩거리며 그는 중얼중얼 불평을 내뱉었다.

"애초에 말이다, 너희가 딴 데 들리자고 하지만 않았으면――"

"뭐야, 오펜."

클리오는 최근 묘하게 마음에 들어 하는 민무늬 하얀 티셔츠에 논밭 작업용 진즈를 입은 차림으로 스승 오펜에게 다가왔다. 그 옷은 실은 매지크의 물건을 빌린 것이었지만 어째서인지 크기가 딱 맞았다. 이것은 매지크에게는 우연이라고 말해 두었지만 실은 클리오가 몰래 다시 꿰매었기 때문이라는 것을 오펜은 알고 있었다.

그런 사연은 어찌되었든, 클리오가 말을 이었다.

"여행을 즐기자는 마음 같은 건 없는 거야? 나 있는 길을 계속 마차 안에서 바라보기만 할 뿐이라니, 그런 건 여행이 아니잖아."

오펜은 꿈쩍도 하지 않았다.

"난 딱히 여행을 할 마음 없다만."

"……그럼 뭔데?"

"잊은 거냐? 난 사채업자라고."

심지어 야매, 가 붙는.

"관공서의 허가를 받지 않고 이자를 붙여 돈을 빌려줬어. 그러니까 마음대로 고리를 붙일 수도 있고 세금도 내지 않지만, 그 대신 손님이 빌린 돈을 갚지 않고 도망치면 관공서에 호소할 수 없단 말이다. 실종된 손님의 수색을 경찰에게 부탁할 수도 없는 노릇이니 일단 스스로 쫓아 직접 발견해서 알아서 돈을 걷을 수밖에 없다고."

"조폭 장사네~. 게다가 세금을 내지 않는다니, 그거 탈세잖아."

클리오가 잔소리하듯이 말했다.

오펜은 흥, 하고 콧방귀를 끼며 말을 이었다.

"그 망할 지인 놈들을 불타는 마차에 올라타서라도 잡지 않으면 이쪽은 파산이다 이 말이야. 이런 곳에서 놀고 있을 시간은 없어."

심지어 오펜의 경우, 대부업의 자본금이 대부금이기 때문에 적어도 본전만이라도 건지지 않으면 이번엔 반대로 그 자신이 빚에 쫓기는 몸이 될 것이다.

"매지크한테 월사금 받는 주제에."

클리오는 마치 그 돈을 자신이 치르는 것처럼 가슴을 내밀며 말했다.

오펜은 한손으로 이마를 덮은 머리카락을 쓸어 올리며 그 말을 일축했다.

"그야 다소는 받고 있지만 말이다, 겨우 그것만으로 3명이 먹고 살 돈을 충당할 수 있을 것 같냐? ──나 참. 좋은 집안 아가씨인 주제에 한 푼도 안 들고 오고는 말이야."

클리오가 숨어서 혀를 내미는 것이 보였지만, 오펜은 깨닫지 못한 척을 했다.

"저, 저기, 제가 일을 할까요?"

가장 큰 클리오의 배낭을 겨우 들어 올린 매지크가 간신히 몸을 일으키며 쫓아왔다.

오펜은 나오려던 한숨을 참았다.

"그래. 생각해 두마."

결국 내가 일할 수밖에 없겠지만 말이다, 하고 생각하면서.

"우와~."

입구에서 실컷 기다렸던 고생도 잊었는지, 일단 마을에 발을 들여놓은 클리오의 기분은 신난 듯이 보였다. 와글와글 끊어질 기색도 보이지 않는 인파 속에서 두리번두리번 주변의 풍경을 구경하고 있다. 이 일대 관광도시의 입구에 있는 광장은 그 명성에 걸맞게 굉장히 아름다웠다. ──수십 종류나 되는 색깔의 벽돌로 만든 돌바닥 모자이크는 한눈에 보기에는 무엇을 그리고 있는지 알 수 없었지만, 어떠한 기하학적인 문양이 아름답게 펼쳐져 있다. 문양의 중심에 분수가 있고, 그 분수는 아무래도 거대한 바위 하나를 깎아 만든 듯했고, 높이 3미터 정도 되는 바위 꼭대기에 입을 크게 벌리고 포효하는 자세로 몸통보다 긴 갈기를 기른 용맹한 사자상이 우뚝 서 있다. 물은 그 사자의 몸통에서 흘러나오도록 되어 있었는데 살짝 살펴보는 것만으로는 어디가 분출구인지 알 수 없도록 만들어진 구조다.

그리고 그 광장에는 수많은 종류의 다양한 인간들이 모여 있었다. ──산책하는 주민, 관광객, 노점을 세운 행상인, 낮 시간을 바깥에서 보내기로 결정한 듯한 학생들, 꽃 파는 아가씨…….

클리오는 흥분했는지 톤이 높은 목소리로 오펜을 돌아보며 물었다.

"얘, 오펜! 큰일이야!"

"뭐가?"

오펜은 분수에서 금발 소녀로 시선을 움직이며 대답했다.

클리오는 길 너머——아담한 숙소 지붕 위를 천천히 가로지르는 것을 가리키며 외쳤다.

"사람이 매달려서 벌을 받고 있어!"

소녀이 손가락이 가리키는 곳으로 시선을 던지자, 분명히 근처 숙소 너머에서 높이 5미터 정도 되는 기둥에 몸을 고정한 남자가 쌍안경을 손에 들고 주의 깊게 주변을 살피고 있었다. 그리고 기둥이 천천히——마차 정도의 속도로 전진하고 있었다.

"……저건 돛이야. 매달려 있는 건 망을 보는 사람이고."

오펜은 귀찮다는 듯이 그렇게 대답하고 하품을 하였다.

클리오가 어리둥절한 얼굴로 되물었다.

"돛? 배의 그거?"

"당연하잖냐. 저 건물 너머에 수로가 있으니까."

"수로?"

클리오가 앵무새처럼 따라하더니, 그제야 떠올렸는지 짝, 하고 손을 마주쳤다.

"아, 맞아. 이 마을엔 운하가 있었지."

"정확하게는 운하 입구에 생긴 하역 항구가 발전해서 이 마을이 된 거지만 말이다."

오펜은 중얼거리듯이 그렇게 설명하고는 건물 위를 천천히 나아가는 돛에 다시 시선을 던졌다. 그리고 책이라도 암송하듯이 나지막한 목소리로 말을 이었다.

"고도(古都) 아렌하탐. 운하의 도시. 키에살히마에서도 가장 큰 마을 중 하나다. 면적의 절반은 사람 없는 유적이다만……."

"그래도 토토칸타보다 인구가 많지?"

"그래. 그렇다고 해도 인구의 3할은 관광객이지만."

"운하 보고 와도 돼?"

그렇게 묻는 클리오에게 오펜이 고개를 저었다.

"안 돼. 일단 숙소부터 정하고. 나중에 이 마을 어디를 어슬렁대는지 모를 널 찾아 돌아다니는 건 사양이니까."

"부우~."

오펜은 토라진 클리오의 머리를 통통 두드렸다.

"나중에 안내해 주마. 이 마을에 대해서는 조금 알고 있으니까."

"정말? 그치만――"

클리오는 이상하다는 듯이 고개를 갸우뚱했다. 그리고 오펜을 올려다보며 물었다.

"왜 오펜이 이 마을에 대해 알아?"

"내가 《송곳니 탑》을 나오고 나서 처음으로 하숙한 곳이 이 마을이거든."

그때――거기까지 이야기가 정리되자 뒤에서 그를 부르는 소리가 들렸다.

"스승니임~"

매지크였다. 뒤를 돌아보자 체구가 작은 소년은 결국 오펜 몫의 짐까지 떠맡아 비틀거리고 있었다.

"뭐냐?"

오펜이 기다리자 매지크는 복잡한 길의 복잡한 인파를 헤치며 짐을 날랐다. 그리고 이쪽에 도착하자마자 두 손 가득 안고 있던 가방과 기타 등등을 힘없이 바닥에 내려놓으며 항의했다.

"너무하시는 거 아닌가요!"

"뭐가."

오펜은 별 일 아니라는 듯이 대답했다.

"짐을 전부 저한테 떠맡기시고! 덕분에 저만 검문소 쪽에서 3배나 더 취조를 받았단 말이에요!"

"취조? 그냥 살짝 검사한 것뿐이잖냐."

"비슷한 거죠!"

매지크는 분개한 표정으로 발을 동동 굴렀다.

"스승님은 제자를 귀여워하는 마음 같은 건 없는 건가요?"

"없어."

오펜이 쌀쌀맞게 대답하자 매지크는 엥? 하고 되물었다. 오펜은 어깨를 으쓱했다.

"귀여운 여자애라면 모를까, 왜 널 귀여워해야 하는 거냐?"

"그, 그렇게 되나요? 하지만 제가 하고 싶은 말은 그러니까…… 있잖아요, 사제애라든가, 남자의 우정이라든가, 연대감이라든가……."

"여, 아가씨. 그 꽃 얼마야? 다발로 묶어줄 수 있어?"

"아! 스승님! 무시하고 먼저 가지 말아주세요! 우와, 게다가 짐은 하나도 안 들고!"

매지크가 다시 짐을 안아들고 이쪽으로 쫓아온 것은 오펜이 10살 정도 되어 보이는 어린 꽃 파는 소녀에게서 이름도 모르는 보라색 나비 같은 꽃다발을 받아들 즈음이었다.

매지크는 단단히 화가 난 모양인지 침을 튀기면서 마구 소리를 질렀다.

"스승님! 일단 자기 짐 정도는 스스로——"

"오, 마침 잘 왔다. 이것도 들어."

오펜은 매지크가 안아든 짐 꼭대기 위에 꽃다발을 두었다.

"스승니임!"

그렇게 외치는 매지크를 무시하고 길을 걷고 있으니, 그때까지 조용히 있던 클리오가 휙 고개를 숙여 이쪽의 얼굴을 들여다보았다. 그녀는 뜻밖인 듯이 가만히 오펜과 꽃다발을 번갈아 바라보았다.

"……뭐야."

오펜이 묻자 클리오는 매지크가 안고 있는 짐 위에 놓인 꽃다발을 들었다.

"……설마 오펜이 꽃 같은 걸 살 줄은 생각도 못했어."

"나도 가끔은 꽃을 살 때도 있어."

"가끔이라니, 어떤 때?"

"병문안에 갈 때라든가."

오펜이 말하자 클리오는 다시 어리둥절한 표정을 보였다.

"뭐야, 이거? 나한테 주는 거 아니야?"

오펜이 탄식했다.

"왜 내가 너한테 꽃을 사줘야만 하는 거냐."

그는 그렇게 말하며 클리오의 손에서 꽃다발을 빼앗았다. 클리오가 되찾기 위해 뛰어올랐지만 오펜은 휙 몸을 돌려 피했다.

그러자 그의 등이 쿵, 하고 매지크에게 닿았다. 그렇지 않아도 짐덩이를 들고 있어 앞이 보이지 않는 매지크는 완전한 불의의 기습에 저항할 방법도 없이 엉덩방아를 찧었다. 우수수수 짐이 길에 떨어졌다.

"뭐, 뭘 하시는 거예요, 스승님……."

"아~!"

클리오가 불평의 말을 내뱉었다.

"내 가방 떨어뜨리지 마! 옷이라든가 생활용품 같은 거 들어 있으니까!"

"아니, 아무리 그래도……."

매지크가 머뭇머뭇 변명하려 드는 것을 완전히 무시한 클리오는 자신의 가방을 들더니 다시 매지크의 품 안에 내던졌다. 읍, 하고 신음을 흘리며 매지크의 말이 제지당했다.

"어쨌든 소중히 다뤄 줘!"

클리오는 허리춤에 손을 얹고 단호하게 말하고는 다시 이쪽을 돌아보았다. 그리고 살짝 입술을 내밀고는 힐문하듯이 물었다.

"그리고——오펜. 그 꽃, 누구한테 줄 거야?"

"……."

아둥바둥 발버둥을 치며 일어나는 매지크를 보며 오펜은 잠시 생각에 잠겼다. 클리오의 질문은 무시하듯이 중얼거렸다.

"그렇지……. 생각해 보면 아무리 그래도 이제 퇴원했겠지. 내가 여기에 살았던 건 3년 전이니까…….”

“얘, 누구냐니까?”

끈질기게 물고 늘어지는 클리오에게 오펜은 만사가 귀찮아졌는지 꽃다발을 내던졌다.

풀썩, 하고 보라색 꽃다발을 안아든 클리오에게,

“역시 그거 너한테 주마. 아마 그거, 끓이면 먹을 수도 있을거다.”

하고 말하고 휙 등을 돌려 걷기 시작했다. 오펜은 깨닫지 못한 척을 했지만 몸을 돌리기 직전에 보았던 클리오의 얼굴은 또렷하게 격노의 징후를 보이고 있었다.

“흥!”

뒤에서 클리오가 꽃다발을 땅바닥에 내던지는 소리가 들렸다. 힐끗 어깨 너머로 뒤를 보자 간신히 짐을 다시 든 매지크의 다리를 클리오가 있는 힘껏 발로 차고 있었다. 비명을 지르며 또다시 넘어지는 매지크를 보며 오펜은 뭐, 됐어, 하고 생각했다.

아렌하탐. 물의 도시.

키에살히마 대륙의 인간령을 대표하는 4대 도시 중 하나이다. 왕도 메베렌스트——상도 토토칸타——자치도시 아반라마——그리고 이 고도 아렌하탐. 수백 년 전까지는 이곳이 왕도였다. 마을 중심에는 운하가 흐르고 무수한 상선과 작은 배가 왕래하는 그 광경은 대륙에서도 손에 꼽을 만한 볼거리이다. 중심가——옛 귀족가의 더욱 중심에는 옛날의 왕성이 세워져 있다. 현재 그 성은 민간에게도 공개되어 박물관 겸 도서관으로 쓰인다.

이 도시의 수입은 오로지 관광에 의존하고 있다는 말이 있다. 실제로 역사가 있는 이 도시에는 매년 수십만은 될 관광객이 찾아온다. 그리고 남녀노소의 관광객들은 전설에 따르면 이 대륙에 인간이 발을 들이기 이전부터 존재했다고 하는 이 마을의 수많은 역사를 보고, 대부분 감격하며, 만족할 즈음에서 비싼 기념품의 가격에 당황하며 낙담한다. 그렇다고는 해도 이 마을에 오는 손님의 발길은 줄어드는 일 없었고, 큰 길에 한없이 이어지는 기념품 가게는 언제나 번성했다.

"괜찮을까요, 스승님?"

짐을 든 차림으로 목소리를 낮추는 매지크에게 오펜은 태연하게 되물었다.

"뭐가."

"뭐가라니…… 클리오 말이죠. 완전히 토라진 모양인데요."

그는 그렇게 속삭이며 힐끗 어깨 너머를 보았다.

클리오는 두 사람 뒤에서 조금 떨어져 명백히 불만인 표정으로 입을 삐죽대고 있었다.

매지크는 다시 오펜에게 시선을 되돌려 더욱 낮은 목소리로 속삭였다.

"……저렇게 되면 어지간해선 기분을 고치지 않을 거예요."

"꽃이라도 선물할까? 메시지 카드도 더해서."

"역효과죠. 왜 화가 났다고 생각하시는데요?"

더욱 힘주어 미간을 찡그리는 매지크에게 오펜은 가볍게 어깨를 움츠렸다.

"별 거 아니야. 내버려두면 돼."

"스승님은 너무 낙천적이야……."

매지크가 투덜거리는 사이에 오펜은 일단 주변의 건물들을 둘러보았다. ――중앙로를 똑바로 20분 정도 걸은 참이다. 마을 출구에 가까운 숙소는 대개 육로로 물건을 옮기는 사람을 위한 곳이 많아 전속 계약이라도 하지 않는 한 평범한 여행자가 묵을 수 있는 곳은 어지간해서는 없다. 오펜의 기억으로는 이제 슬슬 여행자용 숙소가 세워진 구역에 다다를 터다.

'오랜만이로군, 이 마을은…….'

오펜은 마음속으로 혼잣말을 하며 기지개를 켰다.

'가능하면 오고 싶지 않았는데――뭐, 꼬마들의 어리광으로 오게 된 건 어쩔 수 없지.'

사실을 말하자면 그는 이 마을에 그다지 좋은 추억이 없었다. 당시 완전히 《송곳니 탑》에서의 집단생활에 익숙해져 있던 그는 이 마을에 와서 생활을 즐길 겨를이 없었고, 자취는커녕 식자재를 사러 나가는 것조차 제대로 하지 못했을 정도였다. 그리고 더욱이

――

"……좋아."

오펜이 갑자기 고개를 끄덕였다. 먹기 싫은 것을 억지로 삼키듯이 침을 삼킨 그는 수상하다는 듯이 이쪽을 보는 매지크를 향해 눈짓으로 신호했다.

"숙소는 나중에 잡자. 갈 곳이 있어."

"……뭐라고요?"

매지크는 당장에라도 넘쳐날 듯한 짐으로 비틀거리며 항의의 목청을 높였다.

"저 이제 제발 이 짐들을 내려두고 싶은데요. 아무 숙소라도 괜찮으니까요."

"우수한 마술사의 기본은 우선 체력 만들기야."

"왜 그렇게 대충 갖다 붙이시는 건데요. 말씀하신 대로 근력 운동은 매일 빠짐없이 하고 있다고요."

"말한 이상의 일을 해야 숨겨진 실력을 얻을 수 있는 법이지."

"……혹시 스승님, 저 싫으세요?"

실눈으로 노려보는 매지크의 시선에 오펜은 얼버무리듯이 헛기침을 했다. 그리고 잠시 생각한 뒤에 말했다.

"그럼 클리오와 같이 먼저 가 있어. 그래――이 길을 앞으로 1킬로 정도만 더 나아가면 싸구려 광택이 눈에 띄는 화려한 간판을 내건 숙소가 있는데――"

오펜이 그렇게 말을 하자 매지크가 비명을 지르듯이 말했다.

"클리오랑요?"

그리고 뒤에서 조금 떨어져 걷는 클리오를 가리켰다.

"저 상태의 클리오랑 단 둘이 가라니 말도 안 되는 말씀 마세요. 고문이라고요."

"그럼 어떡하라고."

오펜이 묻자 매지크는 단정한 이목구비를 완전히 지친 듯이 구기며 탄식했다.

"알았어요……. 그런데 어딜 가시려고요?"

"덤즐즈 어리전즈 아렌하탐 지부다."

"덤즐즈 어리전즈?"

되묻는 매지크에게 오펜은 가볍게 고개를 끄덕였다. 그리고 어슬렁어슬렁 사람 많은 가도를 나아가며 대답했다.

"그래. 그렇다고 해도 이 마을에 있는 지부는 토토칸타만큼 크진 않다만."

"……그게 무슨 의미인가요?"

이상하다는 듯이 매지크가 물었다. 오펜은 자신의 턱을 쓰다듬으며 대답했다.

"아, 토토칸타에서 바깥으로 나간 적이 없는 네게는 이해하기 어려울지도 모르지만——마술사라는 놈들은 토지에 따라 지위가 극단적으로 바뀌거든."

"지위……가요?"

영차, 하고 흘러내리려던 짐을 다시 드는 매지크. 반대 방향에서 오는 사람이 많아 좀처럼 나아가지 못했다.

"그래. 토토칸타에서는 마술사 동맹이 절대적인 힘을 가지고 있지? ——그곳에는 마술사 이외의 인간은 일절 출입 금지인데다, 지리적으로 왕도에서 거리가 떨어져 있는 점도 있지만 국왕조차 그리 쉽게 손을 대지 못할 정도의 권능을 가지고 있어. 심지어 토토칸타의 마술사 동맹 소속 수행원은 100퍼센트 마술사만으로 구성되어 있다고."

"……이 마을에선 아닌가요?"

"이 마을뿐만이 아니야. 오히려 토토칸타가 특이한 거다. 잊어선 안 되는 건——우리를 적대하는 조직이 이 대륙에는 적어도 세 군데는 있다는 점이다. 그 조직이 강한 세력을 가진 토지에서는 자연스레 마술사의 지위도 내려가고, 최악의 경우 박해나 학대——사냥을 당해 처형당할 수조차 있는 토지도 있어."

"그, 그럴 수가."

매지크는 갑자기 당황한 듯이 신음을 흘리고는 발을 멈췄다. 뒤에 있던 클리오도 오펜의 말이 들렸는지 깜짝 놀란 듯이 멈춰 섰다.

그런 그들을 손으로 제지하며 오펜이 웃었다.

"뭐, 최근엔 그 정도로 살벌한 곳은 어지간해선 없어. 하지만 그게 결코 전무하지 않다는 것은 잊지 마라. ──자기 생명과도 관련된 일이니 말이다."

"허어……. 그런데 우리를 적시하는 조직이 어디 인가요?"

"첫째는 왕실이다."

오펜은 척 검지 하나를 세웠다. 그리고 천천히 걸음을 내딛으며 입을 열었다.

"왕도 메베렌스트──명실상부하게 이 대륙 최대의 규모를 가진 성채 도시를 거점으로 삼은 귀족 연합이다. 군대 규모부터 시작해 재원이고 뭐고 전부 차원이 다른 강력한 조직이야. 아니── 조직이라는 호칭은 올바르지 않군. 그들은 국가 그 자체이니까."

"허어……."

"왕실 녀석들은 어쨌든 우리 마술사가 강한 권능을 가진 것을 싫어해. ──그야 그렇겠지. 통치자가 보기에는 본래 신민일 터인 우리가 대두되는 것을 마음에 들어 하지 않을 테고, 무엇보다 위험하니까. 그러니까 그들은 가능한 한 우리들의 조직을 분단해 통치하려 들어."

"분단해 통치, 인가요?"

"왕실은 직속 기사단을 가지고 있고…… 백마술사들의 요새인

《안개 폭포》를 통치하고 있어. 《안개 폭포》가 있는 위치를 아는 사람은 국왕과 극히 한정된 소수의 측근뿐이라고 해. 그리고 물론 왕실에는 《십삼사도》라고 불리는 궁정마술사들의 군대도 있다. 《십삼사도》라는 이름이라고 해서, 딱히 13명밖에 없다는 건 아니다. ──백 명 가까운 강력하기 짝이 없는 흑마술사 집단이야. 이 녀석들에게 걸리면 이 마을도 하룻밤 안에 사라질 거다."

매지크가 긴장으로 꿀꺽 침을 삼키는 소리가 들렸다. 그것을 확인한 오펜은 둘째손가락을 조용히 세웠다.

"그리고 다음은 교회 총본산──킴라크다. 월드 시스터즈(운명의 세 여신)를 숭배하는 그들은 이 대륙 북단에 있는 그들의 도시에서 대륙 전토의 교회 전체를 통솔하고 있어. 그들의 교의는 비밀주의 경향이 짙다보니 우리같은 부외자들은 좀처럼 이해하기가 어렵다만──어쨌든 그들은 우리 마술사들을 싫어해. 어떤 이유가 있다는 모양이지만 그 이유가 뭔지도 잘 알려져 있지 않아. 녀석들도 그 이유를 아는지 모르는지 애매하고."

"교회라면 제가 다니던 학교 근처에도 있었는데요. 클리오가 자주,"

하고 길에 떨어진 쓰레기를 발로 차는 클리오에게 시선을 던지며 말을 이었다.

"창문에 돌을 던졌어요."

"……저 녀석은 하는 일이 왜 다 그러냐. 원 참."

오펜은 매지크를 따라 소녀 쪽을 보았다.

"뭐, 토토칸타에서는 교회도 별반 권능을 가지고 있지 않아. 교회의 세력이 강해지는 곳은 일단 대륙 북단이다. 목숨이 아까우면 《송곳니 탑》보다 북쪽으로는 가지 않도록 주의해라. 이건 공공연한 비밀인데, 킴라크는 직속 암살자 부대를 가지고 있어. 분명…… 《죽음의 교사(教師)》였던가, 이름이?"

그 이름을 들은 매지크는 얼굴을 찌푸렸다.

"교회 사람이 암살자에게 명령해서 사람을 죽인다고요? 영문을 모르겠는데요."

"그러냐? 하지만 그들이 숭배하는 여신들은 어차피 운명의 여신이니 말이지……."

"……그게 왜 이유가 되는 데요?"

오펜은 씨익 웃었다.

"운명 안에는 인간이 죽는 것도 포함되어 있잖냐."

그렇게 말하며 그는 마지막 셋째 손가락을 세웠다.

"그리고 마지막——그 마지막이 이 마을에서 마술사 동맹을 별반 번성하지 못하게 만든 이유다. 뭐일 것 같냐?"

"글쎄요……. 마술사를 적시하는 세 번째 조직이라고 하셨죠? 전 짐작도……."

"이건 조직이 아니야. 종족이다. ——드래곤이야."

"드래곤?"

"그래. 이 아렌하탐이 오래된 역사를 가지고 있다는 건 알고 있지? 전설에 따르면 우리 인간이 이 키에살히마 대륙에 나타나기 이전부터 존재했다고 여겨지고 있다."

매지크는 곤혹스러운 듯이 눈살을 찌푸렸다.

"……하지만 그건 앞뒤가 안 맞잖아요. 인간이 아니라면 누가 이 마을에 살았다는 건가요?"

"그러니까 드래곤이라고."

"예에?"

매지크는 새된 목소리로 되물으며 주변을 둘러보았다.

"전혀 드래곤이 살았을 것 같지 않은데요?"

오펜은 오해할 줄 알았다, 하고 음흉하게 웃었다.

"그건 네가 드래곤이라는 놈을 모르기 때문이야."

"……?"

뭐가 뭔지 모르겠다는 표정을 보이는 매지크에게, 오펜은 이해할 수 있도록 쉽게 풀어 설명했다.

"네가 지금 머릿속에 상상하는 '드래곤'이라는 것을 맞춰 볼까? 커다랗고, 비늘이 있고, 날개가 있고, 불을 뿜고, 거기에 금은보화를 배 아래에 깔고 만족스럽다는 듯이 그르렁대는 도마뱀의 왕이다. 딱…… 이런 식으로."

하고 말하며 오펜은 걸음을 멈추지 않고 아무렇게나 가슴 안쪽에서 드래곤 펜던트를 꺼냈다. 그는 이 마을에 들어온 뒤부터 그 문장을 옷 아래에 숨기고 있었는데…….

"……아닌가요?"

"거의 다. 이 문장에 쓰인 녀석은 어디까지나 힘의 상징으로 쓰이는 드래곤이고, 네가 상상하는 것은 정확하게는 단순한 대형 파충류——공룡이야. 심지어 그 공룡이란 놈은 딱히 불을 뿜지도 않고 금은보화에도 흥미가 없어. 그냥 도마뱀이거든."

"……하지만 전설에 나오는 드래곤들은——"

"그래. 전설에 나오는 드래곤들은 탁월한 마술을 사용하고 고도의 지능을 가지며 때때로 언어를 사용하는 개체도 있다고들

하지."

"그럼 전설이 거짓말인 건가요?"

"아니."

오펜은 짓궂게 웃었다.

"그게 아니라 다소 왜곡된 거야. 드래곤! 하고 우리 마술사가 부르는 존재는 반드시 마술을 사용해. 반대로 말하면 마술을 다루는 존재는 전부 드래곤이다."

"……."

매지크는 잠시 생각에 잠기더니, 어? 하고 무언가를 깨닫고 물었다.

"하지만 스승님, 그렇게 따지면 스승님도 마술사잖아요."

"그래. 하지만 난——아니, 나뿐만이 아니라 인간 흑마술사는 드래곤 종족이 아니지."

"……전혀 모르겠어요."

"뭐, 일단 들어 봐. 내가 설명을 좀 잘못했군. 순서대로 짚어 보자. ——키에살히마 대륙에 우리가 나타나기 이전, 세계에는 마술이란 것은 없었어. 어이쿠——말하는 걸 깜빡 잊었는데, 앞으로는 매지크, 우리의 능력은 전부 '마술'이라고 부른다."

"예. 하지만…… 어째서인가요?"

"'마법'이라든가 '주술'이라고 부르면 의미가 변하거든. 세세한 정의도 있는 모양이지만 극히 단순히 설명하자면 '마술'이라는 건 드래곤이 다뤄. '마법'이라는 건 신의 힘이고, '주법'이라든가 '주술'……같은 게 되면, 그건 수퍼스티션(superstition)이다."

"수퍼…… 뭐라고요?"

"수퍼스티션――미개신앙. 다시 말해 미신 말이야. 어찌 되었든 먼 옛날에 존재했던 것은 신들이 다루는 '마법'의 힘뿐이었어. 그리고 세계에는 지금 존재하는 것과 똑같이 자연과 짐승들이 있었고. 인간도 그 중의 한 종족에 지나지 않았지."

"……."

일단 매지크가 납득한 기색을 보였기에 오펜은 말을 이었다. 다시 옷 아래에 문장을 감추며.

"하지만 짐승들 안에 기묘하게 교활한 지혜를 가진 여섯 종족이 있었다. 아까 광장에 있던 분수를 기억하냐?"

"예. 그 묘하게 갈기가 길었던 사자 말이죠?"

"그게 그 여섯 종족 중 하나, 페어리 드래곤(진홍의 사자)야. 그 외에도 딥 드래곤(심연의 숲늑대)라든가, 어쨌든 그 녀석들이 그때까지 신들만이 독점하던 '마법'의 비의를 훔쳐서 자신들도 다룰 수 있는 '마술'로 만들어 버렸지. 그때의 여섯 종족이 현재 드래곤 종족이라고 불리는 놈들이다. 그러니까 이 대륙에는 여섯 종류의 드래곤 종족이 있는 셈이 돼. 그리고 그 여섯 종족 중에는――천인(天人)도 있다."

"천인?"

"그래. 다른 이름으로는 노르니르(마녀)――우리가 흔히들 '고대의 마술사'라고 부르는, 반신반인의 존재지. 어마어마하게 강렬한 마술을 사용했다고 해. 전설에는 여성만으로 이루어진 종족이었다고도 하는데 실제로는 어떨지. 뭐 어쨌든, 그녀들은 외견으로만 치면 우리 인간과 거의 차이가 없었지만――대신 눈동자가 선명한 녹색이고, 이건 드래곤 종족 전부의 공통사항이다. 하지만 뭐, 그 정도의 차이는 어떻게든 해결할 수 있었던 거겠지. 여하튼 천인들은 인간과 사이가 좋았어. 사이가 좋았으니까 당연한 귀결로——뭐, 여러 일들이 있어서——그게 일어났다."

"……뭔가요. 갑자기 이에 뭔가 낀 듯한 말투로."

매지크의 지적에 오펜은 잠시 입을 다물었지만, 살짝 보폭을 늦추고는 말을 고쳤다.

"요컨대, 양쪽 사이에 혼혈이 생겨났다는 거다."

"……그럼……."

"감이 온 모양이로군. 그래. ——우리 인간 마술사는 그 혼혈 결과 태어난 존재다. 다시 말해 우리는 드래곤과 인간의 혼혈아이지. 재능을 가지지 않은 인간이 아무리 노력을 해도 마술사가 되지 못하는 이유가 바로 여기에 있어. ——유전의 문제인 거야."

"오호라."

"그렇다고는 해도——"

오펜은 거기서 씁쓸한 표정으로 신음했다.

"그 드래곤의 피가 흐르기는 해도 우리가 현재 다루는 마술과 그 천인이 다루는 마술과는 근본적인 부분부터 엄청난 차이가 있어."

"……어떤 점에서 차이가 있는데요?"

"예를 들어 우리는 흑마술사든 백마술사든 목소리——즉 주문을 사용해 마술을 써. 음성마술이라고 불리는 이유이지. 음성을 매체로 마력을 날리는 거야. 그러니까 주문의 목소리가 닿지 않는 곳에 마술은 효과를 미치지 못하고, 또한 그 효과도 영속하지 않아. 하지만——"

그는 가공의 추를 양손으로 저울에 단 것처럼 움직여보였다.

"천인이 다루는 마술은 문자를 매체로 한다. ——목소리를 사용하지 않는다는 점에서 침묵(월드)마술이라고도 불리지. 문자는 써서 남길 수도 있고, 금속에 새겨 넣을 수도 있으니까 그 효과는 때로 영속할 경우도 있어. 심지어 말로 마술을 구성하는 것보다 아득히 복잡하고 정돈된 구성을 짤 수도 있으니까 매우 강력해."

"어느 정도나 강한가요?"

당연하다고 하면 당연한 매지크의 질문에 오펜은 곤혹스러운 얼굴로 대답했다.

"……그래. 나도 천인들이 직접 침묵마술을 다루는 것을 본 적이 있는 건 아니니까 정확하게는 말할 수 없지만——그녀들이 남긴 유산이 발동하는 것을 본 적은 있다. 마술문자《월드 그라프》를 새긴 검이라든가, 반지라든가 말이야. 볼칸 그 빌어먹을 바보자식이 가지고 튄 발트안델스(달의 문장)의 검도 그 중 하나고. 한마디로 말하면, 범인이 완벽하게 다룰 수 있을 만한 물건이 아니야. 과거에 수도 없는 인간 마술사들이 유산의 힘을 자신의 것으로 삼으려 하다…… 실패해 왔어."

"……."

매지크는 묘하게 조용한 눈빛으로 오펜을 바라보며 중얼거렸다.

"그래도 인간은 그 힘을 추구하길 멈추지 않겠죠."

"그렇지. 나 역시——"

오펜은 자조하듯이 웃었다.

"남을 비웃을 자격은 없어. 강한 힘을 손에 넣기 위해서라면 다소 황당무계한 짓도 할지 몰라. 애초에 마술사란 놈들은 다 그렇지."

"……."

오펜은 자신을 가지고 말했지만 매지크는 좀처럼 이해가 되질 않는지 이상하다는 듯이 눈을 깜빡일 뿐이었다.

'뭐, 모르겠다면 그걸로도 좋고.'

그가 홀로 어깨를 움츠리자 결론이 나오길 참을 수 없었는지 매지크가 물었다.

"하지만 그게 왜 이 마을에서 마술사 동맹이 강한 힘을 가지지 않은 이유가 되는 건가요?"

"아, 그렇지. 깜빡했다. 그 이야기를 하다가 나온 거였어. ——뭐, 요컨대다. 이 마을은 드래곤 신앙이 강한 도시야. 이 대륙 어딘가에 있을 여섯 종족의 드래곤들——페어리 드래곤, 레드 드래곤, 미스트 드래곤, 딥 드래곤, 워 드래곤——그리고 월드 드래곤, 즉 노르니르! 보통 드래곤 신앙이라는 놈은 변경 지역에서 가까스로 남아 있는 정도에 지나지 않지만, 이 아렌하탐의 신앙은 예외라서 말이지. 말하자면 이곳은 대륙 드래곤 신앙의 성지인 셈이야. 천인이 운하와 함께 천 년도 더 옛날에 만들었다고 일컬어지는 오래된 도시. 이곳에 우리의 선조가 발을 들인 것이 수백 년 전. 양 종족에는 우애관계가 구축되고 그 협력체제는 영원히 이어질 듯이 여겨졌다. 힘없는 인간들은 강한 천인을 동경하고, 그것은 언젠가부터 신앙으로 바뀌면서——"

"……그리고 어떻게 되었나요?"

재촉하는 매지크의 질문에 오펜은 뜸들이지 않고 대답했다. 통행인은 이미 상당히 줄어든 상태다. 관광지에서 조금 떨어진 길에 들어온 것이다.

"예전에 신들의 '마법'을 드래곤들이 훔쳐 '마술'로 만들었듯이, 우리의 시조는 천인에게서 마술을 훔쳤어. 혼혈이라는 형태로 말이다. 그 행위에 천인은 전율하고 인간 마술사를 전부 지상에서 말살하려 했다. 어째서 그녀들이 그렇게까지 인간 마술사를 두려워했는지 이유는 알 수 없어. 하지만 그 결과 이 마을에서 마술사 사냥은 1세기 가깝게 지속되었지."

"얼마나 많은 사람이 죽었나요?"

"글쎄다. 하지만 아무런 힘도 가지지 않은 단순한 인간이 마술사를 붙잡을 수 있을 리 없지. 오히려 반격을 당해 죽은 인간 쪽이 더 많지 않을까? 그리고 그렇게 시간이 흐르고 이윽고 천인이 지상에서 모습을 감췄어."

"……어째서요?"

"몰라. 어쨌든 없어졌어. 어느 날 아침, 홀연히 말이다. 그게 2백인가 3백 년 전의 일이야. 그리고…… 시간의 흐름과 함께 마술사 사냥의 기풍도 수그러들었다. 지금은 대놓고 마술사를 비방하는 자도 없어. 하지만 현재 드래곤 신앙 안에는 언외에 우리의 존재를 비난하는 부분도 눈에 띄어. 가령 우리 인간 마술사의 존재가 노르니르를 실망시켜 사라지게 만들었다는 식으로."

"……천인은 어째서 인간 마술사를 싫어했던 걸까요?"

그것은 물음이 아니라 혼잣말과 같은 말이었기에 오펜은 대답하지 않았다. 그저 마음속으로 자연스레 솟아오르는 말이 있었다.

'후배가 자신보다 강한 힘을 가지게 될지도 모른다는 불안은 다

른 어떤 종류의 질투보다 강한 법이지.'

내가 너한테 품은 감정처럼 말이다, 매지크.

아렌하탐 마술사 동맹은 너무나도 궁상스럽게 보였다.

이 마을에는 높이가 높은 건물이 많다. ――특히 마을 남쪽을 점유하는 거주구에는 5층에서 6층 정도의 아파트가 늘어서 있고, 마을 중심에서 그쪽 방향을 힐끗 보는 것만으로도 하늘을 향해 우뚝 솟은 벽돌색 사각형 실루엣이 보일 정도다.

그리고 그런 광경을 보고 난 뒤에 다시 마술사 동맹의 꾀죄죄한 벽면으로 시선을 되돌리자 더욱 초라하게 비쳤다.

"조립식 가건물처럼 보이는데요."

매지크의 감상에 오펜은 뱃속 깊은 곳에서 탄식을 토했다.

"초등학교 건물을 물려받은 거야. 학교가 새 건물로 이전해서 싼 가격에 매수한 거겠지. 내가 이 마을에 있던 시절에는――훨씬 더 지독한 곳에 있었다고."

그렇게 말하며 그는 휙 몸을 돌려 조금 떨어진 곳에 혼자 서 있는 클리오를 보았다. 거리로 치면 10미터 정도일까. 저 멀리에서 안 보는 척하며 보고 있다.

답답해진 오펜은 입을 열었다.

"이제 작작 화 풀어라, 얀마."

클리오는 그 말을 무시하고 휙 고개를 돌렸다. 긴 블론드가 금색의 꼬리처럼 두둥실 옆을 날았다.

"뭘 그렇게 삐친 거야. 아까 사과했잖냐."

그 말을 들은 클리오는 듣고 넘길 수 없다는 듯이 눈을 빛내더니 운동화를 신을 발로 팡, 하고 땅바닥을 굴렀다.

"누가 사과했다는 거야? 꽃을 내던졌을 뿐이잖아!"

"그야 그렇지만…… 애초에 왜 내가 이렇게 성질머리를 받아줘야 하는 건데."

"왜냐니——"

클리오는 거기까지 말하고는 경악한 듯, 이를 악물고 이쪽을 노려보았다. 오펜은 의기양양한 미소를 띠었다.

"거 봐라. 어차피 대단한 이유도 없을 거잖냐. 매사 화난 얼굴을 하면 주변이 자신의 말대로 움직여줄 거라는 생각은 완전히 물러터진 근성이야. 어린애처럼 고집 부리지 말고 좀 더 어른스럽게 생각하란 말이다——."

"……스승님은 정말 가차 없으시네요."

"그러냐?"

등 뒤에서 들린 매지크의 말에 돌아보지도 않고 대답하고 있자 클리오의 표정은 더욱 험악하고 분노가 짙어졌다. 입술을 깨물고 선 채로 무릎 위에 주먹을 쥐는 것이 보였다.

"역효과였던 모양이로군."

오펜은 나지막하게 내뱉었다.

"설마 방금 그 말로 해결을 바라셨던 건가요……."

"응."

매지크의 말에 망설이지 않고 대답한 오펜은 어쩔 수 없이 마술사 동맹의 건물 쪽을 돌아보았다. 뭐, 클리오의 기분은 딱히 지금 해결하지 않아도 되리라.

건물을 향해 한 걸음 내딛었다. 시설은 조금 비좁은 느낌의 운동장 너머에 있었으며, 부지 안에는 고양이 한 마리 없다. 오펜은 기묘하게 생각했다. ——반드시 있어야 할 경비조차 모습이 보이지 않았기 때문이다.

"하지만 여기에 무슨 용무가 있으신 건가요?"

여전히 짐을 안은 채로 매지크가 비틀거리며 따라왔다. 오펜은 콧잔등을 손가락으로 긁적였다.

"뭐…… 불행한 추억에 매듭을 지을까 싶어서 말이지. ——그리고 어쩌면 용무 같은 건 없을지도 모르지만……."

"네? 그게 무슨 말이에요?"

"아는 사람을 만나고 싶어서 온 거야. 하지만 그녀가 이곳에 있을지 어떨지 확신이 서질 않는군. 내가 마지막으로 만났던 건 병원이었고 말이야."

"그럼 왜 여기에 있을 걸로 생각하셨는데요?"

"그녀는 마술사야. 이 마을에서 마술사가 살아갈 수 있는 곳은 같은 무리 안——다시 말해 마술사 동맹 안 뿐이지."

운동장 중안 부근까지 걸어와 뒤를 돌아보자, 클리오는 운동장 입구 근처에 홀로 서서 오른쪽 종아리를 왼발로 긁고 있었다.

오펜은 그녀에게 손이라도 흔들어 줄까 반쯤 농담처럼 생각했다. 화를 내며 돌멩이라도 던질지 모르지만, 소녀의 힘으로는 어차피 여기까지 닿지도 않을 것이다.

그렇게 오른손을 들어 올리려던 때——

등 뒤에서 맹렬한 기운을 느꼈다. 다시 말해 마술사 동맹 건물 안에서.

화악——!

오펜은 뒷덜미가 소름으로 빳빳하게 서는 것을 느꼈다. 그것은 비유가 아니고, 또한 비유나 감각적인 표현이 아니라 훨씬 물리적인——

매지크가 비명을 질렀다.

"뭐——뭔가요, 이거! 스승님!"

황급히 뒤를 돌아보자 오펜과 매지크가 서 있는 곳에서 살짝 더 앞——건물을 완전히 감싸는 형태로 소용돌이 모양의 기류가 휘몰아치고 있었다. 그것은 소용돌이라기보다는 무수한 수의 맹렬한 회오리가 죽 늘어선 듯한 느낌이었다. 운동장 지면이 얇게 벗겨져 하늘을 향해 치솟는다. 운동장 구석에 폐기되어 있던, 예전엔 미끄럼틀이었던 것으로 보이는 어떠한 철골이 빨대라도 꺾듯이 콰직 구부러지는 것이 보였다. 빠직, 빠각——하고 허술한 구조의 건물이 함몰하듯이 붕괴했다.

기류만이 아니다. 에너지의 소용돌이다. 우리는——에너지의 소용돌이 안에 있어!

'난리났군, 이거——뭔지는 모르지만.'

오펜은 순간적으로 매지크를 감싸기 위해 손을 두르고는 체내의 마력을 곧바로 발동할 수 있도록 호흡을 가다듬었다.

그러자——결국 기류의 폭주가 오펜 일행 주변까지 다다랐다. 소용돌이 형상의 모래폭풍은 서서히 넓어지고 있는 모양이었다. 핏, 하고 날아온 자갈이 팔을 스치고 상처를 만들 즈음에서 오펜은 주문을 영창하기 시작했다.

"나 잣노라——"

——아마도 깨진 창유리이리라, 자잘하게 깨진 유리 파편이 바

람을 타고 이쪽으로 날아왔다——.

"——광륜의 갑옷!"

좌악! 하고 달군 철판에 기름을 부은 듯한 소리를 내며 오펜의 주변에 번쩍이는 고리를 묶어 짜낸 듯한 빛의 장벽이 나타났다. ——유리 파편은 그 광륜의 장벽에 가로막혀 와인글라스를 손가락으로 튕긴 듯한 경쾌한 소리를 내었다. 그와 동시에 또 다른 방향에서 어딘가에서 떨어져 나간 거지 간판으로 보이는 나무판이 장벽에 부딪혀 산산조각 났다. 거기에 끊임없이 솟아 오르는 모래먼지가 연달아 장벽에 닿아 픽픽 작은 소리를 냈다.

그런 소리 가운데에서 매지크가 겁을 먹은 목소리로 중얼거리는 말이 들렸다.

"……무——무슨 일이 일어난 건가요?"

"나도 몰라."

오펜은 그렇게 내뱉으며 운동장 입구 쪽을 보고는——가만히 안도의 한숨을 내쉬었다. 정체불명의 소용돌이는 클리오가 있는 곳까지는 퍼지지 않은 모양이었다. 소녀는 아연한 표정으로 이쪽을 보며 안색을 창백하게 만들고 있었다. 소용돌이들은 운동장 대부분을 엉망진창으로 망가뜨리며 무언가를 기다리듯이 그저 휘몰아치기만을 계속했다——.

"어떠한 마술이라고 해도 개인의 힘으로 이만한 위력을 만들어내는 건 불가능해. 내 장벽도 언제까지 버틸지——"

"이, 이게 무너지면, 우린 어떻게 되나요?"

떨리는 목소리로 묻는 매지크에게 오펜은 턱을 살짝 들어 운동장 구석을 가리켰다.

"저렇게 되겠지."

그 말에 응답하듯이 운동장에 있던 철봉이 돌로 된 토대와 함께 뽑히며 하늘로 날아올랐다.

"마, 말도 안 돼~!"

오펜이 만들어낸 광륜의 벽은 이미 효력을 잃기 시작하여 여기저기에 틈새가 생겨나고 있었다. ──아무리 흑마술이 장시간 지속되지 않는다고 하여도 마음만 먹으면 몇 분 동안은 장벽을 지속할 수도 있지만, 유감스럽게도 주변의 소용돌이가 상궤를 달리한 위력을 뿜고 있었다. 오펜은 자신의 몸 안에서 슬금슬금 마력이 쥐어짜이는 감각에 전율하며 두 손을 잡아 주물렀다.

거기서 문득 시선을 위로 들었다──.

딱히 의식해서 한 행동은 아니었다. 그저 피로가 엄습하여 턱이 위로 향했을 뿐임에 지나지 않는다. 그 순간 오펜은 우연히 건물 3층 창문에서 인영을 보았다──.

'……?'

기묘한 광경이었다. 주변에서 거세게 휘몰아치는 모래먼지에 가로막혀 잘 보이지 않지만, 분명히 3층 창문 안쪽에서 남자의 인영이 보였다.

──아니, 남자가 아니다. 적어도 인간은 아니다.

'뭐지, 저건……?'

오펜은 마음속으로 중얼거렸다. 이상할 정도로 가느다란 몸. 창백한 피부. 털이 거의 없는 안면에는 소심한 조각가가 새긴 듯한 가느다란 눈이 있고, 코는 거의 윤곽이 없다. 그 입이 살짝 열리며 무언가를 말하고 있는 듯했다. 오펜은 독순술 같은 것은 할 수 없었지만 그래도 다소는 그 시늉이나마 배웠던 기간이 있었다.

'좋다, 너희에게 협력하마——.'

그 인영의 입술은 그런 말을 하는 것처럼 보였다.

그리고 그 인영이 무언가를 들어올렸다. 이상할 정도로 여윈 팔이 쥐고 있는 것은 자신이 잘 아는 고풍스러운 대검——인영은 그 가느다란 손가락을 가볍게 쥐어——검을 부쉈다. 커다란 검이 유리 장식품처럼 산산조각이 나며 부서지는 모습을 보며 오펜은 신음했다.

'발트안델스의 검! 그렇다면——저기에 볼칸이 있는 건가?'

장벽이 깨졌다. 매지크의 절망적인 비명. 어마어마한 속도로 날아온 나무파편이 갑자기 눈앞에 나타나더니——

오펜의 관자놀이를 후려쳤다.

"——!"

순간 기절할 뻔했지만 오펜은 간신히 버텼다. 그는 상처를 손으로 누르며 침을 내뱉듯이 욕설을 내뱉었다.

"이런 제기랄! 저 바보 자식——또 뭔가 시시껄렁한 사건이라도 일으키려고 하는 건 아니겠지!"

그러자 한층 더 강한 바람에 뜯겨나간 건물 벽의 일부가 이쪽을 향해 날아왔다. 오펜은 오른팔을 앞으로 내밀며 늠름하게 외쳤다.

"나 발하노라, 빛의 칼날!"

오른손 끝에서 섬광이 폭발하며 발사된 광열파가 닿자마자 벽은 공중에서 대폭발을 일으켰다. 오펜은 연달아 같은 주문을 외치며 이번엔 미끄럼틀의 사다리로 보이는 철봉을 날렸다. 하지만 그러는 와중에도 그의 어깨에——아마도 그 미끄럼틀의 부품이리라

——볼트가 격돌해 오펜은 비명을 지르며 그곳에 무릎을 꿇었다. 상처를 입은 오른쪽 어깨에 둔탁한 저림이 번짐과 동시에 갑자기 팔을 올릴 수 없게 되었다. 뼈가 부러진 모양이었다.

오펜은 그 어깨를 부여잡으며 신음했다.

"뭐가 이따위로 약해 빠졌냐……. 부러질 정도라면 처음부터 붙어 있질 말라고."

스스로도 황당무계한 소리를 한다는 자각은 있었다.

"스승님!"

그 부름이 들린 쪽으로 고개를 돌리자, 지면에 엎드린 매지크가 이쪽을 올려다보며 말했다.

"짧은 기간이었지만 신세 많이 졌습니다——."

"시끄러워! 난 이런 곳에서 죽을 생각은 없다고!"

오펜은 아직 무사한 왼손으로 자기 학생의 멱살을 잡았지만, 그 마음과는 반대로 절망적인 눈빛으로 주변을 둘러보았다. ——도망치려고 해도 기류가 너무 격렬해 허투루 움직였다간 자기 자신이 공중으로 내던져질 것 같았다. 그렇게 되면 물론 이제 살아날 방법은 없다.

"오펜!"

운동장 저 너머에서 클리오가 소리치는 것이 들렸다. ——들린 것 같았다. 이 소용돌이 한가운데에서는 소녀의 외침 따위가 들릴 리 없었지만, 오펜은 고개를 돌려 그쪽으로 시선을 던졌다. 시야 구석에 클리오의 흰 티셔츠가 연속된 잔상처럼 비치더니, 잠시 시간을 두자 점점 초점이 잡혔다. 금발 소녀의 모습에 완벽하게 초점이 잡힌 그 순간——

소리도 없이 빛이 가득 차올랐다. 뒤이어 대기를 울리며 충격파가 등 뒤에서——건물이 있는 방향에서 쓰나미처럼 몰려왔다. 핀 하나 떨어지는 소리조차 들리지 않는 완벽한 무음의 충격 속에서 오펜은 자신의 고막이 터졌음을 직감했다. 건물 내부에서 파열한 폭염의 방사열에 피부가 타는 아픔…….

정신을 차리자, 폭풍에 떠밀려 날아간 그는 지면을 구르고 있었다. 콱, 팟, 하며 모래 지면에 몸 여기저기가 부딪힌다. 난폭한 주부의 손으로 구겨진 세탁물은 이런 기분일까, 하고 얼빠진 생각을 하며 오펜은 어떻게든 낙법을 취하기 위해 발버둥 쳤다.

——결국은 그 노력이 빛을 발한 것이리라. 몸은 이동을 멈추고 그는 아직 죽지 않았다.

"아야야야……."

오펜은 신음하며 천천히 몸을 일으켰다. 부러진 오른팔은 물론이고 몸 여기저기에 격통이 일었다.

"오펜!"

"으꺄아!"

오펜의 단말마 같은 비명을 무시하고 클리오가 달려와 품에 달려들었다. 그녀는 소름 끼친다는 안색으로 외쳤다.

"괜찮아? 뭐가 뭔지——아! 뭐야, 이거! 부러졌잖아!"

"부, 부러졌어. ——부러졌으니까——당기지 좀 마라!"

오펜은 간신히 클리오를 떼어내고는 울상을 지으며 부러진 오른팔을 보호하듯이 끌어안았다.

그리고 거기서 깨달았다.

"어라? 고막이 찢어진 건 아닌 모양인데. 목소리가 들려. 아니면 고막이 찢어져도 소리가 들리지 않게 되는 건 아니었던가?"

"?? ……왜 고막이 찢어졌다고 생각한 거야?"

"아니…… 그게, 폭발음이 하나도 안 들려서——"

그렇게 말하며 오펜은 마술사 동맹 부지 쪽을 돌아보았다. 그는 아무래도 폭풍으로 운동장 입구까지 일직선으로 굴러온 모양이었다. 클리오가 총총 이쪽으로 다가와 이상하다는 듯이 중얼거렸다.

"나한테도 딱히 아무 소리도 안 들렸는걸? 아까 그 폭발, 아무런 소리도 안 났어."

"……뭐라고?"

오펜은 전혀 수긍이 되지 않는다는 표정으로 마술사 동맹 부지 쪽을 관찰하고, 거기서 더욱 이상한 감각을 맛보았다. ——폭발은 자로 잰 듯이 정확하게 부지 안에서만 일어난 듯했다. 건물은 돌조각으로 변하고 운동장의 흙도 초토화되어 있지만 그 결과도 운동장을 감싸는 벽을 경계로 딱 멈춰 있었다.

방금 전의 폭발이 무엇을 위해 일어났는지는 일단 제쳐 두고, 그것은 이 시설을 날려버리기 위해서만 효과 범위를 한정한 마술이었다는 것이 된다.

그 사실과 이 위력——어찌되었든 인간 흑마술사에게는 절대로 불가능한 일이다. 하물며 오펜은 그 마술의 효과 안에 있었다면 당연히 들렸어야 할 주문을 듣지 못했다.

"……."

오펜은 멍하니 입을 벌리고 잔해의 산을 보았다. 1분 전까지는 마술사 동맹 건물이었던 그것은 지금은 이미 예전의 흔적도 없이 납작하게 무너져 있다. 모락모락 솟아오르는 모래먼지나 분진이 천천히 바람에 흩날려 사라지는 것을 보면서 어라? 하고 의문이 떠올랐다.

"매지크 녀석은…… 어떻게 됐지? 설마——"

등골이 서늘한 기분에 초토화된 운동장 안으로 몸을 내밀었다. 한 걸음 발을 내딛은 순간, 비유할 바 없는 격통이 내장에서 온몸으로 퍼졌다. 눈물을 참으며 운동장을 둘러보아도 금발 소년의 시체 같은 것은 어디에도 보이지 않았다.

"저기……."

뒤에서 따라온 클리오가 곤혹스러운 표정으로 그의 왼팔을 잡았다.

"뭐야, 알고 있는 거냐? 어디에 있어, 그 녀석?"

오펜이 어깨 너머로 묻자 클리오는 척, 하고 가느다란 손가락으로 공중을 가리켰다.

"저기."

"엉?"

오펜은 눈살을 찌푸리며 하늘을 올려다보고, 거기서——

"아아아아아아아아!"

머리를 부둥켜안고 비명을 질렀다. 재빨리 눈대중으로 재서 상공 2, 3백 미터 정도 지점에 망가진 기상관측용 연 같은 모습으로 매지크가 떨어지고 있었다. 아마도 돌풍을 타고 상공으로 휘말려 올라간 것이리라. 쇼크사하지 않았으면 좋으련만, 하고 마음속으로 중얼거리며 오펜은 재빨리 외쳤다.

"나의 손 안에——그러니까——아아, 젠장, 아무거나 됐어!"

당황했기 때문에 곧바로 주문이 나오질 않았다. 어차피 주문의

내용은 아무래도 좋다. ——일단 목소리로 만들어 바깥으로 내는 것이 중요하기에, 아무런 의미를 가지지 않은 외침으로도 주문은 발동한다. 오펜은 상공에 있는 매지크에게도 들리도록 목청을 높였다.

"살아라, 매지크!"

……일단 목소리만은 다다른 모양이었다. 오체를 축 늘어뜨린 매지크의 낙하속도가 눈에 띄게 느려졌다. 마력으로 학생의 몸을 지지하고 있다는 감각을 느낀 오펜은 후우, 하고 숨을 내뱉으며 이마의 땀을 훔쳤다.

몇 분 후, 간신히 지면에 내려온 매지크는 완전히 실신해 있었다. 찰싹찰싹 매지크의 뺨을 때리며 깨우려 하는 클리오의 옆에서 오펜은 다시 잔해의 산으로 시선을 향했다.

"……이걸 어떡한다."

오펜은 폭발의 마지막 순간에 본, 인간이 아니지만 인간과 닮은 남자의 얼굴을 떠올리며 나지막하게 내뱉었다. 그 폭발은 그 남자가 일으킨 것일까. 그렇다면 자신이 일으킨 폭발로 자신도 날려버린다는 바보 같은 짓은 할 리 없다. 폭발이 일어나기 직전——어떠한 방법으로 도망친 것이 된다. 바라건대 그 볼칸과 도틴이라는 구제불능 바보 형제도 탈출에 성공했길 바라는 바이지만…….

그제야 사고를 알아차린 구경꾼들이 와글와글 길가에 나타나기 시작했다. ——이 부근에는 관광 가치가 있는 것은 아무것도 없기 때문에 여행객의 모습은 없다. 그렇다면 저 사람들은 전부 이곳의 주민이 되는데, 그들의 얼굴에는 그 누구도 그다지 깊은 동정의 빛은 보이지 않았다. 오히려——

오펜은 탄식했다. 오히려 마술사 동맹의 시설이 날아가 속이 시원하다는 것처럼 보였던 것이다.

구경꾼 중 하나가 오펜 쪽으로 다가왔다. 그다지 늙은 것처럼 보이지는 않지만 머리가 벗겨진 남자다. 그는 오펜이 만신창이인 꼴을 보고는 역시 기가 죽지 않을 수 없었던 모양이지만, 그래도 다소는 위협이 담긴 눈빛으로 말했다.

"당신, 마술사인가."

"……그래. 이 마을의 인간은 아니지만."

오펜이 감정을 억누른 목소리로 대답하자 남자가 단호하게 말했다.

"이런 일이 일어나는 게 아닐지 줄곧 생각하긴 했지."

"……? 그게 무슨 말이지?"

오펜이 묻자 남자는 눈을 감고 고개를 저었다.

"천벌을 받는 게 아닐까 생각했다는 말이야. 이런…… 천벌이 말이다."

"……."

침묵. 아무도 입을 열지 않는다. 아직도 기절해 있는 매지크의 머리를 부둥켜안고 붕붕 고개를 젓는 클리오의 목소리가 묘하게 절박하게 들려온다.

그때——

오펜은 남자를 향해 무언가 반박할 말을 하려고 입을 열었다가 깨달았다. ——잔해 안에서 희미한 신음 소리가 들리는 것을. 그가 그쪽을 봄과 동시에 구경꾼들 사이에서도 오오, 하고 술렁임이 일었다.

붕괴한 건물 안에서 무언가가——몸을 일으켰다. 비틀비틀 힘없이 몸을 일으키는 모습을 보고 오펜은 숨을 삼켰다. 아까 전에 본 창백하고 지나치게 여윈 '비인간'의 모습을 떠올린 것이다. 하지만——

아니었다. 다른 자였다.

"……."

잔해 안에서 몸을 일으킨 것은 인간이었다. 가장 낮은 지위의 흑마술사가 사용하는 간이 로브를 걸치고 흑발을 허리까지 기른 젊은 여자. 20세 정도일까? 훤히 드러난 팔에 온통 긁힌 상처가 난 것은 스스로 잔해를 밀고 나온 탓이리라. 테가 휜 안경을 왼쪽 귀에 걸치고 뺨에서 피를 흘리는 그 마녀는 매우 가엾게 보였다. 그녀는 주변에 구경꾼들이 있는지 아는지 모르는지 힘없는 발걸음으로 천천히 이쪽으로 다가왔다.

그 모습은 단호하게 주변의 조력을——특히, 이 마을 주민들의 조력을——거부하는 분위기를 풍겼다.

10분 정도 걸쳐 천천히 걸어온 그 여자는, 입구 근처의 오펜에게 손을 뻗으면 닿을 정도까지 걸어와, 거기서 그제야 고개를 들었다. ——그녀의 얼굴은 완전히 허를 찔린 듯이 굳어져 있었다. 그녀는 환각이라도 보는지 의심하듯이 떨리는 목소리로 말했다.

"오——오펜, 이야……?"

"스테프——."

오펜이 이름을 부르자, 마녀는 거기서 힘이 다했는지 털썩 무릎을 꿇고 쓰러졌다. ——지면을 향해 쓰러지는 그녀의 몸을 왼팔로 받아낸 오펜은 다시 한 번 그 이름을 불렀다.

"스테프. ——너, 역시 아직 이 마을에 있었던 거냐!"

그의 뒤에서 퍽, 하는 소리가 들렸다. 클리오가 뺨을 씰룩이며 매지크의 머리를 지면에 떨어뜨리는 소리였다.

"그러니까 말야~, 거 있잖아, 흔히 말하는 성희롱이라는 거. 학점을 얻고 싶으면 하룻밤 자기랑 놀자, 같은 거."

밤길——.

한밤중에 접어들어 어느 정도 지난 시각이라 사람의 왕래는 거의 보이지 않는다. 고도 아렌하탐은 조용한 바람만을 가만히 자아내는 기계처럼 얌전히 자리 잡고 있다. 달은 밝게 빛나며 길을 비추었다. 완전히 똑같은 구조에 여러 층으로 지어진 벽돌 아파트가 늘어선 평민 주거지다. 익숙지 않은 자에게는 이상하게 비칠 광경이지만 이곳에서 사는 자에게는 관계없다. 폭 수 미터 정도의 길을 학생인 듯한 남녀가 걷고 있었다.

"그게 뭐야."

남자가 회의적으로 묻자 여자가 어깨를 움츠리며 대답했다.

"그래서 말이지~, 확 열이 받아서 그 조교수를 근처에 있던 각목으로 후려쳐서 콧대를 부러뜨려 줬지."

"각목?"

"건축학과거든."

흐음, 하고 남자가 맞장구를 치고 걸으며 여자의 어깨에 손을 둘렀다.

그러자——느닷없이, 그들 앞에 인영이 나타났다.

"훗훗훗……."

"……뭐, 뭐야?"

남자는 곧바로 여자를 감싸듯이 몸을 내밀었다.

인영은 그런 남자를 신경 쓰는 기색도 없이 그곳에 서 있었다. 어둠 속이라 잘 보이지 않지만 신장은 130센티 정도의 약간 땅딸막한 인영이다. 그것은 팔짱을 끼고 가만히 이쪽을 바라보았다.

인영은 예고도 없이 입을 열었다.

"어리석은 놈들."

"허, 허어?"

남자가 기막히다는 듯이 소리를 냈다.

인영은 말을 이었다.

"지상의 지배자인 이 몸의 앞길을 가로막다니. 어리석음을 넘어 불쌍한 놈들이로군."

"지배자아?"

남녀는 이구동성으로 바보 취급하듯이 말했다.

"그렇다!"

하지만 인영은 자신만만하게 외치더니, 몸을 감싼 모피 망토를 힘차게 펼쳤다. ——망토 아래에 가려져 있던 칼집이 보인다. 그 인영은 큰 목소리로 말했다.

"잘 기억해 주어라. ——비록 얼마 남지 않은 여생이라도 말이다!"

"무, 무차별 살인마다!"

"아니야! 나는——"

"스테아! 여긴 네가 저 녀석을 막고 있어. ——내가 경찰을 불러올 테니까——"

"뭐어!? 역할이 반대 아니야? 어, 뭐야? 칼이 무서워?"

"당연하잖냐!"

"졸업하면 결혼하자, 평생 널 지켜주겠다고 했던 말은 뭐야?"

"그냥 일종의 표현일 뿐이지!"

"그런 말을 일종의 표현으로 꺼내지 마! 아! 뭐야? 방금 나 떠밀고 도망가려고 한 거야?"

"알 게 뭐야! 예전부터 넌 정말 뻔뻔한——"

"시끄러워어어어어어어!"

인영이 검을 빼며 있는 힘껏 크게 고함을 지르자, 이제까지 자기들의 말싸움에 정신이 팔려 있던 두 사람도 입을 다물 수밖에 없었다. 인영은 검을 수평으로 휘두르며 말했다.

"이 몸을 눈앞에 두고 멋대로 자기들끼리 이야기를 진행시키지 마라! 잘 들어라! 이 몸의 이름은——"

"시끄러워! 한밤중에 뭐냐!"

갑자기 아파트 위층 쪽에서 그런 고함이 들리나 싶더니 다음 순간 퍽! ——하고 떨어진 튤립 화분이 인영의 정수리에 명중했다. 무차별 살인마는 짓눌린 파리처럼 길바닥에 허물어졌다.

"……."

남자가 조심조심 머리 위에 화분(기적적으로 깨지지 않은 듯했다)을 올린 채 쓰러진 인영을 들여다보았다.

그러자——인영은 용수철 장난감처럼 벌떡 일어났다.

"망할! 누구냐! 방금 화분 떨어뜨린 놈!"

"우, 우와아! 괴물이다!"

남자는 비명을 지르며 그대로 휙 몸을 돌려 도망쳤다. 그 뒤를 너 기다려! 하고 소리치며 여자가 쫓는다.

그 뒤로는 멍하니 화분을 머리에 올린 살인마만이 남았다. 인영은 쓰러졌을 때 놓친 검을 주우며 투덜거렸다.

"빌어먹을……. 최근의 인간 놈들은 침착이라는 말도 모른다니까. 휴지로 변기 막아 죽일까 보다, 젠장."

그때 길 구석 쪽에서 스르륵 그와 비슷한 인영이 하나 더 모습을 나타냈다. 모피 망토에 폭 몸을 감싼 차림에 달빛이 안경에 반사되어 마치 거대한 눈처럼도 보이는 자다. 그자가 지친 듯이 말했다.

"괜찮아, 형……?"

"뭐가?"

"아, 아니——화분이……."

"음."

무어가 '음'인지는 모르지만, 어쨌든 그 인영은 괜찮은 모양이었다. 뭐, 원래 지인의 두개골은 단단함이 보통이 아니다.

나중에 나타난 자가 나지막하게 물었다.

"이런 짓을 해서 어쩔 셈이야, 형."

"흥. 너는 이해 못하겠지만 말이다, 세계의 지배자라는 것은 우선 세상에 이름을 알릴 필요가 있는 법이야."

"밤길을 걷는 커플을 덮쳐 가면서?"

"……이건 연습이다!"

검을 든 인영은 그렇게 외치며 머리를 휘저어 화분을 지면에 떨어뜨렸다. 좌악, 하고 흙을 굳혀 만든 화분은 간단히 깨졌다.

"이건 단순한 직감이다만——내가 손에 넣은 힘은 세계마저 지배할 수 있는 능력이야. 이걸 쓰면 그 음험한 사채업 마술사 놈을 말살하는 것도 간단해!"

"내 눈에는 그렇게 안 보이는데……."

"아직 익숙하지 않을 뿐이다!"

인영은 다시 그렇게 외치며 검으로 상대를 두들겨 팼다.

다음으로는 지면에 떨어진 튤립 봉오리를 짓밟고,

"하지만 그것의 제어법만 알아내면 난 내일부터 대륙의 지배자다! 세계의 패자다! 내게 거스르는 녀석들은 검테이프로 벗겨서 죽여 주마!"

주먹을 불끈 쥐며 다리를 벌리고 우뚝 서는 그의 머리 위에 다시 화분이 작렬했다. 이번에는 흙 대신 돌이 들어 있었다.

"시끄럽다고 했잖냐!!"

하지만 볼칸은 그 항의를 듣지 않았다. 눈알이 휙 돌아가 흰자위를 드러내더니, 그대로 기울어져——털썩, 하고 지면에 쓰러졌다.

그곳에 남은 것은 기절한 두 인영뿐이었다. 달빛에 비춰진 고도 아렌하탐의 아름다운 거리 안에서.

제3장 도전장 프롬 볼칸

"저쪽이다! 몰아넣어!"

목소리가 뒤에서 점점 닥쳐 온다……. 도망쳐야만 하는 상황. 하지만——

움직일 수가 없었다. 그것이 무엇보다 괴로웠다.

몸 여기저기가 아프다. 한없이 계속되는 그 아픔은 끊임없이 몰려오는 파도의 감촉과 비슷했다——.

"저쪽이다! 마술사가 저쪽으로 도망쳤다!"

목소리는 점점 다가온다. 시야는 흐려져 거의 보이지 않는다. 그저 연이어 보이는 검은 벽의 잔상이——자신의 뒤쪽으로 스쳐 지나간다. 그렇다면 자신은 아직 달리고 있다는 것일까? 자신의 다리로. 기억으로는 오른쪽 다리가 아까 붙잡힐 뻔했을 때 쇠막대기로 두들겨 맞아 부러진 것 같았는데. 아니면 자신은 다리가 부러진 채로 달리고 있는 것일까…….

"붙잡아라! 마술사가 남의 지갑에 손을 대면 어떻게 되는지 알려줘라——!"

그 지갑인지 뭔지는 지금 손 안에 있다. 곧바로 버리면 될 것도 같지만 그럴 수가 없다. 그 가죽 지갑 안에 잘그락잘그락 울리는 몇 장의 동전은 오늘 내일을 살아가기 위해 꼭 필요한 물건이었다.

지갑은 손에서 놓을 수 없다. 그리고 부러진 다리도 달리길 멈추려 하지 않는다. 자신의 의지와는 반대로.

'그렇다면, 이건 꿈이구나——'

단정한다. 자신에게 그 정도의 힘이 있을 리 없다. 현실의 자신은 이미 훨씬 전에 쓰러져 힘이 다했을 터다. 그리고 꿈속의 자신만이 계속해 도망치는 것이다.

'그렇다면 난 분명 두 번 다시 눈을 뜨지 않겠지——.'

이미 어두워지고 있던 시야를 스윽, 하고 무언가가 가로막았다.

——포위당했다! 그것이 처음으로 떠올린 생각이었다.

'누구지? 추적자? 아니면——저승사자일까?'

그 검은 인영은 이쪽을 향해 두 손을 펼치고 있었다.

'저승사자다…….'

그렇게 생각하며 인영의 품속으로 뛰어들었다. 그 인영의 팔은 단단히 자신의 몸을 지탱하더니, 무슨 일인지 속삭이듯이 말했다.

"무슨 일이죠? 누군가에게 쫓기고 있는 건가요? 제가——"

그러자 다시 들려오는 추적자의 목소리. 이번엔 한없이 가깝게——이미 붙잡히기 일보직전까지 다가온 모양이다. 거친 손길이 자신의 목덜미를 붙잡았다——.

자신을 부축하고 있던 팔의 주인이 항의의 목소리를 높였다.

"이봐, 그만둬! 이렇게 떼로 몰려서——"

그 목소리가 거기서 욕설로 바뀌었다. 얻어맞은 모양이다.

"젠장! 이쪽은 맞아 가면서까지 친절하게 대해 줄 이유는 없다!"

목소리는 팔을 높게 들어 올리더니——

"나 발하노라, 빛의 칼날!"

섬광——폭발——비명. 하지만 자신은…… 이미 움직일 수 없었고…….

……그리고 지금은 몸을 뒤척일 수가 없었다. 침대에 몸을 꽉 고정시켜 놓았는지도 모른다. ——아니면 자신은 이미 시체가 된 것일지도 모른다.

옅은 호흡으로 간신히 공기를 폐에 불어 넣으며 그녀는 곤혹스러운 듯이 자문했다.

'죽음에 직면한 인간은 옛날 일을 회상한다고들 하는데…….'

이 상황에서 그녀가 떠올린 것은 한 남자였다. 정신을 잃기 직전에 본, 그 남자——.

'그건 환각이었을까……. 하지만——그가 내 이름을 불렀어——.'

지끈! 하고 내장 어딘가의 통증을 느낀 그녀는 복근을 경련시켰다. 의식이 회복됨에 따라 몸에 고통이 느껴지는 곳이 늘어난다. 이 아픔은 타박상이다, 하고 그녀는 자신을 타일렀다. 결코——내장에 돌이킬 수 없는 손상을 입은 아픔은 아니다. 그렇게 믿지 않으면 다시 기절할 것만 같았다.

"스승님——."

거기서 목소리가 들렸다. 남자의 목소리지만 그녀가 기억하는 그 남자의 목소리는 아니다. 상당히 젊은——아니, 어린 목소리다. 그 목소리는 아무래도 다른 방에 있는 듯한 상대를 향해 말을 이었다.

"이 사람, 눈을 뜬 모양이에요!"

그 말에 대해 탁한 목소리가 들린다. 하지만 잘 들리지 않는다. 하지만 처음 들린 목소리의 주인에게는 들린 모양이었다.

"예~. 이 주사를 놓으면 되는 거죠?"

주사?

그다지 좋은 기억이 남은 적이 없는 단어다. 그녀는 남은 거의 모든 힘을 쥐어 짜 목구멍 안쪽에서 신음하듯이 말했다.

"하지 마……."

주의하면 왠지 모르게 그런 식으로도 들리지 않을 것도 없다, 라는 정도의 신음에 지나지 않았다. 하지만 그녀의 팔을 붙잡은 목소리의 주인은 확실하게 알아들은 모양이었다.

그가 다시,

"스승님——"

하고 부르는 소리가 들렸다. 잠시 후에 문이 열리는 소리가 났다.

"뭐냐, 매지크. 정맥 위치는 알려줬잖냐."

'——!'

그 목소리는 똑똑히 기억하고 있었다. 그녀는 반사적으로 벌떡 일어나려 하다——실제로는 몸이 조금도 움직여 주지 않았지만, 어쨌든 눈을 떴다.

"오펜!"

절규에 가까운 목소리였다. 자기 자신마저 그 성량에 깜짝 놀라 눈을 깜빡였다. ——그녀의 시야에 처음으로 비친 것은 친숙한 가스등이 매달린 천장이었다. 그리고 다음으로 싸구려 벽지가 벽 주변에 발라진 방이 눈에 들어오고, 가구에 이르러서는 그녀가 누워 있는 조립식 파이프 침대와 합판으로 만든 옷장뿐. 작은 창문 바깥에는 별이 깜빡이는 심야의 밤하늘이 보인다. ――그곳은 매일 자신이 보고 지낸 그녀의 아파트 안이었다.

마지막으로 그 방 안에서 그녀를 내려다보는 소년과 남자.

"오펜……."

그녀가 나지막하게 이름을 내뱉자 그는 붕대로 고정한 오른팔을 왼손으로 쓰다듬으며,

"오랜만이다, 스테파니."

하고 긴장감 없는 인사를 입에 담았다.

그녀는 몸을 일으키려 했고, 일단 그 노력만큼은 드러나듯이 온몸의 근육이 경련했지만, 결국 움직이지 못했다. 하지만 근육이 반응한다는 것은 일단 신경이 망가지진 않은 것 같군, 하고 안도했다. 신경계통 이외의 외상이라면 어떻게든 마술로 치료할 수 있을 터다.

"스테프라고 불러줘. 옛날처럼."

그녀가 그렇게 말하자 오펜은 어깨를 으쓱이며 동의했다.

"알았다. 스테프."

"……그쪽이 더 좋아."

"아는 분인가요, 스승님?"

침대 옆 의자에 앉은 금발의 사랑스러운 소년이 그렇게 묻는 것이 들렸다. 분명 오펜은 매지크라고 부른 것 같았는데.

그래, 하고 오펜이 고개를 끄덕이며 설명했다.

"내가 옛날 이 마을에서 1년 정도만 살았다는 이야기는 했었지? 그때 난 작은 진료소에서 잡일 담당으로 일했거든."

"난 그곳의 환자 중 하나였어."

그녀——스테파니가 그렇게 말하자 매지크는 기분 탓인지 홍조된 뺨으로 고개를 숙였다.

"죄——죄송합니다. 그런 사정을 캐물으려던 마음은 없었는데——."

"? 딱히 상관없는데?"

하지만 매지크는 명백히 자신의 잘못이라는 듯이 고개를 숙이며 말을 이었다.

"그, 그치만——스승님이 일할 만한 진료소라고 하면 어차피 비합법적이고 음습한데다 수상한 곳일 게 뻔하잖아요."

"너 이 자식, 날 뭐로 보고……."

오펜의 음험한 위협의 목소리에 뒤를 잇듯이 스테파니가 킥킥 웃었다. ——그리고 아직 자신의 손을 잡고 있는 매지크의 손에 자신의 손을 올리며 말했다.

"그는 다친 날 도와주었어. 그리고 진료소까지 데려가 줬지."

그 말에 오펜은 눈빛을 어둡게 깔았다.

"그게 잘못된——"

하고 그가 말하려던 순간, 방 입구 부근에서 헛기침 소리가 들렸다.

그쪽을 보자 그곳에는 어느새 체구가 작은 금발 소녀가 서 있었다. 움직이기 쉬워 보이는 청바지 차림의, 참으로 기운차 보이는 여자아이였다.

다만 첫 인상으로 말할 것 같으면——아무래도 이쪽에게 악의를 가진 것처럼 보였다.

그 소녀는 마음에도 없는 말을 한다는 것이 뻔히 드러나는 시선을 던지며 오펜에게 말했다.

"저기——나한테는 소개시켜 주지 않는 거야? 그 사람."

"……너, 다시 한 번 학교에서 예의작법 배우고 올 테냐?"

오펜은 비난하는 말투로 그 소녀를 찌릿 노려보았다.

"이 사람은 스테파니. 말하자면…… 친구다. 그리고——"

그리고 이번에는 스테파니를 바라보며 입구에 서 있는 소녀를 가리켰다.

"재는 클리오. 뭐, 설명하자면…… 여행 동행자가 되려나. 아 참, 덤으로 이 녀석이 매지크. 내 학생이야."

"왜 저만 덤으로——"

매지크의 말을 가로막듯이 스테파니가 오펜에게 되물었다.

"동행자?"

"그래. 클리오는 내가 신세를 진 분의 딸이거든."

그 오펜의 대답에 뒤이어 클리오라는 이름의 소녀가 불만스러운 듯이 입을 열었다.

"뭐야, 그 말투. 남을 짐짝처럼."

오펜은 웃음을 띠었다.

"덤 같은 학생과, 짐짝 같은 애야. 이 녀석들 자신이 가장 잘 자신의 처지를 이해하고 있는 모양이로군 그래."

"뭐야?"

"스승니임~."

매지크는 한심한 목소리를 내뱉을 뿐이었지만 클리오 쪽은 완전히 심기가 틀어진 모양인지, 스테파니의 방을 나가 다른 곳으로

모습을 감추었다.

"뭔가…… 상당히——"

무뚝뚝한 여행 동료네, 하고 말하려던 스테파니는, 조금은 더 정중한 표현이 없을지 망설이다가 간신히 찾아내 입에 담았다.

"고생스러워 보이네."

"그렇다니까. 응석받이라 감당이 안 돼."

오펜이 탄식하듯이 동의했다. 거기서 뭔가를 떠올린 듯이 입을 열었다.

"꽃을 샀는데 버려 버렸어. 설마 이런 식으로 병문안을 오게 될 줄은 몰랐거든."

"괜찮아, 마음만으로."

스테파니가 미소를 짓자 오펜이 불안한 듯이 눈살을 찌푸렸다.

"하지만 스승님——꽃이라고 하니 생각났는데요——."

"아, 맞다. 스테프, 미안하지만 베란다에 있던 튤립 화분, 내가 좀 썼다."

"어?"

스테파니가 어리둥절해하자 오펜은 아니, 별 건 아닌데——하고 서두를 두고 말을 이었다.

"아까 한밤중인데도 길가에서 떠드는 바보가 있더라고. 그래서 여기서 던졌거든."

"스승님은 전혀 봐주질 않으시니까……. 그거 아무리 생각해도 위험하다고요."

"뭐가."

"아니, 한 번만이라면 모를까 다음에 또 화분에 돌을 넣어서 떨어뜨리셨잖아요."

"……야, 아무리 그래도 이런 한밤중에 떠드는 놈들이 더 문제잖냐. 어차피 그딴 거 맞을 리 없다고. 어지간히 운이 없다면 또 모를까."

"하지만——"

"튤립은 조금 아깝지만…… 어차피 계절에 안 맞는 시험제작품이니까 괜찮아. 그래도 너무 위험한 짓은 하지 말아 줘."

하고 말하며 스테파니는 팔을 들었다. 어느새 아픔이 사라지고 움직일 수 있게 되어 있었다.

"어머……?"

신기하게 느낀 그녀가 의아하게 말하자 옆에 있던 매지크가 그녀의 의문을 깨닫고 의기양양하게 대답했다.

"마취 효과가 풀려서 그럴 거예요. 스승님이 치료해 주셨답니다. 자기도 다쳤으면서 당신의 치료가 먼저라면서요."

감사의 뜻이 담긴 눈빛을 오펜에게 향하자 그는 다소 어색한 듯이 천장을 올려다보았다. 그리고 억지로 미소를 띠며 말했다.

"최소한의 속죄일 뿐이야."

하지만 결국 침대에서 일어날 수 있을 만큼의 체력은 회복하지 않아, 그녀는 그대로 잠이 들었다. ——마취 탓에 한나절은 잠든 후였지만 그래도 피로가 가시지는 않았던 모양인지 곧바로 수마에 사로잡힌 것이다.

다음 날 아침에는 몸 곳곳에 남은 통증을 참으면 간신히 일어설 수는 있었고, 그녀는 새삼스럽게도 오펜의 마술 실력에 감탄했다.

스테파니는 낮이 되기 조금 전의 늦은 아침 해를 창문으로 받으며 크게 기지개를 켰다. 피로 탓에 근육통이 느껴졌지만 그다지 불쾌하지는 않다. 그녀는 침대 옆 작은 탁자에서 안경을 꺼내(그것마저 망가졌을 터인 테가 수복되어 있었다. 이것도 오펜이 고쳐준 것이리라) 얼굴에 걸치고는, 손으로 머리를 빗으며 벽에 걸린 거울을 들여다보았다.

……그리고 비아냥대듯이 입가를 일그러뜨렸다.

"난리도 아니네."

건물 잔해에 긁혀 찢어진 듯한 왼쪽 뺨에는 커다란 거즈가 붙어 있다. 이마와 머리카락의 경계에는 혹이 나 있어 멀리서 본다면 모를까 가까이서 보면 상당히 눈에 띌 정도로 불룩하게 부풀었다. 심지어 그 상처 중심에 새카만 멍도 나 있었다.

"뭐, 몸은 회복된 모양이니 이거라면 나도 자력으로 흉터를 지울 수 있겠지만……."

그것보다 우선은 아침밥이다, 하고 판단했다. 침실 바깥으로 나가는 문을 열었다.

그러자——

주방 겸 거실인 그곳에는 부루퉁한 표정의 클리오가 자리 잡고 있었다. 소파 위에 양반다리를 하고 앉아 하는 일도 없이 벽을 노려보는 자세다. 아마도 어제의 소동으로 짐과 갈아입을 옷을 잃어버린 것이리라. ——어젯밤과 똑같은 복장이었다.

왠지 자신이 침입자가 된 듯한 어색한 기분이 되어 스테파니가 말했다.

"안녕."

클리오는 아무 대답도 하지 않았다. 그저…… 살짝 눈길을 내리며 이쪽을 볼 뿐이다. 그대로 몇 초가 지나 스테파니가 무시당한 것이라고 생각하기 시작할 무렵, 클리오가 간신히 입을 열었다.

"미안. ……어제는."

그녀는 겁을 먹은 듯이 어깨를 움츠리며 말을 이었다.

"그런 태도를 취해서는 안 됐어. 예의도 모르는 애라고 여겨져도 어쩔 수 없을 거야."

"괜찮아. 그런 건 나도 마음에 두지 않으니까——"

스테파니는 손을 들어 대답하고 실내를 둘러보았다.

"오펜과, 그리고 그——매지크라고 했지? 그 사람들은 어디로 갔니?"

"일. 찾아냈다면서. ——생활비가 없으니까, 벌어야 하거든."

완전히 의기소침한 클리오의 축 늘어진 앞머리를 보며 스테파니는 미소를 지었다. 그리고 아하, 하고 무언가를 깨달은 듯이 말했다.

"오펜에게 혼이 났구나?"

하지만 클리오는 고개를 저었다. 다음으로 고개를 들자, 소녀는 귀족의 피를 이었다는 증거인 푸른 눈에 눈물을 그렁그렁 담으며 소파에서 몸을 일으켰다.

"아냐. ——혼이 나지는 않았어. 하지만…… 당신에 대해 들었어."

클리오는 죄책감 탓인지 훌쩍이기 시작했다. 스테파니가 팔을 펼치자 소녀가 와앙 울음을 터뜨리며 품에 뛰어들었다. 아직 아픔이 남은 옆구리를 팔로 죄는 탓에 기절할 뻔했지만 스테파니는 굳건하게 미소를 유지하며 톡톡 소녀의 등을 두드려 주었다――.

그렇게까지 이 아이를 동정심의 포로로 만든 것이다, 그 왕 거짓말쟁이는――물론 오펜에게 하는 말이다――그 일을 당치도 않게 왜곡해서 전했을 것이 틀림없다. 그리고 그것은 바꾸어 말하면 그 남자가 아직도 그 일로 마음을 앓고 있다는 것을 의미했다.

쏴아아아아아…….

맑은 계곡에 모래가 흘러가는 듯한 조용한 음색. 꽃밭에 내리는 가벼운 가랑비처럼 언제까지나 끝없이 이어진다. 시원한 바람이 살랑인다. 화물선 돛 끝의 작은 삼각기가 펄럭이며 건너편 기슭이 수증기로 흐려질 정도로 넓은 운하를 조용히 흘렀다…….

"멍청아! 뭘 멍하니 있는 거냐, 신입!"

동시에 등 뒤에서 주전자가 날아와 그의 뒤통수에 작렬했다. 철퍽, 하고 마차에 깔린 개구리처럼 납작하게 엎드려 쓰러진 그의 뒤에서 가차 없는 비난이 계속되었다.

"짐을 내리는 시간은 한 척당 1시간이라고 정해져 있다고! 꾸물거렸다간 돌에 묶어서 운하에 가라앉힐 줄 알아!"

오펜이 이미 완치된 오른손으로 욱신거리는 머리를 누르며 몸을 일으키자, 선착장에 다다라 닻을 내린 중형 화물선에 올라탄 외눈의 거한이 화물인 건축자재――석재 가공소에서 절단한 자연석을 두 어깨에 짊어지고 있었다.

"예이."

오펜이 마음속으로 혀를 내밀며 대답하자 거한은 무언가 낮은 목소리로 투덜대며 돌을 짊어지고 선착장으로 올라갔다.

그 남자의 등이 보이지 않게 된 뒤에 오펜은 갑판에 털썩 주저앉았다. 그리고 한숨을 쉬며 다시 운하로 눈을 돌렸다.

그러자——그곳에 석재 하나를 안고 낑낑대던 매지크가 지나가다 발을 멈췄다.

"스승니임~."

그는 땀투성이가 되어 원망스러운 눈길을 보냈다.

"스승님도 일하세요오~. 아까부터 스승님의 몫까지 제가——"

"……."

오펜은 그의 말을 무시하고 깊이 숨을 토했다. 그리고 찌릿 학생을 올려다보며 위협하듯이 말했다.

"너 같은 꼬맹이가 뭘 아냐."

"……갑자기 무슨 말씀이세요."

매지크는 그렇게 대답하며 쿵, 하고 돌을 내려놓았다. 그리고 긁혀 까진 두 손을 문지르며 허리의 근육을 펴기 위해 등을 젖혔다.

오펜은 눈만 그쪽으로 향하며 내뱉듯이 말했다.

"사람은 사랑을 하는 존재야."

…….

침묵.

잠시 후 매지크가 비틀거리며 뒤로 물러났다. 그는 완전히 혼란에 빠진 얼굴로 큰 소리로 외쳤다.

“여기 누가 좀 와줘요! 스승님이 미치셨어요!”

“누가 미쳤냐!”

오펜은 몸을 일으키자마자 매지크를 발로 차 넘어뜨리고는, 그 몸 위에 서서 척 손가락을 내밀었다.

“옛날 일이야! 명심해라. 오해하지 마. ——옛날 일이라고!”

“……뭔진 모르겠지만 왜 그렇게 발끈하시는 건가요.”

매지크는 발로 차인 턱을 쓰다듬으며 물었다. 오펜은 아픈 곳을 찔려 큭, 하고 숨을 삼켰다.

“거 시끄럽네……. 알았냐. 어쨌든 나는——”

하고 그가 말을 하려던 때——이변이 일어났다.

고오오오오오오오오오오오오오오…….

——땅울림 같은 소리가 낮게 울렸다. 그에 따라 운하의 수면이 흔들리더니, 화물선이 천천히 요람처럼 움직이기 시작했다. 오펜은 출렁출렁 흔들리는 불안한 바닥에 헛발을 내딛으며 중얼거렸다.

“뭐——뭐지?”

좌아아아아아아아!

운하에서 별안간 물기둥이 솟아올랐다. 높이로 치면 10미터는 되는 그 물덩어리는 하늘까지 치솟더니 무너지며 이 부근에 비처럼 쏟아졌다. 선착장 여기저기에서 인부들의 비명이나 욕설이 터져 나왔다. 갑작스러운 수면의 흔들림에 짐을 지나치게 실은 소형 선박이 전복되는 모습이 보였다.

그리고…… 주변에 큰 웃음소리가 울려 퍼졌다.

“와아~핫핫핫핫!”

"뭣──."

오펜이 경악하며 멈춰 섰다. 배의 흔들림은 일단 잦아들었지만 오펜은 계속해 머릿속이 쿵쿵 흔들리는 것을 느꼈다. ──마치 방금 그 흔들림으로 멀미라도 찾아온 것처럼.

웃음소리는 계속되었다.

"와아아~하하하하하하하하하하하하하하하! 우왓핫핫핫하하하하하하!"

하지만 사실 오펜은 그 웃음소리 따위 듣지도 않았다.

그것보다도 훨씬 이상한 것이 눈앞에 서 있었기 때문이다.

운하 안에서 갑자기 솟아오른 것은 거대한──높이로 따지면 10미터는 될 듯한 석상이었다. 하반신은 수면 아래에 있지만 보이는 상반신만으로도 상당한 거체다. 근육이 우락부락한 거인을 본뜬 석상으로, 팔이 네 개. 그 두 쌍의 팔로 각각 가슴 앞에서 팔짱을 끼고 있다. 머리는 몸의 크기에 비해서 약간 작고, 거기에 눈과 코가 없는 대신 어떤 천 같은 것이 찰싹 달라붙어 있을 뿐이었다. 그 천에는 어떠한 심볼 같은 문자가 큼지막하니 하나 적혀 있었다.

'월드 그라프?'

오펜은 속으로 중얼거렸다. 그렇다면 저 문자가 쓰인 천이 저 석상에 생명을 불어넣었다는 것을 의미한다.

"뭐──뭔가요, 저건!?"

뒤에서 매지크가 경악한 목소리로 외쳤다. 오펜은 그 방향을 돌아보지도 않고 대답했다.

"저건──들은 적이 있어. 거석보병, 골렘이다."

"고, 골렘요?"

"그래. 다시 말해서——"

"으하하하하핫핫핫핫 으와하하하하핫!"

"다시 말해서 고대의 마술사——천인이 만든 병기의 일종이야. 반쯤 박살이 난 건 유적 등지에 흔하게 굴러다니지만——"

"하~앗핫핫핫하아!"

"저렇게 완전히 남은 것은 희귀해. 하물며 가동까지 하다니——"

"핫핫핫핫핫핫핫핫핫!"

"시끄러워!"

오펜은 골렘 쪽을 돌아보고, 그 거인의 머리에 납작하게 달라붙듯이 올라타 있는 사람을 향해 고함을 질렀다. ——운하의 물로 푹 젖어 비 맞은 개 그 자체의 꼴로 몸을 떠는 그 사람은——틀림없이 볼카노 볼칸이었다. 수초가 달라붙은 모피 망토를 둘러 홀딱 젖은 해양류 연체동물의 꼬락서니를 한 볼칸은 오펜의 고함에 딱 웃음을 멈추고 고함으로 대답했다.

"시끄럽다니 뭐냐! 일단 웃기 시작하면 뭐라고 대응해줄 때까지 멈출 수는 없는 법이잖냐!"

오펜이 움찔 뺨을 경련시켰다.

"알게 뭐냐! 갑자기 물속에서 튀어나와가지곤! 줄곧 운하 바닥으로 이동해온 거냐? 상식이라는 것도 모르는 거냐고!"

"뭐라고, 이 자식! 어느 쪽이 비상식이라는 거냐! 이 인생에서 낙오한 사채업 마술사가——!"

"호오! 그 사마귀의 알처럼 뻥뻥 구멍이 뚫린 뇌에도 조금은 기억력이 생겨난 모양이로군! 내 직업을 떠올렸다면 네놈이 진 빚의 액수도 떠올려 보면 어때!"

"닥쳐라, 이놈! 오늘이야말로 이 볼카노 볼칸 님의 검의 녹이 되고 싶은 거냐!"

"해볼 테면 해봐라! 입만 산 게 아니라면 말이다. ――하지 못하면 그 녹투성이의 검으로 귓밥이나 파고 있든가!"

"저기이, 스승님……."

뒤에서 매지크가 머뭇머뭇 말을 걸었다.

"뭐야."

오펜이 어깨 너머로 대답하자 매지크는 기막히다는 듯이 한숨을 쉬었다.

"구경하는 사람도 있으니까…… 되도록 조금만 더 고차원적으로 말싸움을 전개해주실 수는 없나요?"

"……좋아, 알았어."

오펜은 고개를 끄덕이고 숨을 들이쉬더니, 아까까지보다 더 크게 목청을 높였다.

"이 항성(恒星) 스펙트럼 같이 초절 구제불능 멍청한 자식!"

"아아아아아아……."

뒤에서 매지크가 신음하는 소리가 들렸다.

그렇게 한동안 말싸움을 하다 슬슬 서로가 가진 어휘가 바닥을 드러낼 즈음 해서 볼칸이 헉헉 숨을 몰아쉬며 말했다. 그는 거인의 머리 위에서,

"훗훗훗……. 꼬리 내린 개가 얼마나 멀리서 짖어댄들 이 거석 보명 1호――이름하여 '폴크 한'에게는 손도 발도 못 내밀 것

이야.”

하고 자신이 달라붙어 있는 석상의 머리를 쓰다듬었다. 그 말에 반응하듯이 석상——폴크 한인지 뭔지는 네 개 중 두 개의 팔을 하늘 높이 들어올렸다.

“……이런 걸 어디서 찾아낸 거야?”

오펜이 뒤로 물러서며 중얼거리자 볼칸이 의기양양하게 말했다.

“호오~호호호호! 우는 소리를 하고 싶으면 마음껏 해라! 어차피 네놈의 운명도 오늘까지다! 자아, 대항할 수 있다면 얼마든지 해 봐라!”

“망할…….”

오펜은 그렇게 욕설을 내뱉으며 자세를 취했다. 다음으로 눈을 감고 고뇌하듯이 신음했다.

“틀렸다, 매지크……. 난 할 수 없어.”

“스승님!”

“하아~핫핫핫하! 패배를 인정했느냐, 사채업 마술사! 얌전히 있으면 신속하게 강철 브러시로 문질러 죽여 줄 테니 감사히 생각해라!”

“스승님!”

매지크는 오펜에게 달라붙어 격려하듯이 말했다.

“왜 싸우기 전부터 포기하시는 건데요! 스승님은 그 폭발 속에서도 절대로 패배를 인정하지 않겠다고 하셨잖아요!”

“그, 그건 그렇지만——.”

오펜이 꾹 주먹을 틀어쥐고 눈길을 피하자, 매지크는 그 눈길을 따라가듯이 오펜의 얼굴을 들여다보며 말했다.

"그런 거 스승님답지 않아요! 전 어쩌라고요! 여기서 스승님이 포기하시면 제 안전은 누가 지켜주는 데요!"

"……이 자식, 그게 속내냐. 하지만——"

오펜은 폴크 한의 거구를 돌아보고, 창자가 끊어지는 심정으로 신음했다.

"저걸 상처 없이 손에 넣을 수 있다면 한 재산이 될 텐데……. 어쩔 수 없나……."

"……헤?"

이것은 볼칸의 목소리.

오펜은 두 손을 앞으로 내밀고 큰 소리로 외쳤다.

"나 발하노라, 빛의 칼날!"

"헤? ——!"

볼칸의 마지막 중얼거림을 도중에 가로막는 타이밍에 오펜이 지른 필살의 광열파가 폴크 한의 안면에 처박혔다. 충격파를 동반한 강력하기 짝이 없는 섬광은 대폭발을 일으키며 골렘의 상반신을 산산조각으로 박살냈다. 충격으로 운하가 흔들리고 작은 파도가 선착장 위로 밀려들어왔다.

"아아아아아아아아아아아아아아아아아아아아아아아아아……."

그리고 하늘을 날아 운하 중앙에 낙하하는 볼칸의 비명이 한없이 꼬리를 이었다. 첨벙, 하고 돌이 우물에 떨어지는 소리를 내며 작은 지인의 모습이 수면 밑으로 사라졌다.

"……."

오펜은 멍하니 서서 돌이킬 수 없는 손상을 입은 폴크 한을 보았다. 상반신이 날아가서는 이제 한 푼의 가치도 없으리라.

"저기…… 스승님. 저 지인, 위로 안 떠오르는데요."

매지크의 질문에 아직도 미련을 남기고 골렘을 바라보던 오펜이 답했다.

"지인의 몸은 물보다 비중이 크거든. 물에 떨어지면 가라앉을 수밖에 없어."

"……그럼 저 지인, 익사하는 건 아닐까요?"

"지인은 그렇게 간단히 죽지 않아."

"……물에 가라앉으면 아무리 지인이라도 죽을 텐데요……."

"시끄럽다. 난 지금 상심 중이야. 여자에게도 돈에게도 배신당할 운명이라고. 혼자 있게 해 줘."

그는 투덜투덜 내뱉으며 선착장으로 올랐다. 그러자 그곳에는 그 외눈의 인부가 기다리고 있었다. 그는 한쪽밖에 남지 않은 눈으로 험악하게 이쪽을 노려보며 말했다.

"넌 해고다. 마술사를 고용할 수는 없는 노릇이지."

"그래, 그렇겠지. 숨겨서 미안했다."

오펜은 완전히 지쳐 반론할 마음도 생가지 않는지, 그저 뒤쪽의 화물선 쪽을 손으로 가리켰다.

"그런데 아까 그 폭발로 댁의 배 밑바닥에 큰 구멍이 난 것 같던데, 뭐 어쩔 수 없지."

"뭐——뭐라고오오오오!?"

외눈이 크게 비명을 질렀다. 하지만 아직도 화물인 돌을 쌓은 채인 화물선은 빠른 속도로 가라앉아 순식간에 돛대 끄트머리조차 보이지 않게 되었다.

"빌어먹을. 아~, 젠장맞을."

오펜은 목 안쪽에서 기분 나쁘다는 듯이 끙끙대며 노면을 발로 차는 듯한 발걸음으로 골목에 들어섰다. 골목이라고 해도 상당히 넓어 어지간한 샛길 정도는 되는 듯했다. 스테파니의 아파트까지는 앞으로 10분 정도면 도착할 거리다.

뒤에서 따라오던 매지크가 걱정스러운 듯이 말하는 것이 들렸다.

"괜찮으세요, 스승님? 오늘 뭔가 이상하세요."

"망할, 망할, 망할!"

오펜은 그렇게 투덜거리며 길에 굴러다니던 망가진 샌들을 발로 차더니, 갑자기 무언가를 떠올린 듯이 매지크 쪽을 돌아보았다.

"아, 그래! 너 조금이라도 스승의 궁지를 걱정할 마음이 있다면 아직 아무도 손을 대지 않은 금광이나 뒷문이 언제나 열려 있고 경비원도 낮잠을 자고 있을 환전소를 찾아내서 와라."

"또 그런 말도 안 되는 말씀이나 하고."

"그렇다면 적어도 곧바로 빚을 갚을 지인만이라도 좋으니까."

"……스승님."

"쌀쌀맞은 녀석 같으니. 사제애라든가 남자의 우정이라든가 유대감 같은 것도 모르는 거냐?"

"……."

어째서인지 실눈을 뜨며 가만히 이쪽을 노려보는 매지크를 바라보며 오펜은 다시 깊이 한숨을 쉬었다. 그리고 갑자기 그 자리에 웅크려 앉더니 절망적으로 내뱉었다.

"아아——불행하다."

"아무래도 좋은데요, 스승님. 오늘 정말로 이상하세요. 인격이 바뀌었다고요."

매지크의 말을 듣고 오펜은 움찔 표정근을 떨었다. 그리고 슥 몸을 일으키고 매지크를 향해 말했다.

"……매지크."

"뭐, 뭔가요, 갑자기 진지한 표정으로."

"스테프를 어떻게 보냐?"

"어, 어떻게라니요?"

"첫인상만이라도 충분해. 그 녀석을 처음 보고 어떤 식으로 느꼈냐?"

"어——그러니까……."

매지크는 말을 고르듯이 허공을 올려다보았다.

"뭐, 음, 그렇게 상처투성이에 그런 차림이었으니까. ——하지만 상당히 예쁜 사람이었어요. 방도 깔끔하게 정리되어 있었고. 선반에 있던 케이크는 직접 만든 것 같았는데, 밀가루를 조금 많이 넣은 느낌이었죠. ——아니면 혹시 달걀을 아끼다가 그런 걸까? 저희 어머니는 옛날에 생크림을 쓰면 잘 만들어진다고 하셨어요. 한나절만 지나도 상해서 못 먹게 되지만요. 욕실을 조사하지 못했던 건 아쉽지만, 탈의실에 있던 화장품을 보건대 그다지 화려한 차림은 좋아하지 않는 것 같았고요. 마술사니까 적어도 신원은 확실하고, 가계부도 살짝 엿봤는데 저금도 상당히 해 둔 모양이던데요. 괜찮은 상대예요."

매지크는 'GO!'라는 손놀림을 하며 그렇게 대답했다. 오펜은 지친 듯이 살짝 어깨를 늘어뜨리며 말했다.

"……너, 혹시 대단한 녀석인 거 아니냐?"

"그런가요?"

"뭔가 의미도 없이 자신감이 사라졌다, 나. ──하지만 뭐, 됐어. 그래, 어쨌든 너도 그렇게 느꼈다는 거로군."

"……예. 뭔가 틀렸나요?"

"아니. ──네 판단 그 자체는 틀리지 않았다만──"

오펜이 식은땀을 흘리며 그렇게 말한 순간──

휘익!

하는 소리가 허공을 가르고, 예리하고 검은 것이 오펜의 귓가를 스쳤다. ──순간적으로 몸을 움직여 피했으니 망정이지 조금만 더 반응이 늦었더라면 왼쪽 귀가 사라졌을 것이다.

"누구냐!"

공격이 날아온 곳을 향해 외쳤다. 하지만 그곳에는 아무도 없었다. 그저 한산한 골목이 불어오는 바람도 없이 조용히 있을 뿐이다.

"──?"

다음 순간, 말도 하지 않고 눈만 깜빡이던 그의 눈앞에 전혀 숨 돌릴 틈도 없이 새하얀 빛이 번뜩였다. ──눈알을 관통해 뇌수에 꽂히는 아픔을 느낀 오펜은 참지 못하고 자신의 안면을 부여잡았다. 동시에 나오려던 비명을 간신히 목구멍 안쪽에서 억눌렀다.

그러자 어떤 목소리가 느닷없이 들렸다.

"오호라, 비명은 지르지 않는가. ──일단 크게 목소리를 쥐어

짜면 여차할 때 주문을 욀 수 없는 법이니 말이지. 허나——"

손가락 틈새에서 간신히 어렴풋하게 보이게 된 시야 안에는——여전히 목소리의 주인이 보이지 않았다.

"허나 이래도 계속 목소리를 내지 않을까?"

쿵! 하고 안면을 부여잡고 있던 두 손이 공기인지 뭔가에 붙잡힌 듯이 멋대로 뒤로 꺾였다. ——그 기세에 오펜의 몸도 공중에서 돌았다. 탄력 있는 공처럼 튕기는 착각에 사로잡힌 그는 지금 자신이 어떤 자세로 있는지 전혀 알 수 없게 되었다. 지면이 보이고——늘어선 아파트 지붕이 보이고——하늘이 보이고——어째서인지 매지크의 얼굴까지 보이더니——

깨닫고 보자 지면에 내동댕이쳐져 있었다. 비명은 지르지 않았지만 어차피 충격으로 숨이 막혀 호흡도 만족스럽게 할 수 없는 상태다. 오펜은 기침을 터뜨리며 일단 일어나기 위해 몸을 비틀었다. 머리만은 간신히 움직였지만 힘없이 뻗은 목을 또 알 수 없는 검은 충격이 덮쳐 점점 더 숨을 쉴 수 없게 되었다.

"그 공격으로 머리를 날려 버릴 수도 있었다."

목소리는 들리지만 모습은 여전히 보이지 않는다.

'마술이다. ——하지만 인간의 마술은 아니야.'

애초에 아까부터 주문이 되어야 할 목소리가 조금도 들리지 않는다.

"스승님!"

매지크의 목소리. 오펜은 헐떡이는 숨으로 몸을 일으키고, 달려온 매지크의 부축을 원하듯이 손을 뻗었다. 그리고 소년의 어깨를 빌려 간신히 일어나 물었다.

"……무슨 일이 일어났지?"

매지크는 몸을 떨며 대답했다.

"갑자기 스승님의 몸이 튀었어요. 10미터나 더 날아가더니, 다음엔 뭔가 검은 덩어리가 이렇게——어마어마한 속도로 스승님의 목에 명중해서……."

거기서 소년은 길 너머를 가리켰다.

"아…… 저기에 떨어져 있어요."

"?"

오펜은 의아해하며 매지크가 가리킨 곳을 보았다——오펜의 목에 닿은 다음 튕겨져 날아가 길바닥을 구르는 그것은 손이었다. 굳게 쥐어진 주먹이었다. 매우 가늘고, 관절만이 이상할 정도로 부풀어 있으며, 피부는 하얀——

거기서 주먹이 펄쩍 뛰어올랐다. 아니, 아무래도 손목 부근에 강선이 붙어 있는 모양인지 그것을 이용해 원격으로 조작하고 있는 모양이었다. 그렇다면 저 강선 끝에 있는 본체가——

"있다!"

오펜은 짧게 외치며 그 인형이 선 방향으로 팔을 뻗어 목소리를 발했다.

"나 발하노라, 빛의 칼날!"

번쩍——!

순백의 광선이 근처를 밝히고, 형형하게 타오르는 열파가 그 인형을 감쌌다. ——충격이 대기를 흔들고 폭음이 울려 퍼졌다. 하지만——

후욱…….

하고 너무나도 느닷없이 불꽃이 사라졌다.

남은 것은 도리어 그림자가 짙어진 어둠에 조용히 서 있는——인영뿐.

마치 인공적으로 만들어진 듯이 부자연스럽게 여윈 체구. 굴곡이 적어 수면을 그대로 굳혀 놓은 듯한 피부. 실제로 물이 끊임없이 출렁이는 듯한 빛을 발하고 있다. 아무것도 입고 있지 않지만——오펜은 실제로 의복을 입을 필요 따위는 없는 것이 아닐까 하고 생각했다. 그 몸에는 무엇 하나 강조할 만한 특징이 없었다. 아무것도 숨길 필요도, 숨겨야 할 곳도 없다. 말하자면 그 몸은 그저 유리 세공품이나 다름이 없었다. ——나신이든 옷을 입든 아무도 신경을 쓰지 않는다. 눈으로 보아도 그저 원래 그런 것이라고 여길 뿐이다.

"누구냐."

오펜이 나지막하게 내뱉자 그 남자——아니, 인간이 아니니 어떻게 불러야 할지 알 수 없지만——어쨌든 그것은 고무공에 칼로 칼집을 낸 듯한, 입술이 전혀 없는 입을 벌렸다.

"나는 비보의 파수꾼이다."

"비보의…… 파수꾼이라고?"

"몇백 년 전에는 너희 인간 마술사들에게…… 킬링 돌(살인 인형)이라고 불렸지."

"뭐라고——?"

오펜이 신음하듯이 소리친 순간, 주변에서 웅성웅성 귀에 거슬리는 술렁임이 몰려들었다. 딱정벌레가 그물에 걸렸을 때 내는 소리와 똑같은 술렁임의 파도는 주변 전체에서 무수하게, 그리고 빈틈없이 크게 넘실거렸다——.

《이게 뭐지?》

오펜은 소리를 내 말할 의도였다. 하지만——

'! ……목소리가 나오지 않아?'

그는 속으로 당황하며 확인하듯이 매지크의 얼굴을 보았다. 매지크도 역시 무언가를 호소하려는 듯이 이쪽을 향해 입을 빼끔거릴 뿐이었다.

그러는 와중에서 술렁임은 더욱 커졌다.

'……이 소리가 우리의 목소리를 소거하고 있는 건가?'

황급히 살인 인형 쪽을 보자, 그것은 씨익, 하고 만족스럽게 웃고 있었다.

"그래. 그것도 인간의 목소리만을 선택해서 소거하였다."

'——!'

오펜은 전신에 소름이 돋는 것을 느끼며 뒷걸음질 쳤다. ——그를 따라 매지크도 한 걸음 물러났다. 그때까지 아무런 특징도 없었던 살인 인형의 납작한 하복부에 아무런 맥락도 없이 밝게 빛나는 문자가 나타나 있었다. 단 한 문자, 창백한 피부 위에 문신처럼 하얗게 빛나는 마술 인장.

'월드 그라프!'

오펜은 마술 문자를 읽을 수 없지만 아마도 지금 빛나는 저 문자가 이 불가사의한 술렁임을 일으키고 있으리라는 것은 알 수 있었다.

"네 생각대로다, 마술사."

'……내 생각을 읽을 수 있는 거냐?'

"간단한 사고라면 거의 확실하게 말이지. ──나는──"

그것은 자신의 하복부에서 빛나는 마술 문자를 가리켰다.

"이것과 같은 문자를 몇백 개나 몸에 내장하고 있다──그 문자 모두가 너희 인간 마술사를 죽이기 위한 것이다."

살인 인형은 그렇게 말하며 오른손을 자신의 눈높이까지 가만히 들었다. ──그리고 철컹, 하는 소리가 들리나 싶더니 그 손 중지에서 10센티 정도의 바늘 같은 칼날이 튀어나왔다. 그것을 과시하듯이 들어 보이며 인형이 후훗, 하고 웃었다.

"이 소리 속에서 너희는 마술을 쓸 수 없다. 완벽하게 무력화된 너희를 마음대로 썰 수 있지. 지금, 여기서."

술렁임의 합창에 맞춰 살인 인형의 칼날이 번쩍번쩍 춤을 추었다. 하지만 인형은 딱히 이쪽으로 뛰어들 기색은 보이지 않았다.

"하지만 지금은 죽이지 않는다."

'……어째서냐.'

오펜이 마음속으로 묻자 인형은 아무렇지도 않게 대답했다.

"나는 너희를 근절해야만 한다. 단 한 명도 살려두어서는 안 된다."

'……어째서 우릴 죽일 필요가 있지? 마술사 동맹을 날려 버린 것도 네놈이지? 그곳에 있던 마술사는…… 전멸했어.'

"나는 주인의 명령을 받들 뿐."

'그거 참 거창한 신분이로군.'

오펜은 비아냥댔지만 인형은 그것을 완전히 무시했다. 아니면 비아냥댄 것을 깨닫지 못했을지도 모른다. 혹시 비아냥댐 따위는 이해하지 못하는 것일까.

인형은 말을 이었다.

"그 건물에 있던 마술사들은 전멸하지 않았다……. 그렇지?"

'……!'

"그렇다. 나는 여자 하나가 도망치는 것을 보았다. 그 여자의 위치를 알아내지 못한 채 널 죽이면…… 실마리가 사라진다."

'어째서 내가 있는 곳이라면 아는 거냐.'

"너의 힘은 매우 강하다……. 이 마을 어디에 있어도 마력을 탐지할 수 있다. 그것을 위한 문자도 내 몸에 내장되어 있지."

'…….'

오펜은 곧바로 자신이 스테파니의 아파트에 신세를 지고 있다는 것을 생각하지 않도록 사고를 차단했다. ——이 인형이 어느 정도나 이쪽의 생각이나 기억을 읽어낼 수 있는지는 알 수 없지만, 아마 이 정도의 방어로도 괜찮을 터다. 그렇지 않으면 이미 진즉에 스테파니의 위치를 찾아냈을 것이다.

"오호라……. 어느 정도라면 자신의 마음이나 기억을 제어하는 훈련도 받은 모양이로군."

'…….'

"이번에는 침묵인가. 어찌되었든 훌륭한 자제심이다. 보통 이 정도의 위기에 맞닥뜨리면 마음을 흐트러뜨리고 멋대로 비밀을 떠올리는 법인데."

'…….'

"허나 그 자제심이 앞으로 몇 분이나 버틸까?"

인형은 감정이 없는 눈으로 이쪽을 바라보며 잔혹한 말을 내뱉었다. ——오펜의 이마에 스윽 한 줄기의 땀이 흘렀다. 그 말대로 사실 그런 자제심 따위는 앞으로 몇십 초도 버티지 않을 것이다.

절망적인 상황. 그렇게 오펜이 느끼기 시작할 즈음——.

"후후후후……."

인형이 웃었다. 그리고 인형의 몸에 빛나던 문자가 사라짐과 동시에 주변의 술렁임도 사라졌다. 살인 인형은 더욱 소리 높여 웃으며 거만하게 고했다.

"뭐, 좋다. 어차피 나는 오늘 너를 죽일 생각은 없으니."

"빌어먹을——누가."

간신히 낼 수 있게 된 목소리로 욕설을 내뱉었지만, 인형은 전혀 개의치 않았다.

"오늘은 이것을 건네러 왔을 뿐이다."

인형은 그렇게 말하더니 어디서 꺼낸 것인지 한 장의 편지지를 오펜의 발밑에 던졌다. ——몇 겹으로 접힌 그것은 툭, 하고 그의 신발에 닿았다.

"……?"

오펜이 매지크와 얼굴을 마주하고 의아한 표정을 짓자, 인형은 씨익 웃었다.

"도전장이다. 네…… 친구가 보낸."

"뭐라고?"

오펜은 놀란 목소리로 말하며 편지지를 주웠다. 그리고 힐끗 경계하듯이 시선을 인형 쪽으로 던지고는 그 편지지를 펼쳐 보았다——.

오펜은 콱직 그 편지지를 찌그러뜨리고는 다시 땅바닥에 던졌다. 그 형상에 매지크가 움찔 겁을 먹고 뒤로 물러났다.

오펜이 분노에 찬 목소리로 소리쳤다.

"《내일 모레 '바질리콕'에서 기다리마. 결판을 내자——볼카노 볼칸》. ——하! 그 복너구리가 뭘 어쨌다는 거냐!"

"그는 현재 나의 마스터다."

살인 인형은 지극히 진지한 얼굴로 말했다.

"마스터?"

오펜은 당황스럽다는 목소리를 내뱉었다.

"오호라——그 골렘은 네놈이 그 녀석에게 양도해 준 거군."

"그것만이 아니다. 내가 '파수꾼'으로서 지금까지 보호해온 모든 유산——그것은 지금 그의 것이다."

"웃기지 마! 뭔 속셈이냐? 네놈 같은 '살인 인형'이 무슨 이유로 그런 멍청이의 말을 듣는 건데! 무슨 꿍꿍이를——"

거기까지 말하던 오펜은 헉, 하고 숨을 삼켰다.

"……왜 그러세요?"

옆에서 매지크가 물었다. 오펜은 아무 대답도 하지 않고 가만히 인형을 노려보았다. ——인형은 그 시선에 재촉을 받은 듯이 웃음을 더욱 크게 만들었다.

"그렇다. 그들을——그 지인 형제를 발견했을 때, 나는 그들의 마음을 읽었다. 그리고 너에 대해서 알았다. 인간 흑마술사 오펜."

"……."

"그뿐만이 아니라 그들은 너에 대해서도 다양한 이야기를 해주었지. ——너는 강력한 마술사다. 미안하지만 살려둘 수는 없다."

"그러니까——그게——왜냐고!"

오펜은 그렇게 외치며 혼신의 힘을 담아 인형을 향해 광열파를 발했다. ——하지만 그것도 인형이 내민 왼손바닥에 문자가 떠오르자, 그 문자의 중심으로 빨려들어가 사라질 뿐이었다. 너무나 쉽게.

"큭……."

오펜이 신음하자 인형이 어깨를 으쓱 움직였다.

"그렇다. 단순한 마술의 힘만 말하면 너는 대단하지 않다. ——물론 내가 보기에 말이지만. 하지만 내가 두려워하는 것은——별달리 걸출하지도 않은 힘으로 내가 가진 최강의 문자——그 건물을 날린 파괴문자의 폭발에서마저 살아남은 그 운——아니, 생명력이다."

"남을 바퀴벌레처럼……."

"인간이라면 발견한 바퀴를 잡아 죽이고 끝이겠지. 나는 그렇게 하지 않아. 더욱——확실한 방법을 사용한다. 네가 도망칠 수 없는 무대를 준비해 그곳에서…… 쳐 죽일 셈이다."

"도망칠 수 없는 무대?"

이것은 매지크가 꺼낸 의문이었다. 도저히 영문을 모르겠다는 눈빛으로 이쪽과 인형을 번갈아가며 보는 소년에게, 오펜은 증오에 찬 목소리로 내뱉었다.

"이 살인 인형은——인질을 잡고 있어."

"그렇다. 네가 혹시 이 도전을 무시하고——이곳에서 도망치면, 그 지인 형제를 죽이겠다."

으득——하고 소리가 날 정도로 이를 악문 오펜이 물었다.

“어째서 그렇게까지 마술사를 죽이려드는 거냐.”

“나를 만든 것은 노르니르다.”

“그렇다면 어째서 천인들은——그녀들은 인간 마술사를 근절하려고 드는 거야!”

“배신당한 자의 분노라는 것은 뿌리 깊은 감정이다. 특히 운명에게 배신당한 자는 말이지.”

“…………?”

오펜은 퍼뜩 놀라 고개를 들었다. 하지만 그곳에는 이미 인형의 모습은 없었다.

공중으로 녹아들듯이 사라져 있었다.

“그럴 수가……. 방금 전까지 여기에…….”

매지크가 멍한 목소리로 중얼거리는 말이 귀에 맴돌았다.

그때——다시 인형의 목소리만이 주변에 울려 퍼졌다.

“분명히 전언은 건넸다. ——내일 모레, 바질리콕의 유적이다!”

“마음대로 해! 그 찹쌀떡 같은 놈 따위 알게 뭐냐!”

오펜은 하늘을 향해 외치고는, 의미도 없이 주먹으로 공중을 때리는 시늉을 했다. 그리고 그 분노로 망가진 사고 속에서 혹시 모든 것이 저 살인 인형의 의도대로 된다면——이 마을에서 단 한명의 마술사도 남지 않게 된다면 어떤 일이 일어나는 것일까, 하는 의문이 솟아났다.

제4장 바질리콕에게

"바질리콕?"

스테파니는 그 단어를 들은 순간 펄쩍 뛰어오르듯이 고개를 들었다.

"처음부터 물어 뒀어야 했어."

오펜은 깊이 까진 오른팔에 붕대를 감으며 부루퉁한 얼굴로 말을 이었다.

"……어째서 그――킬링 돌인지 뭔지 하는 놈이 마술사 동맹을 날려버렸지? 애초에 그 녀석은 누구야? 바질리콕이라는 건 뭐고?"

그다지 넓지 않은 스테파니의 아파트에 네 명――오펜, 스테파니, 매지크, 그리고 클리오가 얼굴을 맞대고 있으면 당연히 좁고 답답하다. 그 안에서 오펜은 초조와 짜증이 섞인 분위기로 붕대를 감고 있었다. 오른팔만이 아니라 얼굴을 비롯한 곳곳에 반창고를 잔뜩 붙인 상태다. 매지크는 그의 뒤에서 스승의 머리에 붕대를 감는 것을 도왔고, 클리오는 오펜과 스테파니 어느 쪽의 편을 들어야 할지 망설이듯이 조금 떨어진 위치에서 홀로 소파에 오도카니 앉아 있다.

스테파니는 어깨에서 가슴으로 내려온 흑발을 쓰다듬으며――곤혹스러운 듯이 인상을 찡그렸다.

"어째서 내가 그걸 알고 있다고 생각해?"

"네가 전혀 당황하지 않으니까."

오펜은 냉담하게 대답했다. 그는 붕대를 모두 감은 팔을 철썩 치며 말했다.

"마술사 동맹이 별안간 날아가고――자신도 크게 다쳤는데 다음 날 아침이 되어도 히스테리 하나 부리지 않았어. 어째서? 무슨 일이 일어난 거야? 라는 질문도 없었지. 이유는 하나――넌 전부 알고 있었던 거야."

"……그건 가스가 폭발한 거야."

스테파니는 그렇게 말하며 두 손을 위로 향해 펼치며 냉소적인 표정을 지었다.

"그러냐? 그렇다면 나는 환각을 본 게 되는군. ――운동장 미끄럼틀이 사정없이 찌그러지고, 철봉이 지면에서 토대째로 뽑히고, 폭풍에 간판이 벗겨져 내 머리에 부딪히기도 했는데 말이야."

"……맞은 건 나뭇조각 하나잖아요."

매지크가 뒤에서 나지막하게 속삭였지만 오펜은 무시하고 스테파니를 몰아붙였다.

"시치미 떼지 마라, 스테프. ――그건 마술이야. 심지어 인간의 것이 아닌. 이제 날 속이려고 하지 마."

스테프는 깜짝 놀라며 고개를 들었다.

"나는――난, 널 속인 적 없어."

"헤에?"

오펜이 비아냥대듯이 소리를 냈다.

그가 들이민 손가락을 앞에 두고, 스테파니는 앞머리로 얼굴을 가리듯이 고개를 숙였다. ――그러자 클리오가 그녀 쪽으로 다가가 힘없이 늘어진 스테파니의 손을 붙잡았다. 소녀의 걱정스러운 표정을 힐끗 본 스테파니는, 무언가를 떠올리듯이 천천히, 그리고 공허한 목소리로 중얼거렸다.

"……왕도에 가고 싶었어."

"앙?"

의미를 이해하지 못한 오펜이 되물었다. 그러자 스테파니는 팟 고개를 들고 다시 되풀이했다.

"왕도에 가고 싶었어. 우리 모두——이 마을에 넌더리가 났으니까."

"……."

일단 여기서 재촉해 캐묻는 것보다는 잠시 더 그녀가 알아서 말하게 놔두는 것이 더 좋을 것 같다는 생각에 오펜은 말없이 스테파니를 보았다. 그녀는 자신의 손을 잡고 있는 클리오의 손을 맞잡으며 말을 이었다.

"어쩔 수 없잖아? 오펜, 너처럼 《송곳니 탑》 출신의 엘리트에겐 이해할 수 없겠지만——나랑 처음에 만났을 때의 일, 기억해?"

"그래."

오펜은 고개를 끄덕였다.

"골절 스물네 곳. 타박상, 멍은 셀 수도 없는데다 신체 피부 8할은 열상으로 수복 불가능. 안면 손상——두개골 함몰. 내장에 그다지 상처가 없는 것이 그나마 다행이었지만 내가 일하던 진료소에 실려 왔을 때에는 모두가 절망적이라고 여겼지."

"이 마을 인간들에게 린치를 당한 거야."

스테파니는 쉰 목소리로 이곳에 있는 사람 중 유일하게 이 이야기를 모르는 매지크에게 설명하듯이 말했다. 괜찮아? 하고 어깨에 손을 올리는 클리오에게 고개를 끄덕여 대답하며.

매지크는 펄쩍 뛰어오를 정도로 놀랐다.

"린치? 하――하지만, 스승님. ――이 마을에서 요즘엔 그렇게 말도 안 되는 일은 일어나지 않는다고――"

"겉으로는 말이지. 이곳은 관광도시니까 마을 바깥 인간의 눈길이 닿는 곳에선 어지간해서 그런 일은 일어나지 않아. 하지만…… 일단 뒷골목에라도 들어가면 자그마한 계기로 무슨 일이 일어날지 알 수 없게 되지."

"하지만, 그런――"

매지크는 휙 몸을 내던지듯이 오펜의 앞으로 나왔다.

"그런 짓에 무슨 의미가 있는 건가요? 그야 이 마을에는 옛날에 천인이 있었고――그치만, 지금은 이미 없잖아요? 아무리 천인이 인간 마술사를 싫어한다고 해서 그 뒤로 몇백 년이나 지난 지금의 인간이 마술사를 괴롭힐 이유가――"

"그야 이유는 되지 않을지도 모르지만, 동기는 돼. 그리고 말하지 않았던가? 예전의 마술사 사냥으로 생긴 희생자는 마술사보다 그 마술사를 사냥하려던 평범한 인간이 반격을 당한 쪽이 훨씬 많다고 말이다."

"더욱 간단히 말하면 말이야, 매지크 군? 마술사는 어디까지나 인간 이외의 인간이야. 아무리 인원을 모아도, 어떤 무기를 준비해도 평범한 인간은 마술사에게 이길 수 없어. 그런 마술사가 사회적으로 대두되는 것을 두려워하는 존재는 딱히 왕실만이 아니야. 우리가 힘을 불리는 것을 그 누구보다 두려워하는 건…… 예전에 마술사들을 박해한 역사가 있는 이 마을의 주민들이지."

"하지만, 그런 건——"

"아~, 시끄러워. 좀 닥쳐라."

오펜은 매지크를 옆으로 밀어내며 말했다.

"스테프. 이 마을을 나가겠다고 했지? 나는 오히려 네가 지금까지 이 마을에 남아 있는 쪽이 더 이상하거든. 마술사 동맹에서 널 보았을 땐 눈을 의심했어. 난 네가 실려 왔을 때의 모습을 봤으니까. ——그렇게 심한 꼴을 당했던 네가 어째서 곧바로 마을을 나가지 않았던 거냐?"

"……그때의 수술비를 갚아야 했으니까. 그리고——"

그녀는 거기서 갑자기 입을 다물었다.

"그리고?"

오펜이 재촉하다, 스테파니는 마치 오펜에게 매달리듯이 그의 얼굴을 올려다보며 말을 이었다.

"아마, 마을을 나간 널 따라갔으면 좋았을 테지만——넌 내가 퇴원하기 직전에 갑자기 모습을 감췄잖아……."

"나는 나대로 그렇게 느긋하게 있을 수 없는 이유가 있었어. 언제까지고 이 마을에서 살 수는 없는 노릇이었거든. 사실을 말하자면, 네 반년 동안의 입원 생활에 붙어 있었던 것도 상당히 양보했던 거다."

스스로도 차갑군, 하고 느껴질 말투로 오펜이 말하자, 스테파니는 시선을 떨어뜨리며 탄식했다.

"그래——그렇지……."

"오펜, 그런 말투는——"

어느새 완전히 스테파니의 편이 된 클리오가 이쪽을 책망하듯이 입술을 삐죽였다. 오펜은 그런 그녀를 무시하고 스테파니에게 물었다.

"스테프. 난 딱히 널 탓할 마음은 없지만——어쨌든 알고 있는 것을 전부 말해 줘. 그 살인 인형이라는 놈은 이 마을의 마술사를 한 명도 남김없이 죽일 셈이고——이 마을에 남은 마술사는 이제 너와 나뿐이야. 힘을 합치지 않으면 녀석에게 이기지 못해."

"난 네 힘이 되지 못해. 너처럼 전투를 위한 훈련을 받은 것도 아니고, 그렇게 강한 힘을 가지고 있는 것도——"

"하지만 지식은 있지."

오펜은 그렇게 말하며 초조하다는 듯이 눈을 감고 머리를 긁적였다.

"그렇지? 네가 녀석에 대한 지식을 무언가 가지고 있다면 그걸 내게 말해 줘. 나는 지금 뭐가 뭔지 전혀, 아무것도 모르는 상태야."

"……."

스테파니는 아무 대답도 없이 가만히 클리오의 손을 놓았다. ——그리고 몽유병 환자처럼 흐느적 힘없는 움직임으로 몸을 돌리더니 한 걸음, 두 걸음 창가로 다가갔다. 덜컥거리는 창틀에 손을 대자 손가락이 먼지로 더러워졌다. 까맣게 더러워진 손가락을 가만히 바라보며, 그녀는 혼잣말을 하듯이 중얼댔다.

"여기…… 망가져서 열리질 않으니까, 청소를 할 수 없지 뭐야."

오펜은 아무 대답도 하지 않고 팔짱을 낀 채로 그녀의 등을 바라보았다.

스테파니는 그 시선을 깨닫지 못한 듯이 조용히 읊조렸다.

"나, 이곳을 나가고 싶었어. 이런 마을, 정말로 싫어……. 내가 있을 곳이 없는 마을 따위——"

"스테프!"

오펜이 힘을 주어 이름을 부르자, 그녀는 휙 몸을 돌렸다. 그리고 무언가를 결심한 눈빛으로 말했다.

"네게 이야기할게. 그러니까 부탁이야……. 약속해 줘."

"무슨 약속을?"

오펜의 물음에 그녀는 진지한 얼굴로 대답했다.

"이번에야말로…… 날 버리고 가지 말아 줘."

정확한 직육면체를 이루는 돌이 겹쳐 쌓인 벽을 짧은 손가락으로 더듬으며, 도틴은 탄식했다. 축축한 공기가 코를 간지럽게 만들고 목도 아렸다. 감기 걸렸는지도 모르겠네, 하고 생각하며 툭, 하고 이마를 벽에 댔다.

그 기세에 안경 위치가 기울어졌다. 하지만 도틴은 상관하지 않고 중얼거렸다.

"뭔가가 잘못 됐어……. 뭔가가."

"우와~핫핫핫핫하!"

뒤에서는 아까부터 볼칸이 난리를 피우고 있었다. 제단이 있는 광장 같은 방에 쭉 늘어선 골렘들을 바라보며.

"장관, 장관이로다! 좋아! 아까는 비겁한 기습을 받아 허를 찔렸지만 그 사채업 마술사라고 할지라도 이 정도의 돌 인형에게는 당해내지 못하겠지! 그 마술사를 이 세상에서 없애면 부당한 고리채도 이 세상에서 사라지고, 천하는 내 것이 되는 것이다! 방해하는 놈들은 베갯머리에서 속삭여 죽여 주마!"

도틴은, 딱히 그 말에 이끌린 것은 아니었지만, 힐끗 눈길만 향하였다. 10개 정도 되는 골렘을 앞에 두고 아직도 홀딱 젖은 채인 볼칸이 허리춤에 손을 대고 크게 웃고 있다.

도틴은 위가 지끈거리는 것을 느끼고 기침을 했다.

그 소리가 들린 것이리라. 응? 하고 볼칸이 도틴을 보았다. 그리고 어깨 너머로 말했다. 너무나도 시원스레.

"왜 그러냐, 도틴? 감기 같은 거 걸리면 약도 없으니까 죽는다?"

"……."

도틴은 대답하지 않고 털썩 바닥에 주저앉았다. 차가운 돌바닥이 등골을 서리게 만든다.

볼칸은 다시 크게 웃으며 골렘들을 향해 팔을 휘둘렀다.

"뭘 그렇게 운수 나쁜 낯짝을 하는 거냐! 이 꼭두각시들을 봐라! 오른쪽부터——"

얼굴 부분에 붙어 있는 월드 그라프는 물론이고 골렘들의 형태는 대부분 똑같았지만, 볼칸은 전부에게 이름을 붙인 모양이었다. 그는 순서대로 이름을 불렀다.

"가장 오른쪽에 각이 잡힌 녀석이 디프라이! 다음 놈이 트카틱!

타일러! 마이크스택! 케빈펩펄러! 시프레캐소호프——"

불린 순서대로 돌로 만들어진 거인들이 한손을 들며 대답했다.

"저기, 형——"

도틴은 모기가 울듯이 힘없고 작은 목소리로 불렀지만, 형에게는 들리지 않은 모양이었다.

"그리고 이 녀석이 다카다! 이 녀석이 참 맘에 들어! 뭐니뭐니해도 저 헤이더의 팔을 부러트렸으니 말이지! 그리고 마무리로 이쪽이 공키1000——"

"형!"

도틴은 크게 소리치며 몸을 일으켰다. ——그리고 그 기세에 겁을 먹었는지 볼칸이 딱 입을 다물고 곤혹스러운 듯이 이쪽과 골렘들을 번갈아 바라보았다.

도틴은 관자놀이에 손을 대며 신음을 흘렸다.

"미안하지만 좀 조용히 해 줘 ——정말로 감기에 걸린 모양이야. 머리가 아파."

"왜? 이렇게 좋은 날씨에."

"아직 여름도 안 됐는데 물속 같은 델 그냥 들어가게 했잖아! 심지어 여기엔 모닥불은커녕 몸을 닦을 수건 한 장 없고! 이러는데 감기가 안 걸리겠어!?"

하지만 그런 말을 들어도 볼칸은 이상하다는 듯이 고개를 갸웃거릴 뿐이었다.

"……난 아무렇지도 않은데."

"형에게 옮아 줄 기특한 병원균이 있을 리 있겠어?"

도틴은 거의 증오를 담아 한 말이지만 볼칸은 그것을 칭찬으로 받아들였는지 핫핫 웃었다.

“음. 이 마스마튜리아의 투견! 볼카노 볼칸 님의 몸은 어지간한 일로는 끄떡도 하지 않지!”

“……얼마 전에 물가에서 잡은 정체 모를 벌레 먹고 복통으로 한나절은 앓아누운 주제에.”

“몰라! 난 그런 거 모른다!”

볼칸은 시치미를 뚝 떼고 팔짱을 낀 채 기분 나쁜 웃음을 띠며 소리쳤다. 도틴은 다시 탄식하고 두통이 괴롭히는 머리를 누르며 주변을 둘러보았다…….

사방이 무기질적인 흰 벽으로 감싸인 이 방은 넓이로 치면 가로 세로 백 미터는 될 터인데도 굉장히 갑갑한 느낌이었다. 빛이라고는 천장에 빛나는 정체 모를 순백의 광원――명백히 가스등의 빛과도 다르고, 창문으로 들어오는 햇빛과도 다르다. 굳이 비유하자면 그 사채업 마술사가 마술로 발한 광열파와 비슷한 색으로, 잘 보면 빛의 중심에 문자와 같은 것이 흐릿하게 보이는 것도 같다. 제단은 어지간한 시골 행사 무대 정도 되는 크기로, 기묘하고 기괴한 짐승들의 조각상이 6개 쭉 늘어서 있다. 갈기가 이상하게 긴 사자라든가, 등에 목욕통 같은 것을 짊어진 코끼리라든가. 중앙에 서 있는 것은 인간으로도 보인다. ――인간의, 엄청나게 아름다운 여성의 상. 그 조각상 너머의 벽에 높이로 치면 도틴 키의 5배는 됨직한 거대한 초상화가 걸려 있다. 녹색 머리카락에, 녹색 눈동자, 녹색 로브를 걸친 미녀. 선이 가늘고 조금 여윈 듯한 실루엣이지만 그다지 병약해 보이지는 않는다. 초상화 밑에는 이름이 있고, 그곳에는 고풍스러운 서식으로 《시스터 이스터시바》라고 새겨져 있다. 아마도 그것이 이 여성의 이름이리라.

'시스터라고 이름이 붙어 있으니까 혹시 사제일지도 모르겠네.'

도틴은 그렇게 생각했지만, 그와 동시에 아무래도 좋다고도 생각했다. ——초상화가 제단에 걸려 있다는 것은——이미 그 인물이 이 세상에 없다는 의미일 테니까. 그런 것보다 더욱 중요한 것이 있다.

이 '유적'——이라고 그 비보의 파수꾼인지 뭔지가 그렇게 부른다. ——어쨌든 이 유적은 아무리 생각해도 수백 년은 더 옛날에 만들어졌을 텐데도 먼지 하나 떨어져 있지 않다. 아니, 전혀 떨어져 있지 않은 것은 아니지만 대강 청소한 흔적이 여기저기에 남아 있었다. 마치——

'마치 누군가가 한 번 이 유적을 조사한 것 같아.'

그렇다면, 형은 그 비보의 파수꾼인지 뭔지에게 구슬려져 속 편하게 떠들고 있지만——

'그 조사한 누군가가 이 유적의 소유권이 어쩌고 하고 말하지 않을까. 그렇다면 인형의 말을 듣고 이 유적을 자신의 것이라고 생각했습니다, 하고 변명을 해 봐야 우리는 불법침입에 절도, 조사가 나라의 기관에서 행한 거라고 치면 공공기물파손죄에도 걸리는 수도——'

그러한 죄명을 몇 가지 떠올리며 도틴은 손가락을 굽혀 수를 셌다. 그렇게 양손의 손가락으로는 부족해질 즈음해서 볼칸이 문득 무언가를 떠올린 듯이 물었다.

"……그런데 그 파수꾼인지 뭔지는 어디로 갔냐? 이 녀석들 전부에게 단번에 명령을 내리는 방법을 배워야 하는데."

◆◇◆◇◆

밤의 운하는 새카맣게 물든 비단처럼 물결이 일었다.

뛰어들면 그대로 튕겨나가지 않을까 싶은 쓸데없는 충동을 느끼게 하는 칠흑의 수면은 밤하늘에 빛나는 별을 반사시켜 곳곳에서 반짝이고 있었다. 정적에 가라앉은 분위기에서 여기저기에 돛을 접은 화물선이 정박해 있고——그 중 몇 척은 아직도 불을 밝힌 채 작업을 하고 있었다. 하지만 통례로 야간에는 짐을 내릴 수 없도록 되어 있어서 인부의 모습은 거의 보이지 않았다.

거리 남쪽 부근에서 종이 울렸다. ——시간을 알리는 탑의 종이다. 종소리는 한 번만 울리고는 그대로 그림자 속으로 사라졌다.

"한밤이로군."

오펜은 주머니에 양손을 찔러 넣고 운하를 내려다보며 혼잣말을 하듯이 말했다. 운하 위를 수치는 밤바람이 머리카락을 쓰다듬었다.

그 밤바람에 긴 금발이 휘날리는 클리오가 불안한 듯이 주변을 둘러보았다. 소녀는 갈아입을 옷을 잃어버렸기 때문에 오펜에게 돈을 빌려 산 새 셔츠가 아직 불편한 모양인지 쓰다듬으며 말했다.

"왠지 가엾어……. 그 사람."

"그 사람이라니?"

"스테파니 말이야. 뻔하잖아."

클리오는 그렇게 말하면서 이쪽을 향해 날카로운 시선을 던졌다.

하지만 오펜은 신경 쓰지 않고 작게 탄식했다.

"나 역시 지나가는 말로도 마술사가 환영받으리라고는 말할 수 없는 토지에 발을 들여놓은 적도 있어. ——물론 각목을 든 녀석들에게 쫓겨난 적도 말이다."

"하지만 넌 강하잖아."

"각목으로 두들겨 맞으면 인간이 강하고 약하고 나발은 상관없는 법이야."

"그런 말을 하는 게 아니야. ——오펜 너처럼 강한 사람은 이해할 수 없을 거라는 말이야. 힘없는 인간이 어떤 마음으로 매일을 보내는지. 무언가 치명적인 실수를 저지르는 게 아닐까 불안에 떨며 주변 사람들의 눈을 쉬지 않고 신경 쓰며 살아가야 해. 하지만 주변의 인간이란 건 생각 외로 무신경하다보니까 그 사람을 자신이랑 똑같이 취급하려 하고——너도 해 보면 할 수 있어, 그걸 못하는 건 네게 의욕이 없기 때문이야, 라고."

"스테프는 그렇게 섬세한 성격이 아니야. 그리고——힘이 없다고? 스테프는 마술사다."

"역시 모르는구나."

클리오는 답답하다는 듯이 한숨을 내뱉고는 마치 타이르듯이 말을 이었다.

"완력이 강한 사람이라고 반드시 레슬러가 될 수 있는 건 아니잖아. 힘 같은 건 쓰는 방법을 모르면 그걸로 끝이야. 그리고 그 사람은 이렇게 말했어. ——수술을 받은 뒤부터 극단적으로 마력이 약해졌다고."

"그야 그렇겠지."

"……알고 있었어?"

클리오는 그렇게 물었지만 오펜은 일부러 대답하지 않았다. 그 대신 다른 주제를 꺼냈다.

"그건 그렇고 클리오, 약한 인간의 마음이 어쩌고저쩌고 떠들다니 너답지 않은 소릴 한다."

"……나, 어린 시절엔 병약했거든. 하지만 의사는——이미 어디도 나쁘지 않다, 병은 완전히 나았을 것이다, 하고만 말했어. 나머지는 본인의 자각 여부에 따른다고——나, 그래도 침대에서 일어날 수가 없었어. 언니들은 그렇게 서두를 필요는 없다, 마음이 편해질 때까지 편히 쉬라고 말했지만——뭔가 나쁜 짓을 하는 것 같아서 굉장히 괴로웠어."

"하지만 결국 일어났잖아?"

"……응."

클리오는 힘없이 대답한 뒤 휙 고개를 돌려 거리를 바라보았다. ——그리고 나지막하게 말했다.

"온 모양이야."

오펜도 그쪽을 돌아보자 거리 안에서 뭔가 여러 짐을 짊어진 매지크가 걸어오고 있었다. ——이런 어둠 속에서도 얼굴이 기분 나쁘다는 듯이 찌푸려져 있는 것을 알 수 있었다. 그는 이윽고 비틀거리면서도 오펜과 클리오가 있는 곳까지 짐을 옮긴 뒤 투덜거렸다.

"왠지 저 계속 짐 나르기만 하는 것 같은데요."

발밑에 내던진 짐을 내려다보면서 질색이라는 듯이 말하는 매지크. 그는 오펜의 말에 따라 거리 바깥에 세워 둔 그들의 마차까지 무기를 비롯한 각종 짐을 가지러 다녀온 참이었다.

오펜은 씨익 웃었다.

"잘 됐잖냐. 약자는 착취당하는 법이야."

"……추호도 잘 되지 않은 것 같은데요……."

실눈으로 바라보며 투덜거리는 매지크는 무시하고 오펜은 짐을 뒤졌다──유대용 가스등, 자일을 짜서 만들어 가늘지만 튼튼한 로프, 만에 하나의 사태에 대비한 비상용 식량, 그 외에도──

오펜은 움직이던 손을 멈추고 짐덩이 안에서 가늘고 긴 것을 빼냈다.

"……누가 클리오의 검까지 가지고 오라고 했냐."

"내가 부탁했어."

클리오는 그렇게 말하며 오펜의 손에서 자신의 검을 빼앗았다.

"설마 또 날 놔두고 갈 셈은 아니겠지? 이 인원 안에서 오펜 널 보조할 수 있는 건 나뿐이라고──"

"아~, 그려그려."

오펜은 건성으로 클리오를 제지하고 다시 짐을 뒤지기 시작했다.

그런 그를 보며 매지크가 부럽다는 듯이 중얼거렸다.

"그런 그렇고요, 혹시 제가 쓸 무기는 뭔가 없나요?"

"없어."

오펜은 쌀쌀맞게 대답하고는 각종 짐들을 원래 들어 있던 가죽제 배낭에 쑤셔 넣었다. ──그리고 입구를 단단히 동여매고 잠금

쇠를 걸었다. 오펜은 그것을 들고 곧바로 매지크에게 떠넘겼다.

"맡긴다."

"……이렇게 될 줄 알았어요."

"이것도."

이번엔 클리오도 검을 떠넘겼다. 매지크는 이제 항의할 기력도 없는지 탄식하며 그 검을 받아들었다.

"그건 그렇고 늦는군."

오펜은 선 채로 두 무릎에 손을 대고 허리를 굽힌 채 매지크가 걸어온 길을 보았다. 길에는 아무도 없고 그저 가로등만이 어렴풋하게 빛을 드리우고 있었다.

"스승님이 괴롭혀서 화내고 돌아간 걸 거예요, 분명."

매지크가 배낭을 짊어지고 하는 말을 오펜은 문득 그럴지도 모른다고 생각하며 들었다.

하지만…….

"아, 왔다."

클리오가 목소리를 높였다.

가로등의 둥근 불빛 윤곽 안에 상반신만 떠오르듯이 나타난——스테파니가, 조금 공허한 발걸음으로 모습을 드러냈다. 두 손을 힘없이 옆으로 늘어뜨리고, 안경 속의 눈동자도 병에 걸린 것처럼 어둡게 내리깔며…….

"……가능하면 다시 돌아오고 싶지 않았어. 내 탓에——이 마을의 마술사 동맹 일원 모두를 죽게 만들었으니까."

"딱히 네 탓 아니잖냐. 단지 너만이 살아남았을 뿐이야."

"마찬가지야."

스테파니는 지친 듯이 숨을 토하고는 머리카락을 뒤로 넘기며 운하를 내려다보았다. ——오펜도 그런 그녀를 따라 허리를 굽혀 수면을 들여다보았다.

스테파니가 천천히 입을 열었다.

"아렌하탐……. 천인이 옛날에 지은 도시. 하지만 태곳적의 지도를 보면 말이지, 이 마을이 있는 곳에는——아렌하탐이라는 이름이 없어. 훨씬 작은, 바질리콕이라고 불리던 요새가 있을 뿐……."

"바질리콕——그 전설의 괴물 말이냐? 사막의 수왕이라든가 뭐라든가……."

오펜이 묻자 스테파니는 살짝 어깨를 으쓱일 뿐이었다.

"아마도. 옛날 천인이 두려워한 강대한 마수 중 하나야. 마법의 비의를 훔친 것으로 화가 난 신들이 드래곤 종족을 멸하기 위해 파견했다든가. 문헌에 따르면 천인들은 바질리콕을 쓰러뜨리기 위해 그 요새를 지었대. 그리고…… 그 싸움 안에서 요새는 파괴되고 이 부근 일대가 사막으로 화했어. 하지만 지금으로부터 천 년 전, 천인들은 결국 바질리콕을 쓰러뜨리는 데 성공해."

"사막…… 이라."

오펜은 그렇게 중얼거리며 운하를 좌우로 둘러보았다. ——어마어마한 수량이 넘실거리는 수면은 부드럽게 물소리를 냈다.

킥, 하고 스테파니가 웃었다.

"바질리콕과의 싸움으로 요새를 잃고, 이곳은 사람이 살 수 없는 토지가 되었어. 하지만 천인은 말이지, 그렇다면 단순히 이곳을 거주에 적합한 환경으로 다시 만들면 된다고 생각했어. 그녀들은 마술을 이용해 사막화한 토지를 치유하고 이곳에 운하를 팠어. 이윽고 이곳에 마을이 생기고…… 아렌하탐이라고 불리게 되었지. 그것이 이 마을의 시작이야. 이윽고 이 대륙에 우리 인간의 선조가 이주해 오고——"

"수백 년 후, 천인들은 모습을 감추었다."

오펜은 스테파니의 말을 받으며 고개를 들었다. 아직 허리를 숙이고 있는 스테파니의 등을 내려다보며 말을 이었다.

"그 요새가 아직 어딘가에 남아 있는 거냐? 그 살인 인형은 바질리콕에서 기다리겠다고 했어."

스테파니는 운하를 바라본 채로 고개를 저었다.

"아니. 바질리콕 요새는 천 년도 더 옛날에 파괴되어서 이미 지상에는 남아 있지 않아."

"그럼 어째서 그런 곳에 우리를 불러냈지?"

"……."

스테파니는 말없이 고개만을 오펜 쪽으로 향했다. 그리고 조금 떨어진 곳에 서 있는 매지크와 클리오를 힐끗 보았다.

"저 애들도 데리고 갈 거야? 그…… 살인 인형이 있는 곳으로."

"따라오겠다고 하더라. 특히 클리오가 말이다."

"용기 있구나……. 저 애들은 아무런 힘도 없을 텐데. 난 여기에 올지 말지 그렇게 망설였는데——"

"아무 생각이 없는 거야, 저 녀석은."

오펜은 부루퉁한 얼굴로 클리오를 보며 말했다.

"아닐걸?"

스테파니는 그렇게 말을 받았다. 그녀는 마치 인사를 하듯이 양손을 아랫배에 겹쳤다. 그대로 잠시 입을 다물었지만——

"본론으로 돌아갈게. 바질리콕 요새에는 지하 부분이 있었어. 그 유명한 사막의 수왕도 지하의 요새까지는 파괴할 수 없었는지, 싸움 후에도 지하층만은 살아남았지. 이 마을은…… 그 지하층 위에 세워졌고."

"그럼……."

"응. 바질리콕은 이 마을 지하에 있어. 이…… 운하 밑바닥 아래에 말이야."

그 말을 들은 오펜은 다시 운하를 들여다보듯이 몸을 굽혔다. 하지만 밤의 어둠에 뒤덮여 밑바닥에는 아무것도 보이지 않았다.

"넌 거기에 갔던 거냐. ……한 번은."

"한 번만이 아냐. 조사대를 편성해서 몇 번이고 발을 옮겼어. 요새에는 채 셀 수도 없을 정도로 많은 무기나 당시의 자료가 될 만한 것이 보관되어 있었거든. 이 연구가 인정받으면 우리는 모두 이 마을에서 나올 수 있을 것이라고 생각했어. 우린 아마, 너무 안달했던 거겠지……."

그녀는 거기서 잠시 말을 쉬었다.

"그리고 일주일 전에, 마지막으로 이 유적을 방문했을 때…… 발견했어."

"뭘?"

"……그땐 인형이라고 예상했어. 하지만 다른 자료랑 같이 연구실로 가지고 돌아와서 며칠 후에 조사해 보니까, 그건 인형이 아니었지."

“그럼 뭐였는데.”

“인간. 병기. 우리를 사냥하고 말살하기 위한 병사. 그리고 역시 인형——이 요소 전부를 마구 뒤섞어 만들어낸 존재가 그것이야. 그는 스스로 자신을 무어라 말했어? 살인 인형?”

“그렇다면 그것이 마술사 동맹을 소멸시킨 것은…….”

오펜이 묻자 스테파니는 냉소적으로 입가를 일그러뜨렸다.

“맞아. 우리가 그를 눈뜨게 만들었기 때문이야. 그 인형은…… 지금으로부터 2백 년 전, 천인이 지상에서 사라진 그때부터…… 줄곧 기다리고 있었어. 우리가 천인들에 대해서 완전히 잊고 무방비하게, 부주의하게 될 때를.”

“하지만…… 그렇다고 해도 왜 저 살인 인형은 이 마을에 있는 마술사를 말살하려 드는 거지?”

“그건 몰라. 어쨌든 내가 기억하는 것은 저 인형이 스스로 자신의 몸에 손가락으로…… 문자를 그리자 그것이 빛나고——그러자 아무 생각도 할 수 없게 되고, 폭발이 일어나고——”

“월드 그라프로군.”

“……응. 하지만 그렇다면 저 인형은 고대 천인의 마술을 사용할 수 있다는 셈이 돼. 아마 너도 이기지 못할 거야, 오펜.”

“그딴 건 나도 알아…….”

오펜은 얼버무리듯이 입안에서 웅얼거리고는, 클리오와 매지크를 향해 손을 흔들었다.

“어이! 이제 됐다! 이리로 와라!”

클리오가 천둥소리를 들은 작은 동물처럼 움찔 반응하더니 이쪽으로 다가왔다. 그보다 조금 뒤늦게 무거운 짐을 짊어진 매지크가 천천히 걷기 시작했다.

그렇게 다가오자마자 클리오가 말했다. 토라진 듯이 뺨을 불룩 부풀린 채로.

“밀담은 이제 끝났어?”

“남 듣기 안 좋은 소리. 적어도 비밀 이야기라고 해주 라.”

“……뭐가 다른데. 뭐, 빈틈을 찌르고 도망치려고 하지 않은 것만으로도 봐주겠지만.”

그렇게 말하며 마치 시험하듯이 이쪽을 올려다보는 클리오를——오펜은 와락 끌어안았다. 그녀의 머리카락 감촉이 스르륵 손가락에 감겼다.

“어——뭐, 뭐야, 잠깐? 오펜?”

클리오가 동요한 듯이 말했다. 하지만 오펜은 개의치 않고 조용한 음색으로 그녀의 귓가에 속삭였다.

“클리오. 네게 꼭 해 둬야 할 이야기가 있어.”

“……뭐, 뭔데?”

“그러니까——”

오펜은 거기서 매지크에게 눈짓했다. ——매지크는 조용히 한숨을 쉬고 짐 안에서 자일을 땋아 만든 로프를 꺼냈다.

오펜은 클리오에게서 사각이 되는 위치에서 그것을 받아, 기습적으로 파팟 클리오의 몸을 묶었다. 무슨 일이 일어났는지 이해하지 못한 클리오가 일단 비명과 욕설이 뒤섞인 외침을 질렀다.

“오펜! 무슨 짓이야!”

하지만 그 항의에도 대답하지 않고 완전히 발목에 이르기까지 클리오의 몸 전체를 묶은 다음 길가에 발로 차 내던진 오펜이 만

족스럽게 고개를 끄덕였다. 다음에 매지크를 향해 말했다.

"음. 이심전심. 소질이 아주 좋다, 제자야."

"아까 '마차에서 꺼내올 물건 목록' 뒤에 쓰여 있었잖아요……."

매지크가 중얼거리듯이 대답했다.

양팔을 묶여 일어나지 못하는 클리오는 꿈틀꿈틀 몸을 움직이며 오펜의 부츠 끄트머리를 불타오를 듯한 시선으로 노려보며 울부짖었다.

"날 속였겠다!"

"속이긴 뭘 속여. 여기 약속 장소까지 데려다주겠다고는 했지만 바질리콕까지 그러겠다고는 말한 적 없다."

"거짓말쟁이! 사기꾼! 돌팔이!"

"아~, 시끄러워. 매지크, 아마 짐 안에 수건 있을 거다. 그거 꺼내."

"납치범! 살인자! 강간마아! 누가 살려——으급."

꺼낸 수건으로 재갈을 물리자 아무리 클리오라 해도 더 이상 소리를 지르지는 못하고 으으 끙끙댈 수밖에 없었다. 오펜은 짝, 하고 손을 마주치고 기분 좋게 말했다.

"음~. 귀엽다, 클리오."

"변태……."

뒤에서 매지크가 신음했다. 오펜은 매지크를 두들겨 패며 소리를 질렀다.

"말해 봤을 뿐이야!"

"아야야……. 하지만 어쩌실 건가요, 스승님? 클리오를 이대로 여기에 놔두고 가실 건가요?"

"……그것도 그렇지. 그럼 네가 여기서 망을 볼 테냐?"

오펜이 말하자 매지크는 명백히 싫다는 표정으로 거부의 의사를 표했다.

"싫어요! 이런 상태의 클리오랑 같이 있으면 어차피 안 좋은 일은 전부 저한테 쏟아질 게 뻔하다고요!"

"아니……. 하지만 상대는 꼼짝도 못하는 상태인데?"

"죽어도 싫어요! 클리오라면 로프로 꽁꽁 묶어 감옥 안에 집어넣어도 뭔가 화풀이 수단을 생각해낼 거라고요! 전에 선생님한테 벌로 운동장 나무에 로프로 묶여 매달렸을 때도 내 얼굴에 침을 뱉고 신발을 던지질 않나, 심지어 그게 밤나무라서 가지를 흔들어 밤송이를 떨어뜨리고……."

흥분해서 얼굴이 빨개진 채로 주장하는 매지크에게서 눈길을 피하고, 아직도 끙끙대는 클리오에게 시선을 던진 오펜이 중얼거렸다.

"……정말 진심으로 지독한 짓거리를 하는구나, 너……."

"으읍-!"

클리오가 한층 더 크게 신음했다.

"뭐, 됐어. 그럼 이대로 두자. 사람도 안 지나다니는 모양이니 괜찮겠지."

"……혹시 우연히 유괴범 같은 놈들이 지나가면 어쩌시려고요."

"그럼 저쪽 뒷골목에라도 숨겨 둘까."

"들개의 먹이가 될지도 몰라요."

"읍~! 읍~!"

"끈으로 매달아서 운하 안에 담가 두는 건 어때?"

"수박 식히는 것도 아니고……."

"읍~!"

"저기이……."

그때까지 압도된 듯이 입을 다물고 있던 스테파니가 말을 꺼냈다.

"내가 보고 있어 줄까?"

"안 돼. 바질리콕까지 가는 길안내가 필요해. 이 부근 선박에 던져 두면 아침까지는 괜찮지 않을까."

"선창(船倉)에는 갯강구 같은 것도 있으니까……. 클리오, 그런 거 싫어하잖아?"

"읍~!"

"……그럼 역시 여기에 그냥 방치해 둘 수밖에."

"그렇네요."

"읍~!"

"그래서…… 스테프. 바질리콕으로 가는 길은 어디야? 볼칸처럼 맨몸으로 운하에 잠수할 수는 없다. 짐덩이도 있고."

"읍~!"

"이쪽에…… 하수도 같은 건데, 입구가 있어. 지진으로 우연히 유적의 입구와 연결된 것 같아……."

"아무래도 좋지만 스승님도 조금은 짐 들어 주세요~."

"읍~! 읍~!"

오펜은 그 어느 말도 무시하고 스테프가 안내하는 쪽으로 발을 내딛었다. 그 뒤로 잠시 동안은 클리오의 신음이 언제까지고 뒤를 쫓아오듯이 들렸지만——이윽고 거리가 멀어지자 들리지 않게 되었다.

오펜은 안도의 한숨을 내쉬고는 스테파니의 뒤를 따라 조금 발걸음을 빠르게 하였다.

클리오는 그 뒤로 오펜 일행의 모습이 보이지 않게 되어도 계속해 신음을 질렀지만, 잠시 후 재갈을 조금 약하게 물렸는지 수건이 스르륵 목 부근으로 풀려 떨어졌다. 침으로 축 젖은 수건을 턱으로 끌어내린 클리오는 오펜의 모습이 사라진 쪽으로 고개를 향하고 있는 힘껏 소리쳤다.

"두고 봐!"

쿵! 하고 발을 구르는 요령으로——찰싹 어깨를 땅바닥에 내리쳤다.

"날 로프로 묶어 두고 수박? 들개 먹이라고? 남을 이런 꼴로 만들어놓고——그냥 넘어갈 줄 알면 큰 오산이야! 날뛰는 소에게 묶어서 시내를 한 바퀴 돌게 해 주겠어! 아니면——펜치로 손톱을 뽑아 줄 거야!"

거기까지 외치고는 조금은 속이 풀렸는지, 잠시 생각에 잠겼다.

"하지만——아무리 나라 해도 정면에서 붙으면 저 격투 마니아한테 당해낼 리가 없지. ——그래도 기습 방법은 얼마든지 있어. 침대 속에 압정을 넣어둔다든가, 창문 위에서 뜨거운 물을 뿌린다든가."

그녀는 중얼중얼 복수 방법을 떠올렸다.

"자는 사이에 신발 속에 돼지 피를 넣는다든가, 자는 얼굴에 낙서를 하는 것도 괜찮겠어. ——오펜이 아침에 쓰는 수건에 레몬즙을 뿌려 두는 수도 있어. 밑을 걷고 있을 때 유리창을 깨는 것도 효과적이지. 더욱 단순하게 빈틈을 찔러 계단에서 떠미는 것도 좋아."

그렇게 몇 개나 복수 방법을 열거하는 사이에 화도 점점 수그러든 모양인지——그녀는 생생한 눈으로 홀로 고개를 끄덕이더니, 여전히 뒤로 묶인 손의 손가락을 딱 튕겼다.

"그래. 어느 게 가장 효과적일지 평소처럼 매지크로 시험해 보는 것도 좋겠어."

클리오는 묘하게 만족한 눈빛으로 고개를 끄덕이더니, 갑자기 눈살을 찌푸렸다.

"그런데 돼지 피는 어디서 손에 넣을 수 있지?"

그때…….

부글부글——하고 거품이 일어나는 소리가 들렸다.

클리오는 다시 미간을 찌푸리고 운하 쪽을 돌아보았다. ——몸이 자유롭게 움직이지 않아 고생했지만, 간신히 몸을 굴려 방향을 바꾸었다.

그러자 운하의 물이 갑자기 치솟으며 폭발하듯이 물기둥이 솟아올랐다.

"하앗~핫핫핫핫핫하아!"

밤의 정적을 가르며 큰 웃음소리가 울려 퍼졌다. 물기둥 안에는 신장 10미터는 될 듯한 거대한 돌인형의 어깨를 타고 어디선가 많이 본 짤뚝한 소년의 인영이——

클리오는 나지막하게 혼잣말을 내뱉었다.

"……왠지 어마어마하게 불길한 예감이 드는데."

제5장 그리고-그는 주명을 수락했다

"야, 너희들! 이런 짓을 한 이상 그냥 넘어가지 않을 거야!"

하고——클리오가 완전히 젖은 머리카락을 파닥거리듯이 머리를 돌려 크게 목청을 높였다. 다만 몸은 여전히 묶여 있는 데다 단단히 골렘에게 붙잡혀 있는 닷에 꼼짝노 하지 못했지만.

하지만 몸을 움직이지 않는다는 것은 이 소녀에게 더욱 쓸데없이 입을 움직이게 만든다는 의미일 뿐인 듯했다.

"이 유괴범! 인간실격! 가끔은 목욕 정도는 하라고!"

"……."

도틴은 골렘의 발밑에서 그녀를 올려다보며 나지막하게 자문했다.

"왜 그 마술사랑 엮이면 다들 성격이 더러워지는 걸까……."

그곳은 옛 제단의 광장이었다. ——바질리콕의 광장. 높이 서 있는 녹색 여성의 초상화를 배경으로 골렘에게 붙잡힌 클리오가 아등바등 발버둥을 치고 있다.

"작작 좀 해! 이런 덩치 몇 마리 준비한다고 해서 대체 뭘 할 수 있다는 거야!"

"뭘 할 수 있냐? 있냐고——? 그야 뻔하지."

하고——그렇게 말한 것은 도틴의 뒤…… 제단 너머에 위치한 자그마한 왕좌에 거만하게 앉은 볼칸이었다.

그는 왕자 위에 올라서더니 척, 하고 손가락을 하늘로 치켜들었다.

"제악의 근원! 만인의 적! 그 사채업 마술사를 말살하는 것이다!"

"그런 짓을 해서 뭐가 되는데!"

클리오가 외쳤다. 볼칸은 자신만만하게 웃으며 말했다.

"당연하게 빚을 없던 걸로 만드는 거다!"

"수준 낮긴!"

"뭣이라! 꼬마 계집, 나의 충실한 부하, 거석병기 2호 디프라이에게 손도 발도 내밀지 못한 주제에!"

"손발이 묶인 여자애 상대로 이런 괴물이나 보내 놓고 뭘 잘난 척을 하는 거야!"

"뭐라고! 야, 오해하지 마라! 이 몸이 이번에 손에 넣은 힘은 이것만이 아니거든!"

"……."

자기 머리 위를 오가는 두 사람의 말싸움을 들으며, 도틴은 홀로 조용히 머리를 부둥켜안았다.

기억 속에서 잊힌 공간이라는 것은 어느 마을에나 존재하는 법이다. ──건물과 건물에 끼어 사각이 된 작은 공터라든가, 작은 개울 너머에 느닷없이 펼쳐지는 풀이 무성한 황야라든가. 스테파니가 안내한 곳은 운하 부근에 있는 작은 돌계단이었다. 바로 눈앞에는 다리가 걸려 있다. 그곳을 내려가자 마치 다리 밑에 숨겨진 것처럼 뻥하니 입구가 뚫려 있었다.

직사각형에 아무런 멋도 없는, 단순한 틈새다. 들어가자 작은 방이 나오고, 바닥에 철로 만든 둥근 뚜껑이 있었다.

뚜껑을 들어보자 구멍이 나 있었다. 철제 사다리를 타고 아래로 내려갈 수 있도록 되어 있다.

"……여기가 유적으로 이어지는 통로가 되어 있는 거냐?"

"정확하게는 하수도의 출입구야. 그 하수도로 유적에 들어갈 수 있어."

"뭐든 좋지만 제가 이 짐을 짊어진 채로 사다리를 내려갈 수 있을까요?"

당연하지만 하수도는 눅눅하고 악취로 가득 차 있었다. 손수건을 코에 대고 나아가 약 한 시간 정도를 걷자 막다른 길에 부딪혔다. 하지만——그 막다른 길의 벽에 마치 찢어진 듯한 균열이 생겨 있었다. 잘 보자 그 균열은 나중에 인간의 손으로 넓혀진 흔적이 있었고, 인간 두 명 정도라면 나란히 서서 걸을 수 있을 정도로 폭도 여유로웠다.

"……유적은 운하 바닥에 있다고 했었지. 공기는 괜찮아?"

오펜이 틈새를 지나며 묻자 스테프는 자신의 몸을 감싸 안듯이 팔을 두르며 대답했다.

"괜찮을 거야. 천인은 바질리콕과의 싸움에 정말로 만전을 기한 것 같아. ——생매장이 되어도 공기가 없어지지 않도록 산소를 만드는 월드를 벽에 새겼거든. 그리고 요새 위쪽에 마력의 방벽 같은 것을 쳐서…… 운하의 물이 흘러들어올 일도 없을 거야. 가끔 장벽을 뚫고 물고기가 떨어질 때도 있고, 공기도 다소 습하지만."

"숨을 쉴 수 있다면 충분해. 이 하수도라는 놈은 적어도 악취만이라도 어떻게 해결할 수는 없는 건가."

틈새는 생각 외로 길어 백 미터 정도를 새카만 어둠 속에서 나아가야만 했다. 손의 감촉으로 통로를 찾고 습기로 질척해진 땅을 밟으며——오펜은 말없이 발을 앞으로 움직였다.

그러자——느닷없이 눈앞에 빛이 나타났다.

발끝이 진흙이 아닌 돌을 밟았을 때, 오펜은 우선 몸을 떨었다. ——그리고 결국 도착하고 말았다며 한숨을 토했다.

바질리콕——.

그곳은 예전 반신이 마수와의 결전을 대비했고, 그리고 아마도 토지에서 자취를 감출 때 자신들의 묘지로 삼은 고대의 요새——.

인 줄 알았더니, 그 정도로 장엄한 물건도 아니었다.

첫눈의 인상은 내부 장식이 매우 간소하다, 였다. ——다만 이것은 요새라는 건물의 기능을 생각하면 당연한 것일지도 모른다. 하수도에서 이어진 입구는 요새 통로로 이어져 있었다. 상당한 넓이의 통로로 폭으로 치면 5미터 정도는 되었다. 통로는 좌우로 뻗어 있고 벽에는 문 하나 없다. 그저 일직선의, 평평한 벽이 이어질 뿐이었다.

"이곳은 《등뼈》야."

오펜 다음으로 통로에 모습을 나타낸 스테파니가 설명하듯이 말했다.

"《등뼈》?"

오펜이 되묻자 스테파니가 고개를 끄덕였다.

"우리는 그렇게 불렀어. 이 요새의 구조가 왠지 생물을 본뜬 것 같았거든. 이 통로에서는 《머리》랑 《꼬리》로 갈 수 있어."

"설명은 고맙긴 한데 말이지. 그 《머리》랑 《꼬리》에는 뭐가 있는데?"

"양쪽 모두 계단이야. 안은 텅 비어 있고 나선계단이 있어. 내려갈 수 있는 계단이고. 어느 쪽을 써도 최하층으로 갈 수 있어. 올라가면…… 장벽을 거쳐서 운하 바닥으로 나갈 수 있을 거야."

그녀가 기기까지 설명을 마치자 매시크가 나타났다. ——배낭을 어떻게든 틈새에서 빼내려 하는 매지크에게 오펜은 별것 아니라는 듯이 물었다.

"매지크. 넌 머리랑 꼬리 어느 쪽이 좋냐?"

"예에?"

매지크는 기성을 지른 후 진지한 얼굴로 즉답했다.

"하반신 쪽이 좋아요."

"그렇게 표현하면 좀 그렇잖냐……. 《머리》로 하자. 스테프, 어느 쪽이야?"

"오른쪽."

그 말대로 오른쪽으로 발길을 향했다.

통로는 한없이 이어진 것처럼 보였다. 직선이 아니라 완만한 곡선을 그리고 있어서 행선지가 보이지 않는다. 정처 없는 회랑이로군, 하고 마음속으로 중얼거린 오펜은 딱히 누군가에게 던지는 것도 아닌 말을 입에 담았다.

"배신당한 자의 분노…… 라."

"? 무슨 말씀인가요?"

매지크가 질문했다. 오펜은 고개도 돌리지 않고, 또 발도 멈추지 않고 말을 이었다.

"너도 들었을 거다. 그 살인 인형이 한 말이야. 배신당한 자의 분노는 뿌리가 깊다. ──특히 운명하게 배신당한 경우에는, 이었던가. 왠지 모르게 의미를 알아낸 것 같은 기분이다."

"……뭘 알아냈어?"

"……."

스테파니의 질문을 무시하듯이 오펜은 입을 다물었지만, 이윽고 손가락으로 자신의 턱을 쓰다듬으며 대답했다.

"누가 배신당하고, 누가 배신했는지."

"배신이라고 하면──"

매지크가 갑자기 생뚱맞은 소리를 꺼냈다.

"아시겠죠? 전 몰라요. ──클리오 말이에요. 나중에 무슨 꼴을 당해도 절대로 중재하지 않을 거예요. 어차피 가장 피해를 받을 사람은 저일 테니까요."

"그래."

오펜은 등을 향한 채 손을 휘젓고는 몰래 혀를 내밀었다.

회랑은 계속 이어져 이윽고 스테파니가 말한 《머리》에 다다랐다. 그녀가 말한 대로 이 《등뼈》에서 이어진 중앙의 구멍은 미묘하게 찌그러져 두개골 같은 형상을 그리고 있었다. 일그러진 원통형의 벽을 따라 나선계단이 보인다. 직경 10미터 정도일까. 위를 올려다보자 천장은 없고──무언가 강력한 힘으로 날아간 듯이 파인 부분에는 새파란 색이 보였다. 아마도 저것이 운하의 물이리라.

그렇게——가만히 위를 올려다보고 있자 뚝, 하고 물고기가 떨어졌다.

"……볼칸 자식은 이쪽에서 그 골렘을 꺼낸 거겠지."

"하지만 이 계단을 그런 커다란 물건이 오를 수 있을까요?"

"잘 봐라."

오펜은 원통 한가운데에 선 기둥을 가리켰다.

"저걸 타고 올랐을 거야."

"……폼이 안 나네요."

"그 찐빵에게 폼이고 뭐고 있겠냐. 언제였더라? 배가 고프다며 강가에서 개구리를 잡아서 물에 데쳐 먹더라. 뭐, 내가 빚으로 점심값을 빼앗았기 때문이지만."

"인간도 아냐……."

그렇게 중얼거리는 매지크를 발로 찬 오펜은, 스테파니를 따라 계단을 내려가기 시작했다.

"가끔 생각하는 건데요."

매지크도 그 뒤를 따라오며 말했다.

"어째서 저는 스승님을 따라갈 수 있는 걸까요?"

"글쎄다. 서로에게 사랑이 있어서 아니겠냐?"

"……."

나선계단을 어느 정도나 내려갔는지 알 수는 없지만——일단 위를 올려다보아도 입구가 잘 보이지 않게 될 즈음 최하층에 도착했다. 원통 바닥은 지하 감옥처럼 돌이 깔려 있고, 문은 단 하나뿐. 오펜이 질문하듯이 스테파니를 보자 그녀는 고개를 끄덕여 대답했다.

"저곳으로 요새의 최하층으로 들어갈 수 있어. 함정 부류는 하나도 없을 거야. 뭐, 요새 가장 안쪽에 함정을 설치할 사람도 없겠지만."

"그야 그렇겠지."

오펜은 문손잡이에 손을 대고 나서 일단 멈췄다.

"……빙고랑 꽝을 정해 두자."

"빙고랑 꽝?"

매지크가 되묻자, 오펜은 씨익 웃으며 말했다.

"문을 열고 기다리는 게 살인 인형이라면 빙고. 볼칸 자식이라면 꽝."

"……더욱 만나고 싶지 않은 상대가 기다리고 있으면?"

"완전 꽝."

오펜은 그렇게 말하고 있는 힘껏 문을 열어 젖혔다.

……그리고 안을 보고 신음하듯이 말했다.

"딱이군. ――완전 꽝이다."

문 너머에는 제단이 있었다. 거대한, 녹색 머리카락 여성의 초상화가 걸려 있고, 10개 정도의 골렘이 죽 늘어서 있다.

그리고 그 골렘 중 하나의 발밑에 거만하게 팔짱을 낀――클리오가 서 있었다. 로프로 둘둘 묶인 볼칸과 도틴을 대동하고.

"오펜……. 기다리고 있었어."

클리오가 처음으로 내뱉은 말은 그러했다.

오펜은 거절하듯이 천천히 손을 들었다.

"……그게――아니, 어떻게 이런 상황이 됐는지는 설명하지 않아도 돼. 왠지 모르게 알았으니까."

"그으래?"

클리오는 조금 유감스러운 듯이 말을 이었다.

"뭐, 어찌되었든――오펜. 넌 날 완전히 얕보고 있던 모양이던데?"

"음……. 아무래도 네 표정을 보는 한, 한 발 먼저 와서 이 복너구리 놈들을 붙잡아 둔 건 아닌 분위기로군."

"당연하지. 이 지인들은 내 부하야. 너희에게는――살짝 벌을 주는 편이 좋을 것 같아서 말이지."

"……."

오펜은 일단 클리오는 무시하고 그녀의 발밑에서 쭈그러져 있는 볼칸에게 시선을 던졌다.

"뭔가 할 말은 있냐, 복너구리."

"예이."

볼칸이 대답했다. 오펜은 이미 잘 알고 있지만, 이런 때의 이 지인에게는 자존심이라고는 한 조각도 남아 있지 않다.

"부탁드리겠으니 제발 도와주십쇼."

"……남한테 부탁하면서 공짜로 팔을 벌리려는 거냐?"

오펜이 짓궂게 말하자 볼칸은 등을 맞붙이고 함께 묶인 도틴을 노려보며 작게 내뱉었다.

"네 탓이다!"

"……클리오의 도발에 넘어가 로프를 푼 건 형이잖아."

"너도 이 우엉녀가 불쌍하니까 줄을 느슨하게 풀어주자고 말했잖냐!"

"누가 우엉이야!"

"아~, 시끄러워, 시끄러워. 어쨌든 볼칸. 도와주길 바란다면 나름대로 성의를 보여줘야겠다."

"저기…… 그 인형에게 받은 마법의 도구를 드릴 테니, 살려주십쇼."

"마술 도구? 어떤 건데?"

오펜이 묻자 볼칸은 움직이지 못하는 상황에서도 턱의 움직임으로 자신의 옷 주머니를 가리켰다.

"마법의 귀이개."

분명히 주머니 끝에서 길고 가느다란 막대기 같은 것이 보였다.

"무슨 힘이 있는데?"

"저기——이 귀이개로 귀를 파면."

"응."

"배꼽이 가려워집니다. 아, 아얏! 돌 던지지 마! 그 외에도 아무리 불을 쬐어도 물이 끓지 않는 주전자라든가——"

"헛수고야, 오펜. 내 부하는 매수에 응하지 않아."

자랑스럽게 말하는 클리오에게 오펜은 마음이 꺾이기 직전의 음색으로 내뱉었다.

"아니, 이런 걸 매수라고 하던가?"

"사소한 건 아무래도 좋아! 어·쨌·든! 네게 조금 깨닫게 해 주겠어! 날 소홀히 취급하면 어떤 꼴을 당하는지!"

소녀의 발밑에서 도틴이 중얼거렸다.

"형이랑 닮아 가네."

클리오는 곧바로 도틴을 발로 차 입을 다물게 만들고는, 볼칸의 머리채를 붙잡고 마구 뒤흔들며 명령했다.

"자아, 나의 부하! 나의 졸개! 오펜에게 깨닫게 해 줘!"

"……왜 내가……."

투덜투덜 불만을 늘어놓는 볼칸에게 클리오가 뾰족한 손톱을 들이댔다.

"눈알 뽑아낸다."

"야이 망할 마술사야! 이런 미친개를 풀어놓고 기르지 마라!"

오펜이 어깨를 움츠렸다.

"목줄을 매달아 놓으면 이쪽이 위험해서 말이지."

"둘 다 멋대로 떠들어대지 마! 됐어! 내가 할게. 가랏! 거석보병 2호——디프라이!"

클리오의 외침에 응해 우오오오오, 하고 골렘 중 하나가 포효를 질렀다. 안면에 부착된 천의 마술문자가 빛나며, 두 손을 들고 이쪽으로 달려들었다——.

"스승니임!"

"오펜!"

매지크와 스테파니가 동시에 소리를 질렀다. 오펜은 유유히 오른손을 들며 외쳤다.

"나 발하노라, 빛의 칼날!"

섬광이 번쩍이더니 몇 미터나 떨어진 곳에 있던 거대한 돌인형을 쉽사리 박살냈다.

하지만 클리오는 굴하지 않고 외쳤다.

"아직 멀었어! 거석보병 3호, 츠카틱! 해치워!"

"나 보노라, 혼돈의 공주!"

소용돌이치는 검은 격류가 체구가 좀 작은 거인을 집어삼켰다. ——초중력의 소용돌이는 맥없이 골렘의 몸을 박살내고, 나아가 후방의 제단 일부까지 부수었다.

"타일러! 널 믿을게!"

클리오가 기도를 드리는 포즈로 외쳤다. 오펜은 멈추지 않고 가차 없이 붕괴의 마술을 해방했다.

"나의 왼손에, 명부의 형상!"

"이걸로 끝이 아냐! 마이크스택! 케빈펩펄러! 시프레캐소호프!"

"나! 발하노라! 빛의 칼날!"

"다카다! 몽키1000! 후크! 스미시!"

"나 이끄노라, 죽음을 부르는 찌르레기!"

주문과 함께 폭발력을 동반한 진동파가 차례차례 골렘을 파괴하였다.

꾸욱, 하고 주먹을 틀어쥔 클리오가 낭랑하게 소리쳤다.

"이렇게 된 이상, 최종병기야! ——참푸아 겟손디토오오!"

천천히 움직이기 시작한 한층 더 커다란 골렘을 향해, 오펜은 척 손가락을 뻗으며 외쳤다.

"나의 계약에 따라——"

화악——하고 그의 흑발이 곤두서며, 느닷없이 불어닥치는 기류가 광장을 가로질렀다!

"성전이여, 막을 내려라!"

쿠웅!

대기에 작은 벼락처럼 반뜩인 전광(電光)의 띠가 골렘의 몸에 빨려들듯이 날아가 사라졌다. ——동시에 골렘의 몸이 산산조각으로 부서지고, 그 파편 하나하나가 일제히 모이더니 공간 한 부분으로 응축되어 사라졌다.

그 후에는 아무것도 남지 않았다.

최후의 골렘이 사라진 공간을 멍하니 바라보며――클리오는 갑자기 얼굴을 마구 구기며 털썩 바닥에 주저앉았다. 그리고 그대로 양손으로 얼굴을 가리고 흑흑 울먹이기 시작했다. 그 옆에서 아직 묶여 있던 볼칸과 도틴이 얼굴을 마주보고는, 일단 그 틈을 타서 도망치려는 듯이 게처럼 옆걸음으로 슬금슬금 소녀의 곁에서 떨어졌다.

"아~, 아. 울렸네."

등 뒤로 다가온 매지크가 오펜에게 말했다.

"아니……. 아무리 그래도 말이다."

오펜은 말은 그래도 역시 죄책감이 느껴졌는지 머리를 긁적이며 곁눈으로 클리오를 보았다.

매지크는 오펜을 향해 마치 타이르듯이 손가락을 흔들며 말했다.

"진짜 모르시네. 스승님은 너무 가차없어요. 너무 노골적이라고요. 한 방에 전부 다 날려 버리시고."

"아, 아니. 그치만."

"그치만이 아니에요. 들어 봐요, 클리오가 우는 소리를요. 마음이 아프지 않으세요?"

오펜은 그 말대로――조금 수긍이 되지 않는 기분도 있었지만――일단 그 말대로 클리오가 훌쩍이는 목소리에 귀를 기울였다. 울음소리에 섞여 대부분 의미를 이루지는 못했지만, 그래도 곳곳에 간간히 말소리가 들렸다.

“치사해……. 모처럼……. 복수……. 혼자 두고……. 나쁜 건……. 인데……. 묶어서……. 개 먹이……. 펜치로 손톱……. 돼지 피…….”

오펜은 수상하다는 듯이 중얼거렸다.

“……왠지 그다지 동정심이 일질 않는데.”

“스승니임~. 하지만 여기서 화해하지 않으면 어차피 또 저한테 화풀이를 할 게 뻔하단 말이에요.”

“묘하게 클리오의 편을 든다 싶었더니 목적은 그거냐.”

“얘, 얘.”

이것은 스테파니의 말. 그녀는 밀담을 하듯이 목소리를 죽이며 말했다.

“어찌 되었든 불쌍하잖아. 오펜 너도 한 번 정도는 얻어맞아 주지 그래?”

“남 일이라고 속 편하게 말하긴……. 그럼 네가 골렘한테 맞아 보든가.”

휙, 하고 토라진 듯이 고개를 돌린 오펜이 그렇게 말한 순간——

“우와아~앗 핫 핫 핫 핫 핫 핫 하!”

“……앙?”

오펜이 어리둥절하게 내뱉으며 제단 쪽을 보았다. ——웃음소리는 그쪽에서 들려왔다.

그 웃음이 더욱 크게 변화했다.

“우와~앗 핫 핫 핫 핫 핫 하하하하아! 제군! 3류 연극은 거기까지다아!"

"……정말로 3류 꽁트였지."

오펜은 신음하며 그 웃음소리의 주인——제단 위에 우뚝 선 볼칸을 올려다보았다. 어느새 로프를 풀고 도틴까지 자유의 몸이 되어 형의 옆에서 완전히 기력이 다한 듯이 앉아 있었다.

그리고 그 형제 뒤에——중지에서 가느다란 칼날을 꺼낸 살인 인형이 조용히 대기하고 있었다. 우선은 틀림없이 이 인형이 볼칸 형제의 로프를 푼 것이리라. 어느새 나타났는지는 알 수 없지만.

볼칸은 모피 망토를 펄럭이며 허리춤에 찬 칼을 휙 빼며 외쳤다.

"사채업 마술사! 무지하고 몽매한 돈의 망자여! 오늘이야말로 결판을 낼 때다!"

"……되도록이면 약속한 변제일에 결판 말고 돈을 내 줬으면 했는데."

그렇게 말하며 오펜은 이제 볼칸이 아니라 그 등 뒤에 선 살인 인형에게 모든 신경을 집중했다. 인형은 빙글빙글 웃으며 이쪽을 바라보고 있다. 여유만만한 기색이었다.

'망할.'

오펜은 속으로 투덜댔다.

인형은 볼칸 형제의 뒤에 서 있다. 그것은 분명 볼칸 형제를 호위하는 것으로도 보였지만——

'시점을 바꾸면 완전히 인질을 붙잡힌 형국이지.'

하지만 그런 사실은 깨닫지 못하고 볼칸이 말을 이었다.

"건방지게 입을 놀리지 마라! 잘 들어라! 이 몸이 네놈을 해치우기 위해 그 꼭두각시 무리만으로 만족했을 것 같으냐!"

"흐으응. 헤에에."

옆에서 도틴이 비아냥댔다. 볼칸은 곧바로 동생을 검으로 두들겨 팼다.

"이 유적에 남은 비보는 그것만이 아니지! 자아, 승부다! 마술사!"

"네가 떠들어대지 않아도 해 주마, 자식! 망할 놈 같으니! 바질리콕이든 뭐든 가지고 와 보라 이거야!"

오펜은 그렇게 외치며 그 목소리에 주문을 담았다. ——폭발하듯이 발사된 광열파가 일직선으로 볼칸 형제의 머리 위 초상화를 불태웠다. 폭발이 일어나고 쏟아지는 불똥과 파편에 볼칸이 비명을 지르며 도망쳤다——.

동시에 바질리콕이 진동하며 오펜은 옆으로 뛰어 몸을 피했다. 다음 순간, 역시나 아까까지 오펜이 서 있던 곳에 벼락이 떨어졌다.

"꺄하하하하하하하하하!"

아마도 오펜의 그 모습을 보고 웃은 것이리라. ——기분 나쁠 정도로 날카롭고 높은 살인 인형의 웃음소리가 이 공간에 울려 퍼졌다. 인형은 철컹, 하고 칼날을 수납하고는 그 팔을 수평으로 휘두르며 소리 높여 선언했다.

"자아! 싸우며 내 이야기라도 들려주도록 할까!"

"매지크! 클리오를 부탁한다!"

처음으로 외친 사람은——오펜이었다. 그는 일단 주변을 둘러보고 현재 상황을 파악하려 했다. 광장은 제단 이외에는 딱히 장해물이 될 듯한 것은 아무것도 없었고, 아까까지 일어난 난리로 쓰러진 작은 왕좌와 골렘의 파편들이 널려 있을 뿐이다. 제단의 일부는 부서지고 드래곤 석상도 몇 개는 쓰러져 있다. 초상화는 불에 타 이미 절반도 남지 않았다.

매지크와 스테파니는 굳어진 채로 입구 부근에 멍하니 서 있었다. 클리오는 아직도 울고 있다. 제단 위에서 머리를 감싸 안고 우왕좌왕하는 사람은 볼칸. 그것을 보고 이제 아무래도 좋다는 얼굴로 한숨을 쉬는 자는 도틴. 유일하게 이 상황을 즐기고——웃는 것은 살인 인형.

거기서——오펜은 기묘한 것을 보고 눈을 휘둥그레 떴다. 어느새 광장 천장에 틈새가 벌어져——그곳에서 묘한 물체가 들어와 하늘하늘 떠돌아다니고 있었다.

"……뭐지……?"

오펜은 신음하며 그것을 올려다보았다. ——직경 50센티 정도 되는 금속제 구체로, 문양이나 무늬 같은 것은 아무것도 없다. 단순한 구체였다. 그것이 몇 개 느긋한 속도로 하늘에 떠다니고 있다. 그 구체는 아무런 맥락도 없이 번쩍, 번쩍 빛나더니——

번뜩!

벼락을 뿌렸다. 발밑에 전격을 받아 충격으로 뒤로 쓰러지며, 오펜은 곧바로 주문을 외쳤다.

"나 발하노라, 빛의 칼날!"

쓰러진 자세의 오펜이 발한 빛의 띠는 광장에 커다란 폭발음을 만들며 구체 중 하나에 작렬했다. ——그리고 그대로 통과해 천장에 손상을 입혔다. 하지만 구체는 여전히 아무런 피해 없이 공중에 떠 있을 뿐이었다.

"직격했을 텐데?"

"글쎄——과연 그럴까?"

살인 인형의 재미있다는 듯한 목소리. 오펜은 초조한 눈빛으로 인형을 노려보고, 인형은 더 이상의 힌트를 건넬 생각이 없음을 확인하고는 다시 천장의 구체를 향해 시선을 던졌다. ——과연 그럴까, 라고?

'그렇다면 다시 말해서 직격하지는 않았다는 건가. 망할——적에게 힌트를 받을 줄이야.'

오펜은 마음속으로 투덜대며 몸을 일으키고, 광장을 가로지르듯이 달렸다. ——그 뒤를 쫓듯이 금속구의 벼락이 착탄했다.

"하아~핫핫핫하! 열심히 도망쳐 봐라, 이 멍청한 놈!"

의기양양한 볼칸의 외침을 들으며 저 자식, 하고 입안으로 욕을 내뱉었다.

"스승님!"

매지크가 목청을 높였다. 그쪽을 보자 그와 스테파니가 클리오의 곁에 도착해 아직도 훌쩍이고 있는 소녀의 어깨를 함께 잡아 세우는 중이었다. 그 뒤에 스테파니가 외쳤다.

"오펜! 이 애를 부탁한다면서? 이제 어떡하면 돼?"

"——야, 너희 진짜!"

오펜은 뒤돌아 그들에게 달려가서 재빨리 손을 뻗어 매지크와 스테파니, 그리고 클리오를 바닥으로 끌어내려 쓰러뜨렸다. 동시에 방금 전까지 매지크의 머리가 있던 위치에 벼락이 스쳐 지나갔다.

"히이이!"

매지크가 비명을 질렀다. 오펜은 쓰러진 클리오를 일으켜 세우고 아직도 멍하니 있는 매지크에게 떠넘겼다.

"됐으니까 얼른 도망쳐!"

"도, 도망치라고요?"

"그래. 어차피 너희들이 뭔가 할 수 있는 것도 아니고――그러니까 클리오를 데리고 오고 싶지 않았던 거야. 저 녀석은, 저 살인 인형은 언제든 너희를 인질로 잡을 수 있다고! 그리고 너 말이다!"

이것은 클리오에게 소리친 말이었다.

"너 말이다, 조금은 자기 몸의 안전이라든가 그런 걸 걱정하면 안 되겠냐!? 일일이 내가 걱정해서 신경을 써 줘야만 하는 거야!?"

"오펜……."

클리오가 힘없는 목소리로 이름을 불렀다. 거의 다 말라 가던 그녀의 금발은 눈물로 다시 조금 축축해져 있었다.

"스승님……."

옆에서 매지크가 참견했다.

"그렇다면, 저는 인질로 잡혀도 별로 걱정이 아니라는 말씀인가요?"

"거 사소한 걸로 일일이 시끄럽네."

"사소한 건가……."

"시끄럽다고. 잘 들어. 무조건 여기서 도망쳐. 아, 스테프――

네가 안내해 줘. 유적에 대해선 잘 알지!?"

오펜은 그렇게 말하고 떠밀 듯이 매지크의 등을 밀었다. 셋이 나란히 광장 입구로 달렸다. 그러자──

슝! ──

하고 번뜩이는 문자가 공중을 날아 매지크 일행의 앞까지 돌아가더니, 새하얀 불기둥을 뿜어냈다. ──제단 위에서 살인 인형이 웃었다. 인형의 오른쪽 팔꿈치에 방금 불기둥을 뿜은 것과 똑같은 마술 문자가 빛나고 있었다.

"놓칠 것 같은가?"

불길의 기세로 완전히 다리에서 힘이 풀린 매지크는 그대로 멍하니 굳어지고 말았다. 클리오도 다시 히스테리 직전까지 몰려 바닥에 주저앉았다. 스테파니는 그나마 침착했지만 냉정하게 되었다고 해서 그 불꽃을 빠져나갈 수 있는 것도 아니리라. 그녀는 고개를 저으며 오펜에게 달려왔다.

"틀렸어! 오펜. ──승산이 없어."

"시끄러!"

오펜은 짧게 외치고는 자신의 팔을 붙잡은 스테파니를 밀어내며 제단 위의 살인 인형과 대치하듯이 노려보았다.

"아까 자기 이야기를 들려주겠다고 했었지. ──근데 됐거든. 이미 아니까."

"무엇을?"

살인 인형은 아무런 동요도 없이 물었다. 오펜은 두 눈에 처절한 웃음을 그리며 말했다.

"스테프가 말이지, 실수로 네놈을 작동시켰다고 하던데. 그때부터 뭔가 이상하다 싶더라고."

"호오……."

"실수든 뭐든——스테프가 네놈을 움직이게 할 수 있을 리가 없어. 네놈의 이야기를 사실로 받아들인다고 하면, 네놈은 몇백 년이나 더 옛날에 천인의 손으로 만들어진 셈이 되니까."

"……오펜?"

스테파니가 이해할 수 없다는 듯이 이름을 불렀다. 하지만 오펜은 가슴 속에서 쥐어짜듯이 숨을 토해내며 말했다.

"분명 윌드 그라프의 해독은 우리 인간 마술사 사이에서도 조금씩 진행되고 있다. 하지만 누구나 할 수 있는 건 아니야. 고어의 해독 따위와는 차원이 다르니 말이지. ——오히려 윌드 그라프의 해독은 《송곳니 탑》에서도 간신히 일부만 성공하는 정도야. 딱히 널 모욕하려는 건 아니지만 말이다, 스테프. ——네가 윌드 그라프를 다룰 수 있을 리가 없어. 네가 저 살인 인형을 작동시킬 수 있을 리가 없다고. 천인의 마술은 말이지, 그렇게 간단한 게 아니야. 하물며 우연 따위로 발동할 물건도 아니고."

"하지만 지금 이렇게——"

스테파니는 그렇게 말하며 제단 위의 살인 인형을 가리켰다.

그 살인 인형은 하하, 하고 웃음을 터뜨렸다.

"다시 말해 무슨 말을 하고 싶은 거지, 인간 마술사?"

"네놈은 스테프에게 불려 우연히 되살아난 게 아니야. ——줄곧 옛날부터 이 시대에 나타나기를 기다린 거다. 모두가——마술의 전설을 정확하게는 떠올리지는 못하게 된 이 시대에 말이지. 그리고 애초에, 아마도——"

오펜은 거기서 사납게 머리카락을 쓸어 올렸다.

"아마도, 이 마을의 전설 자체가 전부 가짜로 만들어진 거겠지."

"꺄하하하하하하하하하하하하하하하하하!"

살인 인형은 느닷없이 하늘을 우러러보듯이 몸을 비틀더니——크게 웃고, 타오르는 초상화를 가리켰다.

"꺄하하하하하! 하! 하하! 나의 주인이시여! ——바보 같은 나의 주인이시여! ——당신은 불완전했습니다! 불완전했습니다!"

그리고 오펜 쪽으로 손가락을 뻗고는,

"이 남자가——"

다시 머리를 부여잡으며 미친 듯이 웃었다.

"이 남자가 있었습니다! 2백 년을 기다려도, 아직도 부족했던 겁니다! 당신은 결국 신이 아니었습니다!"

"……어떻게 된 거야?"

스테파니가 당황스러운 듯이 물었다. 오펜은 고개를 저으며 이마의 땀을 훔쳤다.

"내가 설명할 것까지도 없어."

"——그렇다."

인형은 갑작스럽게 웃음을 터뜨렸듯이, 역시 갑작스럽게 냉정한 목소리로 고했다.

인형의 발밑에 있던 지인 형제는 또 뭔가 상황이 이상하게 돌아가기 시작한 것을 느끼고 서로 눈빛을 교환했다.

"내가 말하지. 천 년 이상의 옛날 이야기다. ──그 시절에는 분명히 천인이라는 존재가 있었다. 그녀들은 바질리콕이라는 강력하기 짝이 없는 마수와 싸워 결국 승리했다는 전설이 있지."

거기서 인형은 비웃듯이 손을 흔들었다.

"하지만 그 전설은 거짓이다. 그녀들은 패배했다. 아니, 분명 요새를 파괴당하면서도 바질리콕의 숨통을 끊는 데에는 성공했었지."

"……바질리콕의 전설은 읽은 적이 있어."

오펜이 그렇게 말하자 인형은 시시하다는 듯이 어깨를 움츠렸다.

"그 전설은 이런 내용이 아니었나? ──《그 시선으로 백성을 죽이는 그 존재는 독이다》 어쩌고 말이지. 바질리콕은 독을 가진 짐승이다. 긴 싸움 속에서 천인들은 모르는 사이에 그 독에 침식당해 있었어."

"역시나……. 하지만 그녀들도 일단은 반신이라고까지 불린 존재였지. 그 독에 침식당하고 있다는 것도 깨닫지 못한 채로 본래의 긴 수명으로──몇백 년이나 살 수 있었겠지. 그 수명 속에서 그녀들은 운하를 파고──"

"마을을 만들었다. 이윽고 마을에 인간이 나타났다. 외견이 매우 비슷한 그 두 종족은 곧바로 밀접한 관계가 되어 공동생활을 시작했다."

"이윽고 양쪽에 혼혈이 일어나고, 인간 마술사가 태어났을 거야."

"그것이 지금으로부터 3백 년 전의 일이다."

인형은 거기까지 말하고 전지가 떨어진 듯이 말을 끊었다.

오펜의 뒤에서 비틀비틀 매지크가 다가왔다.

"……결국, 누가 배신당한 건가요?"

오펜은 매지크를 돌아보며 말했다.

"내가 한 말을 기억한 거냐. 그래――문제는 거기야. 누가, 누구에게 배신당했는가."

"그건 간단해."

인형은 가느다란 초승달 같은 형태로 입술을 넓히며 미소를 지었다.

"모두가 모두를 배신하였다."

"……그게 무슨 말이지?"

오펜이 묻자 인형은 마치 시라도 암송하듯이 뜸들이지 않고 말했다.

"천인은 독에 오염되어 있었다. 천인이라면 그 독에 저항하면서 살아남을 수도 있지. 하지만 인간에게는 강한 독이었다. 천인과 관계를 가진 인간이 차례차례 불가사의한 죽음을 맞이하자 인간들도 경계심을 품게 되었지. 이윽고 인간들은 천인들이 인간을 말살하려는 것이 아니냐는 소문을 내기 시작했다. 그 당시 마술사도 존재했으니 천인들이 인간 마술사를 질투하는 것은 아니냐는 말까지 돌아다녔다. 애초에 천인은 인구가 적은 데 더해 자식도 적게 낳는 종족이었으니까. 수가 지나치게 불어난 인간 마술사를 채 감당하지 못했을 정도였거든."

"……그렇다면……."

"그렇다. 결국 인간은 봉기하여 천인을 마을에서 추방하려 했다. 전설에는 마술사 사냥이라고 전해지지만 사실은 그렇지 않아. ——현실에 일어난 것은 마녀 사냥이었다. 다만 천인과 인간 마술사와는 애초에 승부 따위가 되지 않는다. 인간 마술사는 차례차례 쓰러지고——그 탓에 후세에는 마술사 사냥이라고 전해졌겠지. 그 사냥 도중에 인간 마술사를 신속하게 처리하기 위해 만들어진 것은 바로 나와 같은 살인 인형이다."

"……."

그곳에 있는 인간들이 조용히 듣는 것을 보며, 인형은 마치 흥이 난 것처럼 목소리의 톤을 높였다.

"인간들은 천인의 독이 자신들을 배신했다고 여겼다! 천인들은 자신을 추방하려는 인간들이 배신했다고 여겼지! 그들 모두에게 부족했던 것은, 말하자면 신뢰였다."

"……네 말투를 듣건대, 너희 인형은 진상을 깨닫고 있었던 모양이로군."

"우리는 냉정했으니까."

인형은 숨도 쉬지 않을 코로 크게 콧방귀를 뀌었다.

"그리고——어쩌라는 것인가? 우리는 주인의 명령을 받들 뿐이다. 그 당시의 명령은 인간 마술사를 말살하는 것. 그것뿐이다."

"……그럼, 어째서 천인들은 지상에서 자취를 감춘 건가요?"

매지크가 마치 외치듯이 묻자, 인형은 날카롭게 눈을 부릅뜨며 대답했다.

"독이다. 오랜 세월 침식당했던 독에 노화로 인한 힘의 약체화 탓에 저항력을 잃고, 천인들은 확실하게 죽음으로 굴러 떨어지기 시작했지……. 그리고 마녀 사냥 중에 싫든 좋든 마술을 써야만 했던 것이 그녀들의 체력 저하를 더욱 가속시켰다. 천인들은 차례차례 힘이 다해 죽었다. 마지막으로 남은 자가 시스터 이스터시바라고 불리던 천인이지. 초상화는 불타버렸지만 말이다. 그녀의 유언이다. ──《우리는 우리가 존재했던 증거를 이곳에 남기노라》"

인형은 이제 연기만 피워 올릴 뿐 거의 다 타 버린 초상화 쪽으로 손을 향했다.

"힘을 가진 여자였다. ──그녀는 우리에게 최후의 명령을 내렸다. 거의 죽음에 이르던 몸으로 생각할 수 있었던 것은 단 하나였겠지. 최후의 근심거리──인간을 섬멸하는 것이다. 그것을 위해서는 모든 일을 아무에게 알라지 않고 전개해야만 한다. 과거의 일을 모두가 잊을 시기를 파악해, 우선은 이 마을의 모든 마술사를 한 명도 남김없이 처리한다. 마술사조차 아닌 단순한 인간이라면 문제도 되지 않으니 말이지. 그렇게 이 마을에서 마술사가 사라진 뒤, 우리 모든 살인 인형이 조용히 대륙으로 진출한다. ──그 여자라면 알고 있겠지. 이 유적에 나와 똑같은 살인 인형이 몇백 대나 보관되어 있는 것을."

"사실이냐?"

오펜은 천장을 배회하는 금속구를 노리고 팔을 들어 올리며 옆에 있던 스테파니에게 물었다. 그녀는 몸을 떨며 고개를 끄덕였다.

"사실이야……. 난 봤어. 이 광장 너머 묘실 같은 곳에 관 같은 것이 쭉 늘어서 있고, 그 안에──저것과 똑같은──"

스테파니는 더 이상 말을 잇지 못했다. 오펜은 작게 탄식하고는 금속구를 똑바로 보고——다시 번쩍, 하고 작은 빛이 터지는 것을 보고는 외쳤다.

"나 발하노라, 빛의 칼날!"

빛의 격류가 공중을 둘로 가르고, 그 순간 벼락을 발하려던 금속구의 작은 반짝임을 꿰뚫었다. 그러자 금속구가 폭발하며 사방으로 파편을 흩뿌렸다.

오펜은 떨어지는 금속 파편을 피하며 인형에게 말했다.

"과연. 구체 표면에 상처 하나 없다 싶었더니 엄청 빠른 속도로 회전을 하고 있었군 그래. 빛이 관통한 것처럼 보인 것도 회전에 튕겨 날아간 거겠지. 표면에 있는 월드 그라프를 부수지 않는 한 저 물체를 부술 수 없는 구조야."

"후후. 하지만 저런 것을 아무리 부순다고 한들 내게는 조금도 아쉽지 않아. 어차피 너 한 명 정도는 나만으로도 충분히 피투성이로 만들어 줄 수 있으니 말이다."

"혀…… 형."

아까부터 줄곧 멍하니 입을 벌리고 인형의 이야기를 듣던 도틴은, 신음하듯이 말했다.

"어, 어떡할 거야? ——왠지 묘하게 일이 커진 것 같은——어라? 형? 어디로 갔어?"

"도틴! 이 형은 부끄럽다!"

"헤?"

도틴이 얼빠진 목소리를 내뱉자, 어느 새 오펜의 뒤까지 도망쳐 있던 볼칸이 두 손을 입에 둥글게 말아 대고는 동생에게 외쳤다.

"한때의 복수심에 사로잡혀 나의 진정한 친구 오펜 님을 적으로 돌리다니! 그야말로 악마의 소행이로다! 이 형이 근성을 바로 잡아 주마!"

"……그건 아니지, 형."

"아~……."

오펜은 지친 목소리로 볼칸을 발로 차 입을 다물게 만들고, 도틴을 향해 말했다.

"뭐, 아무래도 좋지만…… 너도 이쪽으로 오지 그러냐, 도틴?"

"어? 하지만……."

도틴은 힐끗 옆에 있는 살인 인형을 올려다보았다. 인형은 지인 따위 안중에도 없다는 듯이 가만히 오펜을 바라보고 서 있을 뿐이었다.

오펜도 그런 인형에게 시선을 던지며 말했다.

"괜찮아. 약속대로 내가 여기에 온 이상 이제 인질 따위 필요 없으니 말이다."

"으, 응……."

오펜은 종종걸음으로 이쪽으로 달려오는 도틴을 뒤로 감싸며 가만히 살인 인형을 관찰했다. ——전에 나타났을 때와 같은 나체에, 그 몸에 수백 개의 문자를 가지고 있다고 하는 인형. 정면으로 싸워서 이길 상대는 아니다. 하지만…….

"이봐, 너. 정말로 '인형'이로군 그래."

"……뭣이?"

인형이 움찔 눈을 움직이며 되물었다.

오펜은 얕게 웃으며 어떻게든 적의 주의를 자신에게 집중시키려는 듯이 입을 열었다.

"거 뭐라고 해야 하나. ──한 가지 일에 집중하면 다른 일에는 전혀 의식이 향하지 않는 것 같아서 말이지."

"나는 주인의 명령을 받을 뿐."

"그래. 그거다. 하지만──"

오펜은 인형의 머리 위에 우뚝 솟은 천인의 조각상에게 시선을 옮겼다.

"실수하는 거 아니냐? 이 중에서 가장 흉악한 놈에게서 주의를 돌리다니 말이야."

"뭐라고?"

살인 인형은 황급히 오펜의 시선을 좇자, 그것은 이미 행동을 개시해──

천인의 조각상 위에서 검을 한손에 든 금발의 작은 소녀가 짧은 기합성과 함께 단숨에 뛰어내렸다!

"이──"

아마도 인형은 그 최후의 한순간 속에서 몸에 기록된 문자 하나를 발동시키려 했겠지만──인형이 뻗은 손가락은 몸의 문자를 그리기도 전에 움직임을 멈췄고──

그 순간 클리오의 모든 체중을 실은 검이 인형의 목을 스치고──서걱, 하고 인형의 몸통을 갈랐다. 예리한 칼날에 하복부 부근을 후벼 파인 인형은, 딱히 피가 뿜어져 나오는 것은 아니었지만 그래도 확실히 아픔을 느끼는 모양이었다.

"아파~!"

뛰어내린 탓에 아무래도 발목이라도 삔 모양인 클리오가 인형의 다리에 기대며 비명을 질렀다. 인형이 이글이글 분노에 불타오르는 눈으로 그 자리에 웅크린 클리오를 내려다보며 크게 팔을 들어올렸다——.

"이 계집년이! 마술사도 아닌 주제에!"

"나 발하노라, 빛의 칼날!"

하늘 높이 들어 올린 팔을, 오펜이 지른 광열파가 꿰뚫었다!

"우오오오오오오오오오오!"

허를 찔린 인형은 폭발의 기세를 버티지 못하고 제단 뒤쪽으로 굴러 떨어졌다. 오펜은 재빨리 몸을 돌려 세난으로 뛰어 오르고는, 아직도 웅크리고 있던 클리오의 작은 어깨를 끌어안았다. 오펜은 발끝부터 끌어올리고 내뱉는 듯한 커다란 한숨을 쉬고는,

"좋아——이심전심이로군. 아주 잘했다, 파트너."

신음하듯이 말했다. 클리오가 퍗 고개를 들며 그런 그를 보았다.

"파트너?"

그녀는 이상하다는 듯이 그 단어를 되뇌었다.

그 순간——

화악!

인형이 굴러 떨어진 아래에서 새하얀 빛이 솟아올라다. 동시에 열파를 동반한 풍압이 오펜과 클리오를 제단 반대쪽까지 밀어내 떨어뜨렸다.

"큭——."

오펜이 몸을 일으키자——

제단 위——아래에서 올려다보면 무서울 정도로 높이 보이는 그 제단 위에 인형이 서 있었다. 인형은 하복부에 생긴 상처 이외

에는 전혀 피해 없이 이쪽을 차갑게 내려다보았다.

인형은 철저하게 평정한 표정을 유지한 채, 분노로 가득 찬 목소리를 발했다.

"나를 부수었겠다."

"……거 시끄럽네."

오펜은 몸을 일으키고 클리오를 감싸듯이 그녀의 몸에 팔을 둘렀다. 그리고 씨익 웃음을 띠며 입을 벌렸다.

"헤헤――그래. 널 부쉈다. 난 아직도 기억해. 넌 그 아랫배에 있는 문자로 인간의 목소리를 봉인한다고 했었지. 하지만 그 문자는――이제 쓸 수 없어. 클리오가 깎아 버렸으니 말이다. 그렇지?"

"……그래서 어떻다는 것이지? 내게 내장된 문자는 하나나 둘이 아니다. 인간 마술사를 죽이기 위한 수백 개의 문자가――"

오펜은 인형의 말을 가로막듯이 말했다.

"나머지가 몇백 개나 되었든, 하나가 없어졌다는 건 몇백 분의 일만큼 네놈의 힘이 사라졌다는 뜻이다. 나는 몇 번이든 널 쓰러뜨릴 거다. 네가 완전히 망가질 때까지 말이다! 덤벼!"

그는 옷 속에 손을 넣어 문장을――검에 얽힌 외다리 드래곤의 문장을 꺼냈다.

"인형 자식! 끝장을 내 주마!"

"바라는 바다!"

인형이 외치며 자신의 오른쪽 어깨에 재빨리 손가락을 놀려 문자를 그렸다. 손가락의 흔적을 더듬듯이 빛줄기가 빛나더니――

빛은 무수한 화살이 되어 오펜 일행의 머리 위로 쏟아졌다.

"나 잣노라, 광륜의 갑옷!"

오펜의 주문이 울려 퍼지며 뒤에 있는 매지크와 스테파니까지 뒤덮을 정도로 커다란 장벽을 만들어냈다. 하지만——화살은 그 광륜의 벽을 쉽사리 꿰뚫고 바닥에 꽂히며 폭발을 일으켰다!

"——!"

폭발에 휘말려 오펜은 공중에서 빙글빙글 돌다 바닥에 내동댕이쳐졌다. ——하지만 저 화살에 직격당하는 것보다는 훨씬 낫다. 몸 여기저기에 상처를 입은 듯했지만 그런 것을 신경 쓸 때가 아니었다. 그는 용수철이 튕기듯 벌떡 일어나 동료의 안부를 확인하기 위해 주위를 둘러보았다.

——그와 동시에 경악했다.

광장의 광경이 일변해 있었다. 바닥은 삐죽삐죽 박살이 나고 깨진 파편들로 마치 강바닥처럼 변해 있었다. 벽 일부에도 큰 구멍이 뚫려 붉은 흙이 그대로 드러났다. 제단은 흔적도 없이 사라졌지만 마치 노리고 남겨둔 듯이 천인의 조각상만은 무사히 서 있었다. 벽면에 종횡무진으로 생겨난 균열에서 뚝뚝 물이 흘러 떨어졌다.

모락모락 피어오르는 모래먼지 탓에 상세하게는 보이지 않았다. 클리오나 매지크도 어딘가 파편 뒤에라도 쓰러져 있는 것일까? ——아니, 혹시——

"망할."

오펜은 욕설을 내뱉고는 동료를 찾기 위해 달리려 했다. ——하지만 다리가 마비라도 된 듯이 꿈쩍도 하지 않았다.

"전혀 상대가 되지 않는군. 응?"

인형의 침착한――그리고 잔인한 목소리. 오펜은 어느새 등 뒤에 숨어든 인형에게 그 가느다란 손가락으로 목을 붙잡혀 있었다.

'움직일 수 없어……?'

오펜이 마음속으로 자문하자 인형이 즉답했다.

"독침을 사용했다. 나의…… 손바닥에 붙어 있는 독침을 말이지. 즉효성의 이완독이지만 생명활동에는 무해하다. 획기적인 독약이지? 단숨에 죽이지 않고 몸의 자유만을 빼앗다니."

"……."

"후후……. 이런 상황에서는 아무리 너라도 자제심이 끊어진 모양이로군. ――네 생각이 손에 잡힐 듯이 읽혀. 넌 그 계집이 어딘가에서 다시 내게 기습을 걸어 주지 않을까 기대하고 있군. 하지만 그런 기대는 접어 두지는 게 좋을 거다. ――그녀는 지금 내 밑에서 정신을 잃고 있으니까."

힐끗――눈알만을 움직여 간신히 자신의 발밑을 보았다. 그러자 소녀의 가녀린 손목이 보였다. 칼자루를 쥔 채로 힘없이 축 늘어져 있다.

인형은 다시 말을 이었다.

"다른 하나의 흑마술사――스테파니라고 했던가? 그것도 역시 헛수고다. 찾는 수고를 덜어 주기 위해 가르쳐 주지, 그녀는 제단이 있던 곳의 잔해 아래에 묻혀 있다."

"……."

"어허, 넌 그 지인들에게까지 기대를 하는 건가? 그건 너무 심하지 않나……."

"……."

"남은 것은 너의 학생이로군. 그에게는 아무런 힘도 없어."

"……매지크. 듣고 있겠지."

오펜은 인형은 고집스럽게 무시하고 천천히 말했다.

어허? 하고 등 뒤에서 인형이 소리를 내는 것이 들렸다. 오펜은 계속해 말했다.

"이 인형 자식을 쓰러뜨리기 위해서는 네 힘이 필요해. 잘 들어. ――넌 마술을 쓸 수 있을 테니까 말이다."

하지만 대답은 들리지 않는다. 오펜은 상관하지 않고 입을 놀렸다. 이마를 간질이며 땀이 흘렀다.

"마술의 지극히 기본적인 방법을 가르치마. 명심해……. 우선은 표적을 확실하게 포착하는 거다. 그 표적 이외에는 아무것도 보이지 않을 정도로 말이다. 그리고 난 다음에는――숨을 들이쉬어. 계속해서 들이쉬는 거야. 내뱉으면 힘이 빠지니까."

여전히 반응은 없었다.

'헛수고였나……?'

오펜은 절망적인 심정에 사로잡히면서도 말을 그만두지는 않았다.

"숨을 들이쉬고 있으면 언젠가는 한계가 찾아온다. ――당연한 일이지. 그리고 그 한계가 찾아왔을 때, 표적이 자신의 눈앞에 있는 것처럼 느껴지면 성공이다. 망설일 필요는 없어. 뱃속 깊은 곳에서 소리를 토해라. 내가 말해 두었던 발성 연습을 꼼꼼히 했다면 할 수 있어. 그렇게 하면 네 몸 속의 마력이 네 상상으로 형태를 이루어 솟구칠 거다――."

그러자 그 순간, 팽팽하게 긴장으로 가득 차 있던 광장 공기에 투명한 목소리가 울려 퍼졌다——.

"나, 나 발하노라, 빛의——"

"……어?"

오펜은 눈을 깜빡거렸다. 목소리는 멈추지 않고 흘렀다.

"빛의 칼날!"

샤앙! ——

오펜은 반쯤——아니, 완전히 믿을 수 없다는 심정으로 광장을 꿰뚫는 거대한 빛의 띠를 곁눈으로 보았다. 아마도 오펜이 지른 것의 몇 배에서 몇십 배는 될 규모의 거대한 광열파가 오펜과 인형 옆 수 미터 정도를 스치듯이 찬란한 열파와 불꽃을 일으켰다. 빛은 언제까지고 끊어질 기색 없이 광장의 벽을 쉽사리 부수며 바질리콕 유적 그 자체를 태동시키듯 진동시켰다——.

"이, 이런……?"

인형은 전율하듯이 중얼거렸다.

"이런 힘이——2백 년 동안 네놈들에게 무슨 일이 일어난 거냐——?"

그 중얼거림이 끊길 즈음에 상식을 벗어난 광열파의 격류도 사라졌다. 크게 뚫린 구멍에서 두두두두 운하의 물이 떨어졌다.

인형은 힘이 빠진 것일까——오펜의 목을 잡고 있던 손가락의 압력이 사라졌다. 그리고 푹, 하는 소리와 함께 찔려 있던 독침도 빠졌다. 오펜은 그 틈을 노리고 곧바로 몸을 비틀었다.

'움직여 다오, 나의 몸아——.'

마비독으로 저린 자신의 몸을 질타하며 발밑에 굴러다니던 클리오의 검을 붙잡고, 오른쪽 아래에서 쳐 올리듯이 인형의 목에 칼날을 박아 넣었다. 까앙, 하는 소리와 함께 딱 인형의 목 절반 정도까지 파고든 지점에서 칼날이 멈추었다. 인형은 털썩 충격을 받은 듯이 무릎을 꿇더니——

오펜은 검이 인형에 걸린 순간, 칼자루에서 손을 놓고, 그 기세로 두 손만을 왼쪽으로 크게 휘둘렀다. 그리고 완전히 스쳐지나간 순간 팔을 멈추며 외쳤다.

"나 치켜드노라, 강마의 검!"

주문과 동시에 그의 손 안에 묵직하게——보이지 않는 검을 잡은 듯한 무게감이 나타났다. 오펜은 목에 검을 꽂은 채로 이쪽을 보는 인형의 두 눈을 바라보며, 이번에는 보이지 않는 '검'을 왼쪽에서 인형의 목을 향해 꽂아 넣었다!

두웅! 하고 보이지 않는 '검'은 클리오의 검 반대쪽에서 정확히 똑같은 위치까지 인형의 목에 파고들었다. '검'과 클리오의 검이 교차하는 형태로 인형의 목에서 튕겨 날아가고, 인형의 머리도 베여 공중을 날았다——.

엄청난 기세로 수 미터나 포물선을 그리며 날아간 인형의 머리는 파편의 산을 몇 번이고 튕기며 굴러갔다. 그리고 그대로 공처럼 굴러가…… 천인 조각상의 발에 닿아 멈췄다.

"……."

털썩, 하고 오펜이 그 자리에 주저앉았다. 그리고 정신을 잃은 클리오의 부드러운 금발을 무의식적으로 쓰다듬으며 말했다.

"끝났다……."

투삭……. 이것은 목을 잃은 인형이 그 자리에 쓰러지는 소리였다. 오펜은 바로 눈앞에서 인형의 몸을 내려다보며 지친 미소를

띠었다.

거기서 매지크가 지른 광열파가 만든 벽의 거대한 구멍에 시선을 던졌다. 그 구멍에서는 엄청난 기세로 물이 흘러들어와, 앞으로 수십 분만 있으면 이 광장이 수몰될지도 몰랐다.

'저 자식……. 겨우 한 번 요령을 가르친 것만으로 자기 걸로 삼았겠다? 괴물이냐, 망할.'

"스, 스, 스스스…… 스승니임!"

매지크의 목소리가 광장에 울려 퍼졌다.

"……뭐야?"

오펜이 찌릿 시선을 향하자 파편 사이에서 몸을 내민 매지크가 허둥지둥 이쪽으로 달려왔다.

"어, 엄청났어요——혹시 저, 천재인 건——"

"바보 자식!"

오펜은 곧바로 고함을 치고 근처에 있던 돌조각을 제자에게 던졌다.

"뭐, 뭘 하시는 거예요, 스승님!"

"뭐는 뭐가 뭐냐! 네놈의 손이나 봐라!"

오펜이 말하자 매지크는 의아하다는 얼굴로 자신의 두 손을 내려다보고는——꺄악 비명을 질렀다.

"뭐, 뭔가요, 이거! 완전히 화상을 입었어!"

"자기 마술로 자기 몸이 상처를 입었다는 건 표적에 제대로 집중을 하지 않았다는 증거다! 덤으로 저 인형에게 한 조준이 몇 미터나 틀어졌잖냐! 잘 들어라! 앞으로 마술은 쓰지 마라!"

"그, 그럴 수가아! 저 해냈잖아요——."

"시끄러워! 나 해냈다 같은 소리는 마술을 제대로 제어할 수 있게 된 다음에나 해!"

그 고함으로 기절해 있던 스테파니나 클리오도 눈을 뜬 모양이었다. ——각자 신음을 흘리며 몸을 움직였다. 제단 파편 밑에서 스테파니가 몸을 일으켰다. 그리고 입구 근처에서 볼칸과 도틴이 천천히 일어났다. 클리오도 뭔가 잠꼬대를 하며 몸을 뒤척였다.

"끄——끝난 거구나, 오펜……."

스테파니가 비틀비틀 이쪽으로 다가오며 말했다. 오펜은 그래, 하고 대답하려 했다.

거기서——

"꺄하하하하하하하하하하하하하!"

광소——.

천인의 조각상 밑, 파편 틈새로 굴러갔던 머리가 웃음을 터뜨렸다. 그곳에 있던 모두의 시선이 단숨에 그 머리로 향했다.

머리는 끊임없이 조소를 터뜨리며 외쳤다.

"이것으로 끝났다고 생각하는 건가! 말했을 텐데! 인형은 나 하나만이 아니라고. ——내가 기능을 정지하면 다음 인형이 눈을 뜰 것이다! 천 대 가까이나 되는 나의 동포를 하나씩 파괴할 셈인가? 이번에는 기습도 통하지 않아!"

"……."

오펜은 말없이 몸을 일으키고 하아, 하고 한숨을 내뱉었다.

"입이 만악의 근원이라는 말이 있지. 네가 말하지 않았으면 깨닫지 못했을 텐데 말이다."

"……네놈, 뭘 할 셈이냐?"

인형의 물음은 무시한 인형은, 목을 잃은 살인 인형 쪽으로 걸어갔다. ——도틴을 끌고. 도틴은 완전히 기력을 잃어 전혀 다리에 힘이 들어가지 않는 듯했다. 오펜은 인형의 몸을 짊어지고 도틴에게 물었다.

"이봐. 넌 봤을 거다. ——저 마술사 동맹을 날려 버린 마술문자가 발동하는 걸 말이다."

"어? 응, 봤는데."

"참고로 이 몸은 정신을 잃고 있었지."

또 어느 새인가 다가온 볼칸이 자랑스러운 듯이 말했다. 오펜은 돌조각을 던져 볼칸의 입을 닥치게 만들고는 다시 도틴에게 고개를 돌렸다.

"그 문자의 형태와, 저 인형이 자기의 몸 어느 부위에 문자를 그렸는지 기억하냐?"

"으, 응……."

"네——네 이노옴!!"

인형이 당황하며 소리를 질렀다.

"시끄러. 대가리는 닥쳐. 그럼 도틴, 이 인형의 손가락을 써서 말이다, 그 문자를 정확하게 재현하는 거다. 형태를 훑기만 하면 사용할 수 있을 거야. 그 문자의 위력이라면 이런 하찮은 유적 따위 가볍게 날려 버릴 수 있을 테니까——."

인형의 심장 위에 그려진 월드 그라프는 다소 어색하나마 발동을 개시했다. ——땅울림, 소용돌이, 그 전과 마찬가지로 폭발의 징조가 광장을 파괴하기 시작했다.

가장 먼저 도망친 볼칸과 도틴, 그리고 다음으로 뛰쳐 나간 매지크와 클리오에 이어 오펜이 광장을 나가려 할 때, 그의 팔을 뒤에서 붙잡는 자가 있었다.

"……스테프."

오펜은 어깨 너머로 의아한 시선을 던졌다.

"무슨 생각이야? 얼른 도망치지 않으면 이번에야말로 살아남지 못할 거다."

"……네게 묻고 싶어. 저 인형의 이야기를 듣고, 넌 아무 것도 느끼지 못한 거야?"

"뭘."

"뭐냐니……. 천인과 우리의 이야기야. 그게 사실이라면 바보 같은 이야기잖아. 조그만 오해인데. 그런 것 때문에 이 마을의 마술사는 몇백 년이나 박해를 받고——"

스테파니는 풀 길 없는 괴로움을 눈동자에 담아 오펜을 보았지만, 그는 아무것도 아니라는 듯이 어깨를 움츠렸다.

"뭐, 거 뭐냐……. 관점의 문제지. 그리고 난——"

거기서 광장 구석에 움직이지도 못하고 소리를 지르는 인형의 머리를 턱으로 가리켰다.

"저 자식이 하는 말을 전부 사실로 받아들일 만큼 순진하지 않거든. 천인이 인간의 마술사를 말살하려 한 이유도 딱히 질투라고 단정할 수는 없어."

"그럼…… 뭔데?"

"그녀들이, 자신들의 몸이 독에 침식되고 있다는 걸 깨닫고 있었다면? 심지어 그것이 감염되는 성질의 독이라면 자신들의 피를 이은 인간의 마술사들에게도 그 독이 퍼졌을 가능성이 커. 마술사 본인은 마술이 있으니까 죽음에는 이르지 않아도 말이다. 그대로 내버려두면 인간 전체에 바질리콕의 독이 감염되어 인류 자체가 사멸할지도 몰라. 그것을 막기 위해서는 나중에 자신들이 어떤 오명을 뒤집어쓰든 인간 마술사를 섬멸할 수밖에 없잖냐."

"……하지만, 그렇다면, 어째서…… 시스터 이스터시바? 그녀는 그런…… 살인 인형에게, 마술사를 말살하도록 명령을 내리고 죽은 거야?"

"그거야 천인이라 해서 전부가 같은 의견을 가지고 있을 리 없잖냐. 하나 정도는 다르게 생각하는 녀석이 있고, 우연히 그 녀석이 최후까지 살아남았을 뿐일지도 모르고."

그렇게 말하고 오펜은 스테파니의 등을 밀어 광장 입구로 내다 밀었다. 자신도 그 뒤를 따르려다가, 역시 잠시 멈춰선 다음, 뒤를 돌아보고 혼잣말을 내뱉었다. ――재밖에 남지 않은 초상화를 향해.

"어차피 아무래도 좋잖아. 난 살아 있고, 전반적으로 괜찮아."

그는 씨익, 하고 웃으며 인형 머리를 향해 말했다. 그리고 동시에――그 위에 약간 기울어져 서 있는 천인의 조각상을 향해.

"그리고 댁들이 완전히 절멸했다는 증거도 없지……. 언젠가 만난다면 물어보면 돼. 서로의 선조들이 저지른 것처럼, 굳이 우리들까지 시시한 일로 오해를 해서 사이가 틀어질 필요는 없으니 말이다."

유적의 진동이 점점 심해졌다. 오펜은 혀를 차고 서둘러 광장을 나갔다.

에필로그

“……뭐, 재회한 뒤로 정신이 없어서——생각해 보니까 이렇게 마주앉아서 편안히 이야기를 하는 것도 몇 년 만이 되겠군 그래.”

오펜은 테이블에 팔꿈치를 댄 자세로 그렇게 내뱉었다. 건너편에 앉은 스테파니가 킥, 하고 웃으며 작은 컵을 들고 입가로 옮겼다.

“난 3년 전에는 계속 누워만 있었지만 말이야.”

미소를 지으며 말하는 그녀에게, 오펜은 살짝 굳어진 미소로 답했다. ——기억하기 싫은 과거가 떠오른 것이다.

그곳은 아렌하탐의 대로에서는 조금 떨어진 곳에 있는 학생가——대륙 여기저기에서 온 이 마을의 학생을 상대로 영업하는 카페형 바였다. 오펜은 그런 가게 바깥에 늘어서 있는 흰색의 목제 테이블 하나에 진을 치고 빈 컵을 의미도 없이 찔렀다.

아~, 하고 헛기침을 한 뒤, 그는 옛날을 회고하듯이 말했다.

“저기 말이다……. 이 마을에 도착했을 때, 난 우선…… 널 떠올렸어.”

“그래? 기쁜걸.”

“아니…… 기뻐해도 난 곤란한데. 그러니까, 그게——그 당시의 나는 자기 앞가림만으로도 벅차서 말이지. 그다지 네 힘도 되어 주지 못했고…….”

“응.”

“하지만 지금이라면 전보다 조금은 여유가 있으니까, 저기—

—"

오펜이 시원하게 말을 꺼내지 못하고 우물거리고 있자, 스테파니는 컵을 테이블 위에 놓고, 팔꿈치를 테이블에 댄 상태에서 두 손으로 뺨을 짚은 자세로 오펜에게 얼굴을 가져갔다.

그녀는 그 자세 그대로 오펜의 말을 받아 이었다.

"지금이라면 날 도울 수 있을지도 모른다?"

"아니, 그게——뭐…… 맞아."

오펜이 우물쭈물 대답했다. 스테파니는 찌릿 날카롭게 눈을 빛내며——오펜에게는 그렇게 보였다는 의미다——물었다.

"그 애에게…… 클리오에게, 나에 대해서 뭐라고 이야기했어?"

"어?"

오펜이 이해하지 못했다는 듯이 되물었다. 스테파니는 입가에 음험한 미소를 띠었다.

"그 애, 갑자기 동정심의 포로가 되어서 내게 울며 달려들었거든. 물어보니까, 네게 나에 대해서 들었다지 뭐야. 그래서 당신은 뭐라고 이야기한 거야? ——그·일·에·대·해·서."

"으……."

오펜은 움츠러들었다.

"요컨대 말이다, 내가 도울 수 있다고 생각한 건…… 그 일이거든."

"무슨 일?"

"아니, 그러니까, 이야기를 되돌리면——일단, 클리오에겐 네가 병을 앓고 있다고 말했어. 그러니까 이 마을 녀석들에게 린치 당해서, 내가 의사에게 데리고 가고, 구사일생으로 목숨은 건졌지만…… 저기── 아직 그 후유증으로 고생하고 있어서, 가능하면 내가 힘이 되어 주고 싶다고──"

"여기서 확실하게 말해 두는데, 난 딱히 괴롭지 않아."

스테파니는 단호하게 말하고는 쭉 가슴을 폈다.

"그때 난 다시 태어났어……. 난 이 제2의 인생을 즐기고, 삶의 보람도 가지고 있어."

"뭐가 다시 태어났다냐."

오펜은 불평하듯이──하지만 조용히──말했다.

"의사가 돌팔이라 린치를 당해 원형도 남지 않을 정도로 망가진 네 얼굴을 성형했더니 여자가 되어 버렸을 뿐이잖냐."

"그게 뭐 어때서!"

스테파니는 갑자기 안색을 바꾸더니 탕, 하고 테이블을 치며 몸을 일으켰다.

"얼굴만이 아니야! 그 후 제대로 가슴에 러버형 패드도 심었고, 수염 같은 것도 눈에 띄지 않도록 얇은 피막을 붙이고, 골격도 깎고, ○×☆도 알맞게 ◇◎♨하게──"

"시끄러워! 잘 들어! 난 망가진 후의 네 얼굴밖에 본 적이 없다! 그 탓에 속은 거고──"

"뭐가 속은 거야! 네가 멋대로 착각했을 뿐이잖아!"

여기서 오펜도 몸을 일으켰다.

"시끄럽다고 했겠다! 네놈도 부정하지 않았잖냐! 어쨌든 나는 3년 동안 이것만큼은 말하려고 결심했어! 뭐가 스테파니냐! 난 알고 있어! 네 진짜 이름은 스테판이라는 걸!"

"남의 지갑을 훔쳐서 린치를 당했으니 가명이라도 쓰지 않으면 못해먹잖아!"

"하! 그러고 보니 클리오에게 말했던 모양이던데――수술을 받은 뒤로 마력이 약해졌다? 그거야 참으로 안타깝게 됐수다만 자업자득이지! 그렇게나 몸을 개조해 대면――"

"뭐가 개조야! 난 다시 태어났다고!"

거기서 말싸움이 끊어지고, 두 사람은 서로를 노려본 채로 허억허억 숨을 몰아쉬었다. 잠시 후 후우, 하는 탄식과 함께 오펜 쪽이 먼저 의자에 앉았다.

"……뭐, 거 뭐냐……. 서로, 옛날 일이니 말이지."

"……그래."

스테파니도 간신히 숨을 고르고는, 고함을 칠 때 헝클어진 머리를 손으로 다듬으며 의자에 다시 앉았다.

오펜은 컵 뒤에 숨듯이 몸을 숙이고 힐끗 그녀를 보며 물었다.

"그래서…… 넌 앞으로 어떡할 거냐? 이곳에 남을 거냐?"

"설마. 마술사 동맹도 이미 사라졌으니 고향으로 돌아갈 거야."

"고향?"

"남쪽이야. ――아주 먼 남쪽. 방도 벌써 팔았어."

"……너희 부모님, 지금의 널 보면 기절할 거다."

"괜찮아. 노안이시니까 못 알아차리실 거야."

"아니……. 그럴 리 있냐……."

"뭐, 그건 그렇고. 그러는 넌 어떡할 거야, 오펜?"

그녀의 질문에 오펜은 아아, 하고 무언가를 떠올린 듯이 대답했다.

"내일 마을을 뜰 거다. 북쪽으로 간다."

"북쪽?"

"그 망할 지인 놈들이 또 빚을 갚지 않고 북쪽으로 도망쳤어. 그리고 네가 남쪽으로 간다면 난 북쪽이지."

그는 자리에서 일어나며 말했다.

"그럼 잘 지내라. 클리오도 화를 풀어 준 모양인지 숙소 식당을 빌려 저녁을 만들겠다더라고. 그렇게 보여도 가사는 프로급이다? 베이비시터 알바도 한 적이 있다던데."

오펜은 그렇게 말하고 가볍게 손을 들어 스테파니에게 작별 인사를 했다. 스테파니는 아무 대답도 하지 않고 그저 테이블 위의 컵을 입으로 옮길 뿐이었다.

"자♥ 저녁식사 가져왔어."

"아, 응――고맙다."

묘하게 아무런 구김살도 없는 클리오의 미소를 보며 오펜은 그녀가 가져온 쟁반을 받아들었다. ――접시 위에는 치즈케이크 같은 것이 있었다.

"원래는 좀 더 제대로 된 걸 만들까도 했는데, 밑에 식당 아저씨가 이미 주방의 불을 끈 모양이더라고. 밑엔 이미 주점이 되어서 대단한 요리는 내지 못한다지 뭐야."

"아, 아아――뭐, 저녁식사 시간에 늦은 내가 잘못한 거니까."

오펜은 시종일관 미안한 표정으로 그녀에게 말했다.

"아니, 저기――그러니까 말이다. 어젯밤은 미안했다…… 응. 하지만 널 두고 간 건 네 안전을 위해서지――"

"응. 알아. 신경 쓰지 마."

클리오는 고개를 기울이며 방긋 웃어 보였다.

왠지 자신이 지독히 나쁜 듯을 한 듯한 기분에 오펜은 접시 위의 케이크에 포크를 꽂았다.

“다음에 외출할 땐 같이 가자. ——훨씬 안전한 곳에 말이지. 저기, 내일 이곳을 떠나야 하지만, 그러니까 그게——산책에 적당한 마을이라면 아직 얼마든지 있고…… 특히, 아, 그래. 아직 왕도에는 간 적 없지? 거기 안돈이라는 공원은 일견의 가치가 있거든. 아마 평생의 추억이——”

그는 그렇게 변명하며 포크를 꽂은 치즈케이크를 통째로 입에 넣었다.

그리고 그것을 있는 힘껏 깨물고 나자…… 표정이 사악 바뀌었다. 그는 눈앞에서 방글방글 웃고 있는 클리오를 휑뎅그렁한 눈으로 보았다.

“클리오. 뭐냐, 이게…….”

오펜은 자신이 입안에 넣은 것을 내려다보듯이 시선을 밑으로 내리며 그렇게 물었다. 입안에 퍼지는 기이한 분위기에 손이 부들부들 떨렸다.

“뭐, 복수는 복수대로 해 둬야 하니까.”

클리오는 방긋 웃으며 대답했다.

“비누야. 깨끗하게 먹어야 해♥ 그렇지 않으면——가만 두지 않을 거야.”

같은 방에 있던 매지크 쪽을 힐끗 보자, 그 제자는 혀를 내밀며 휙 고개를 돌렸다. 아무래도——평소와 똑같이——우선 처음으로 실험 대상이 된 모양이다.

“이것 말고는…… 뭔 짓을 했냐, 클리오.”

오펜이 떨리는 목소리로 묻자, 소녀는 믿을 수 없을 정도로 기쁜 목소리로 방긋방긋 웃으며 대답했다.

“네 속옷이랑 양말, 전부 욕조에 담가 두었으니까 내일 마음에 드는 걸로 입어♥ 그리고 잃어버린 옷만큼 전부 오펜의 이름으로 여기저기서 옷을 샀으니까 대금은 꼭 치르고♥ 아, 그리고 이건 예정인데── 너한테 보험을 넣고 수령인은 나로 적을 테니까 잘 부탁해♥”

“그딴 짓을 해서 뭐가 즐거운 거냐, 너 인마…….”

오펜은 절망적인 목소리로 그렇게 내뱉었다. 도저히 감당이 안 되는 입안의 비누가 두 손을 부들부들 떨리게 만들었다.

클리오는 그런 오펜을 보며 시종일관 방글방글 미소를 거두려 하지 않았다. 이 미소가 지속되는 한, 일단은 뭐 괜찮겠지, 하고 각오를 하고──오펜은 입안의 비누를 꿀꺽 삼켰다.

"……어딘가에서 조용히 그 남자가 나타나려 합니다. ——그 남자라고 하면, 최근 묘하게 인상이 더러워졌어. 그러고 보니 최근은 좀처럼 방에 들여보내주지 않아 등등, 수없는 소문이 떠도는 그 남자……. 참고로 권말 실황은 저, 세계의 아이돌, 세기말의 철세! 그레이시를 쓰러뜨릴 자는 너밖에 없다! (조금 마니악)——스테파니가 보내드립니다. 아아! 그 남자가! 천천히 무대 뒤에서 모습을 나타냅니다!"

"(등장해서) ……거 뭐냐, 작자입니다."

"……어쩜 이렇게 분위기를 죽이는데 재능이 있는 남자일까……."

"아니, 그런 건 아닌데……. 역시 이번엔 좀 지쳐서."

"아하하. 처녀작이 수상에서 간행까지 1년! 그리고 전작은 거기에서 다시 2년! 그런데도 이번엔 주변의 예상을 모두 배신하고 실질적으로 8일 만에 완성했으니 말이지~."

"웃을 일이 아니다, 야."

"흐응. 편집부 M씨에게 '할 수 있습니다!' 하고 거들먹거리던 네가 잘못이지."

"뭐, 8일간이라고 해도 수정한 시간은 포함하지 않았습니다만. 퇴고 같은 것도 포함하면 훨씬 더 걸렸습니다. 그리고 평일에는 회사에 가서 쓸 수가 없으니까 시간으로 따지면 전작이랑 비슷한 정도의 시간이 걸렸어요. 한 달 반 정도이려나."

"오오, 공포의 겸업작가."

"……딱히 공포스럽지는 않잖아."

"뭐, 않지. 말해봤을 뿐이야. 그럼 그래서, 다음 권은 어느 정도나 걸려? 지금까지의 단축 기간을 고려하면…… 8시간?"

"되겠냐! 이번엔 느긋하게 쓸 거야(아마도)."

"정말로~? 넌 느긋하게 쓴다고 말하면서 하루에 10장 페이스를 고집스럽게 지키잖아."

"그, 그치만, 쓰지 않으면 불안한걸."

"어휴, 이렇게 간이 작아서는……. 그런데 향후의 전개 같은 건 생각해 뒀어?"

"그야 뭐, 해뒀지. 주인공 O랑 주인공의 일행 C가 대충 싸우고 주인공의 제자 M이 괴롭힘 당하고 주인공이 마구 소리를 지르며 날뛰면, 아아, 벌써 원고가 규정 매수를 돌파했구나 식으로――"

"누가 댁의 작업 패턴을 밝히라고 했는데!"

"매번 상하 분권의 유혹에 고심하고 있습니다요."

"어휴, 정말이지~ (투덜투덜) ……다시 말해서, 앞으로의 전개는 아직 아무것도 생각하지 않았다는 말이지?"

"미안♥"

"사과를 받아도 곤란할 뿐인데……. 그리고 그 하트는 때려 치워."

"어어, 이 시리즈의 향후, 같은 건 가능한 한 미정으로 두는 편이 더 재미있지 않을까, 그런 타산이 있습니다."

"정말로?"

"태만도, 조금 섞여 있습니다."

"역시나……."

"아——아니, 근데 말이지, 그 대신…… 다른 설정 같은 건 이것 저것 생각해 뒀어. 다른 시리즈라든가, 단발 스토리라든가……."

"네 '생각해 뒀다'라는 말은 좀처럼 신용할 수 없거든……."

"(으……) 뭐, 그 이야기는 이쯤 해 두고, 다음 권입니다만, 조금 다른 전개로 나아갈까 합니다. 여기까지 고대 마술사 소재가 2번이나 이어졌으니, 앞으로도 그 소재를 중심으로 이야기가 진행될 것으로 확신했던 당신——"

"?"

"미안♥"

"그러니까 하지 말라고."

"뭐, 그렇게 되었으니! 다시 만나 뵐 날을 고대하고 있겠습니다!"

"또 봐요~♪"

아키타 요시노부

역자후기

안녕하세요, 곽형준입니다. 오펜이라고 하면 라이트노벨 역사에서 초유명작 중 하나인지라 일을 맡을 때에는 굉장히 긴장이 많이 되었습니다.

또한 오래된 작품이니만큼 고유명사나 용어 등의 번역에도 고심을 많이 했습니다만, 결국 제가 좋다고 생각하는 방향으로 결정하게 되었습니다.

이 점 양해해 주시고 감상해주시면 감사하겠습니다.

「나의 품에서 잠들라, 망령」

목가적인 마을에
숨겨진 비밀이란?

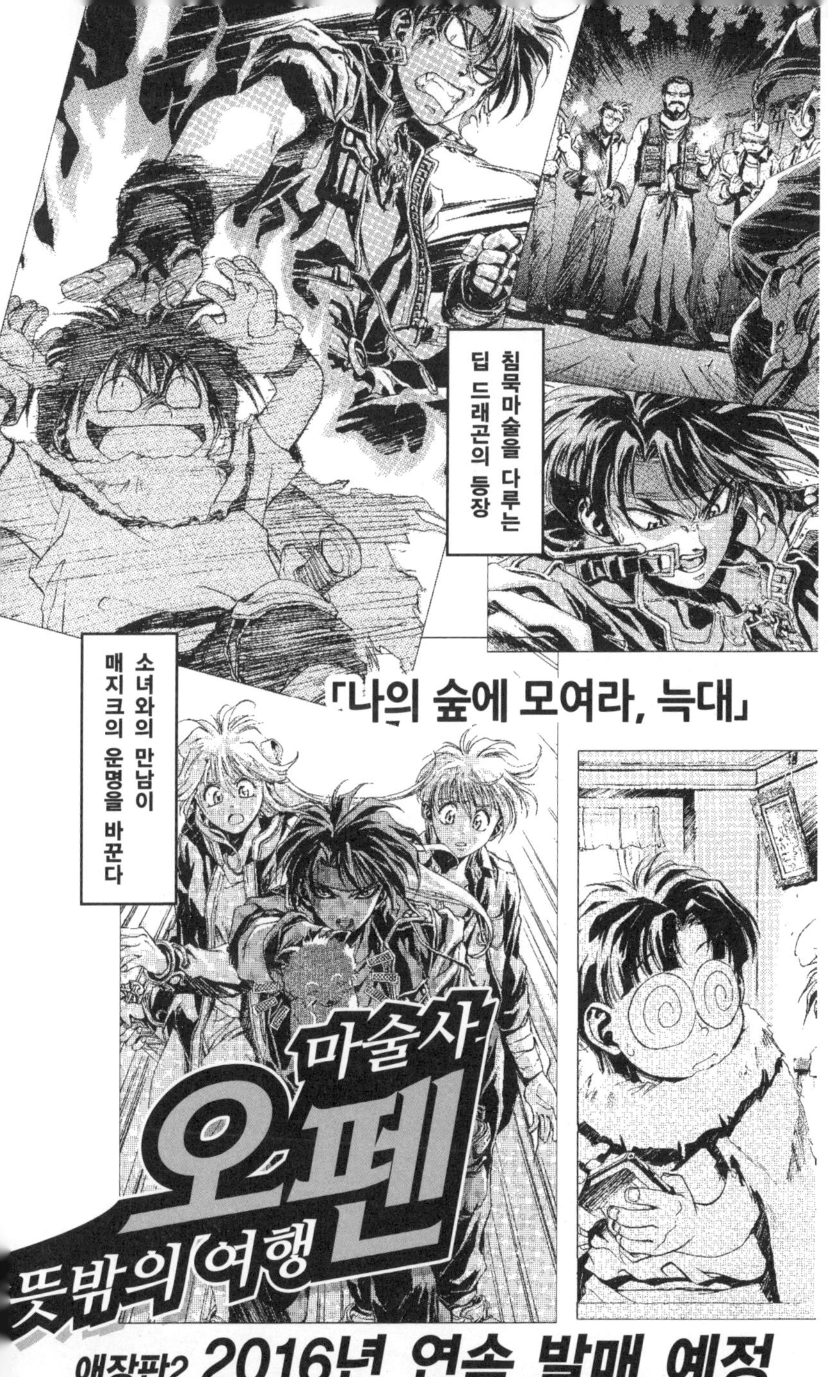

약소취주악부의 목표는 '전국대회'

소녀의 마음이 모여 모든 음이 하나가 된다

울려라! 유포니엄

키타우지 고등학교 취주악부에 오신 것을 환영합니다

1

타케다 아야노 지음
아사다 닛키 그림

길찾기

글 : 타케다 아야노 / 그림 : 아사다 닛키 / 번역 : 김 완

가격 : 9,000원

책이 없다면, 만들어서라도 읽어주겠어

책을 좋아하는 당신을 위한 '비블리아' 판타지 개막!!

책벌레의 하극상

사서가 되기 위해서라면 뭐든지 할 수 있어

제1부 병사의 딸 I

카즈키 미야

miya kazuki

일러스트 : 시이나 유우

you shiina

번 역 : 김 봄

kim bom

글 : 카즈키 미야 / 그림 : 시이나 유우 / 번역 : 김 봄

가격 : 10,000원

마술사 오펜 뜻밖의 여행 애장판 1

초판 1쇄 발행 2016년 8월 31일

저자 아키타 요시노부

발행인 원종우
발행처 (주)이미지프레임

주소 (13812) 경기도 과천시 용마로 2, 2층
영업부 02-3667-2653 **편집부** 02-3667-2654 **팩스** 02-3667-2655
메일 edit01@imageframe.kr **웹** vnovel.co.kr

ISBN 978-89-6052-650-1 02830 **(세트)** 978-89-6052-649-5